L'ÉTONNANT DESTIN DE RENÉ PLOURDE

PIONNIER DE LA NOUVELLE-FRANCE

Anne-Marie Couturier

L'étonnant destin de René Plourde

PIONNIER DE LA NOUVELLE-FRANCE

Les Éditions
David

Les Éditions David remercient le Conseil des Arts du Canada,
le Secteur franco-ontarien du Conseil des arts de l'Ontario et
la Ville d'Ottawa.
En outre, nous reconnaissons l'aide financière du gouvernement
du Canada par l'entremise du Programme d'aide au développement
de l'industrie de l'édition (PADIÉ) pour nos activités d'édition.
Les Éditions David remercient également le Cabinet juridique
Emond Harnden.

Catalogage avant publication de Bibliothèque et Archives Canada

Couturier, Anne-Marie, 1940-
    L'étonnant destin de René Plourde : pionnier de la Nouvelle-
France / Anne-Marie Couturier.

(Voix narratives et oniriques)
ISBN 978-2-89597-101-6

    I. Titre. II. Collection.

PS8605.09219E86 2008   C843'.6   C2008-906394-5

Révision : Frèdelin Leroux
Couverture : Le Semeur (II), Rodolphe Duguay, huile sur carton,
39 x 60 cm, 1938. Collection Monique Duguay.
Maquette de la couverture, typographie et montage :
Anne-Marie Berthiaume graphiste

Les Éditions David   Téléphone : (613) 830-3336
265, rue St-Patrick, Bureau A   Télécopieur : (613) 830-2819
Ottawa (Ontario) K1N 5K4   info@editionsdavid.com
www.editionsdavid.com

À ma mère, Félicité Plourde

Remerciements

Pour leurs savantes annotations ou leurs judicieux conseils, je désire exprimer toute ma reconnaissance à Jacques Lacoursière, historien, Diane Bellemare, Gaëtane Blouin, Micheline Bourgault, Rosaire Couturier, Gilberte Couturier-LeBlanc, Manon Debigaré, Maria-Amélia Dockery, Julie Hubert, Jean Laprise, Amédée LeBlanc, André Lemieux, Jeanne Morin, Jeanine G.-Roy et Éric Simard.

Merci à mes filles et à ma grande famille pour leur soutien attentif.

PARTIE I

LES CHEMINS DU SANG

CHAPITRE 1

Profil d'albâtre

RENÉ PLOURDE possédait l'étoffe des forts, des bâtisseurs. De ceux qui accomplissent toutes les tâches de la subsistance, qui ont peu, mais ne relâchent jamais. Des mains toutes d'une venue, larges comme des palmes, répétaient leur rengaine. Des doigts, longs et mobiles, habitués à grappiller, à défricher, à arracher à la vie des fragments de liberté. Mains de pionniers, sales à cœur de jour. Haillons du paysan, pas une pelure de rechange. De même, sobriété de l'esprit. La recherche seule du pain quotidien. Nul détail, que des motifs de survie. Mais du cœur à l'ouvrage.

Cette assiduité inspirait. Ses pairs se référaient souvent à ce jeune Plourde. Ses gestes observés au fond de sa prairie aidaient, leur musique entraînait.

De même, les jeunes filles le regardaient au loin. Portée vers lui, l'une après l'autre venait le soir faire les cent pas devant sa demeure. Mine de rien, elle passait la tête par la porte laissée entrouverte à dessein, lui adressait quelque bonjour puis entrait machinalement. D'un geste large, il lui désignait le siège où prendre place. Il parlait peu, répondait par un sourire, mais écoutait avec grande attention. Lorsqu'il se dépliait pour reconduire à la porte la demoiselle, elle retenait un souffle réjoui.

Ce long corps robuste surmonté d'un carré d'épaules imposant, cette façon de se tenir très droit malgré son état d'assujettissement séculaire, l'attirait.

— Un homme, un vrai!

Elle se promettait de l'attendre le temps qu'il faudrait. Pourtant, elle demeurait intriguée par cette fausse allure de «pas de problèmes», mais qui lui donnait un air hautain. Venait-il d'un autre monde? Était-il vraiment des leurs?

Une fois la jeune fille sur le chemin du retour, le jeune homme la regardait s'éloigner lentement. Ses yeux pâles l'examinaient, la soupesaient de l'épaule à la hanche, contemplaient la taille où l'encercleraient ses mains, jusqu'à sa disparition dans la brunante. Alors seulement, il se hâtait de retourner à l'ouvrage et travaillait deux fois plus fort.

— Comment faire vivre une famille avec si peu?

Payer ses redevances au roi, au seigneur et à l'église épuisait les moyens de tout paysan. Trois fois rien pour sa propre chair.

La mort de son père adoptif lui porta un coup dur. Il n'avait plus le sourire aussi facile. Même s'il continuait de se fendre à l'ouvrage, il se désintéressait de ses petits besoins personnels. Malgré tout, son attention à ses semblables demeurait. Il compatissait à leurs peines, et, à longueur d'année, se sentait comme eux, le garrot autour de la gorge à force de répondre aux besoins des plus nobles.

CHAPITRE 2

La hantise

U N IMPITOYABLE automne s'abattit sur l'ouest de la France. Depuis des semaines, il pleuvait à seaux. Un soir, après le souper, le forgeron de la commune de La Plourderie rapporta de la ville une nouvelle qui sema la consternation. Une tragédie pour ces pauvres paysans, la pire de toute leur existence.

— Bonnes gens de La Plourderie! Oyez! Oyez! Not' cim'tière va céder.

Toutes les portes, malmenées par cette pluie diluvienne, s'entrebâillèrent autour de la place publique.

— Quoi? hurla une voix.

— Qu'est-ce que tu dis? s'exclama une autre, puis une autre et une autre.

— Ça va glisser! J'vous l'dis que ça va glisser! s'époumona Gadoys, les mains placées en cornet.

Tous se turent, paralysés par l'annonce. Les portes se refermèrent l'une après l'autre sur l'impuissance la plus totale. Malheureux depuis des siècles, ils iraient encore sur leurs grabats se débattre avec leurs fantômes pour le reste de la nuit.

— Pas avant que…, rétorqua étrangement le jeune Plourde plutôt tranquille dans l'existence jusqu'à ce jour.

— Qu'est-ce qui te prend tout à coup, le manant, le semonça une « petite voix ». Crois-tu détenir des pouvoirs sur cet événement ? Tu n'es ici mieux que personne.

Et vlan !

— Voilà pour toi, René Plourde !

René rentra la tête dans les épaules pour se garantir contre la dégelée de ses gravats intérieurs qui, à chaque écart, pour la moindre peccadille, lui poivraient l'esprit.

Il attrapa son pourpoint en lambeaux et, dans la grisaille du crépuscule, se lança sur la route menant au vieil enclos funèbre où dormait son ancêtre. Depuis sa petite enfance, il n'y avait jamais remis les pieds. Un manant n'avait jamais une minute à perdre. Plus rien ne l'arrêterait. Ni le noir, ni ce déluge, ni la fin du monde ! René dérapa sur le limon des pierres, trébucha dans les fossés. Dans la nuit close, il perdit souvent la trace et se heurta à des arbres d'où crachait une pluie d'encre. Piètre ramassis de boue, il gagna le cimetière au petit matin. Il ralentit, chercha à s'emplir les poumons, mais toussota plutôt. Il étouffait. Cet air se liquéfiait. Quel exécrable automne ! La pluie cinglait son regard. Il plaça sa main en visière. Pendant que ses doigts tentaient de balayer le malaise de ses yeux, sa tête pivota franc nord. Par-là.

La direction à prendre, celle qui changerait sa vie. Il accéléra. Jetée à l'extérieur des lignes de cet enclos funèbre menacé de glissement se trouvait, depuis une centaine d'années, la dépouille de son aïeul, patriarche d'une lignée trop fière. Ce site ancestral évoquait tout ce qui restait de ces pauvres paysans, de leur passage sur la terre. De ces manants, soumis à l'extrême. Ce coin de leur dernier repos sis à Poitiers même, chef-lieu du Poitou, n'avait plus aucune chance par ce mauvais temps. Assis en hauteur sur les berges du Clain, il ne pourrait plus résister longtemps aux cataractes du ciel. René marcha de plus en plus vite.

— Faut que je voie une dernière fois, le faut...

Oui, revoir avec des yeux de chair l'endroit du dernier repos de son ancêtre, d'où partait sa propre vie. Se remémorer ceux qui portaient son nom, qui l'entretiendraient de lui. Fol espoir, peut-être y retrouver ses propres parents disparus sans laisser de traces, là, au bord de la tombe de leur ancêtre commun. Accourus comme lui avant l'ultime trépas du premier de la descendance des Plourde.

— Mes jambes vont me lâcher.

Fâcheuse impression qu'elles pourraient, ici même, se vider de leur propre sang s'il n'arrivait pas à temps.

Tout à ce pèlerinage nocturne, René n'avait jamais ralenti. Une dizaine d'heures à courir comme une bête après son appât ; un orphelin après l'auteur de ses jours.

René ne respirait plus. Tout à coup, ses mains se portèrent à sa figure. D'impossibles images foudroyaient son esprit. Des chevaux imaginaires sortirent de sa tête et vinrent se dresser sur l'écran de pluie en face, son seul horizon. Il entrouvrit deux doigts et les aperçut. Effaré, il recula d'un pas. Pif ! Paf ! Les chevaux avancèrent d'un pas dans sa direction. Avant que sa tête n'ait pu les éviter, les bêtes se précipitèrent à nouveau dans les stalles de sa mémoire. Il eut mal. Il crut qu'il saignait. La ruade lui avait-elle défoncé les tempes ? Il tâta son pauvre crâne...

Ses bras s'écrasèrent de chaque côté de son corps. Son regard accablé plongea vers ses dix doigts chiffonnés par la pluie. Dans sa mémoire, cependant, l'aube se leva sur sa descendance, désormais exposée sur la table du temps. Peut-on échapper au temps ? Échappe-t-on jamais à sa mémoire ?

CHAPITRE 3

Le temps se replie

D ES SOUVENIRS refluaient dans l'esprit du jeune descendant. Tant d'anecdotes sur la famille Plourde ressassées par ses parents des dizaines de fois lorsque venait le crépuscule. Père et mère assis face à face, genoux contre genoux, près de leur rejeton couché pour la nuit. Le gamin tendait l'oreille un moment, puis retirait son esprit, recommençait ce petit jeu jusqu'à ce qu'il sombre dans le sommeil. Il adorait ces « histoires de roi, de méchants et de vol » où se mêlait un certain mousquetaire de leur ascendance. Chance inespérée, le vrai voleur, ici, c'était le roi ! Le gavroche se réjouissait.

Le jeune homme releva les yeux. La forêt d'Archigny se dressait devant lui, dégoulinante, au fond d'une clairière brumeuse. De nouvelles images convergeaient à la lisière de ce bois. René se remémora sa petite enfance au milieu des grands arbres. Là où il apprenait non seulement à survivre, mais aussi à rêver. Pour son père François, tenir haut l'étendard familial à cette époque signifiait se soustraire aux regards. René se revit appuyé contre ses genoux. Accroupi derrière un arbre, son père pointait vers cette tombe où il se tenait.

— Notre aïeul est enterré là-bas, p'tit. Tu vois ? lui chuchota-t-il à l'oreille.

Au même moment, le bruit d'un galop retentit dans la plaine, alerta le père et son fils. Une monture nerveuse fonça droit sur la forêt, droit sur eux. Le fils attrapa le tronc de l'arbre et, vif comme l'écureuil, grimpa au sommet. L'habitude ! Combien de fois, dans ses mises en scène, ce gamin n'avait-il pas joué l'évasion ? Le père affolé le suivit de près. Comme il regrettait de s'être attardé près de la clairière. L'avait-on aperçu ? Pourtant, son petit devait savoir. Absolument ! Ses yeux devaient voir, ne fut-ce qu'une seule fois, le lieu de la sépulture du doyen de leur lignée. Il le fallait, comme une dernière chance.

Cric ! Crac ! La lisière se déchira sous eux. Une large brèche apparut. Le cheval s'engouffra dans la végétation dense. À l'étroit, il bondissait, décrivait en avançant des lacets difficiles. Que cherchait-il ? François, blanc comme la mort, retint son souffle. Plus un geste, plus un bruit surtout. Son regard plaqué sur l'horizon, il implorait le ciel pour que son petit se tienne tranquille.

Combien de fois encore réussirait-il à échapper à cette poursuite entreprise contre les siens depuis quatre générations ? Le garçonnet, lui, imita son père, mais s'amusa de la scène. Il épia le cavalier et l'imposante bête noire, son arrière-train mis à l'épreuve entre les arbres, en eut assez. Elle s'arrêta d'elle-même, hennit à pleins naseaux, sortit du bois et reprit sa chevauchée à travers la plaine. Le petit se boucha les oreilles en souriant. Il avait encore réussi à échapper au brigand, et celui-là ne tenait pas de l'imaginaire. Un vrai, cette fois, en chair et en os. Un coup de chance pour le petit héros au sommet de son arbre.

Le bras du père s'étendit à nouveau vers la sépulture.

— N'oublie jamais où est enterré ton ancêtre, René.

Une fois la menace disparue, les deux se laissèrent glisser de l'arbre. François murmura encore à l'oreille du petit.

— J'ai autre chose de très important à te dire. Écoute-moi bien. Il faut que tu te tiennes loin d'ici. Toujours, c'est capital.

Chacun de ces mots avait tinté comme les notes du « Salut aux morts ».

— Tu comprends, mon gars ?

Le petit glorieux n'ajouta pas un son aux paroles de son père. Il fixait maintenant.

— Promets-le-moi, le secoua François.

Le chignon du jeunot se pressa contre l'épaule paternelle. L'enfant demanda tout de go :

— Comment il s'appelait, mon *entête* ?

— Pourquoi t'acharnes-tu à dire *entête* ? On va croire qu'on t'a pas appris à parler.

— Ça sort tout seul.

— *An-cccê-tre* ! tu comprends ? René, comme toi, René, le premier celui-là, et tu le sais bien.

— C'est un beau nom, hein, Papa ?

Le père hocha la tête. Le petit adorait quand papa et maman vantaient son « beau » nom. François attira de nouveau son attention :

— Tu es le quatrième de la famille à porter ce nom, tu te souviens ? Tirer les choses au clair, il le faut, en toute circonstance, mon fils ! Pour ce qui est de ton ancêtre, l'Ancien, enterré là-bas, tu le sais encore par nos confidences à trois, le soir, un grand malheur lui est tombé dessus, il y a très, très longtemps. Mais ce que tu sais moins parce que tu es trop jeune pour comprendre vraiment, c'était une filouterie, un vol pur et simple, d'un très grand héritage. Ce Louis, ce Valois, un escroc ! C'est à cause de ça, mon p'tit garçon que toute la famille est tombée dans la misère... La misère noire, à part ça, rejetée de tous. Sauf ton grand-oncle, Jean, bien entendu. Celui-là, un vendu, un vrai Judas ! C'est pour ça qu'on vit caché tout le temps dans la forêt.

— Moi, j'aime jouer dans le bois, papa.

— Quand c'est un jeu... Tantôt, ça n'avait rien d'un jeu. On est passé proche de se faire attraper par ce cavalier. Trop proche.

— C'est lui qui passait trop proche, pas nous, Papa.

Le gavroche, de fort mauvaise humeur tout à coup, s'éleva contre ce nouveau brigand, noble peut-être bien, mais tellement mal élevé. Toutes les sortes d'escrocs le faisaient saliver.

— Papa, est-ce qu'il avait une épée et un chapeau à plumes grand comme ça, mon *an-ccc-tête* ? imita-t-il, les bras ouverts.

— Oui, comme celui que tu viens de voir. Un baron, lui aussi, mais pas de la même espèce, je te prie de me croire. Avec un beau cheval blond, me racontait mon grand-père. Mais, c'est une tout autre affaire, ça. Tout ce que je veux que tu retiennes, c'est la place où il est enterré. Pour le reste, tu verras venir.

— Est-ce qu'il aurait voulu jouer avec moi dans le bois, mon *an* ......?

— Que non, p'tit! Beaucoup trop occupé avec ses grandes terres. Passait le plus clair de son temps à les chevaucher d'un bout à l'autre pour en surveiller les limites jusqu'à ce que le roi le dépossède. Mais tu penses rien qu'à jouer, toi!

Le père se tut un moment.

— Seulement, nous, ses descendants, la cour continue de nous courir après. Tu as vu comment ça se passe? Oui, on nous a presque eus.

De nouveau, le petit rentra en lui-même. Tout à coup, les mots se figeaient dans sa gorge. Pour la première fois, une goutte de méfiance s'infiltra dans son cœur. Il retournait bientôt à ses chimères d'enfant.

— Tiens, il faudra que je me trouve une meilleure cachette.

Tous les coins et recoins du bois défilèrent dans son esprit. Il redevint grave. Ses yeux fouillaient partout. Où pourrait-il bien se nicher la prochaine fois? Il devint son propre cheval et se tapa le postérieur. Hue!

François l'observait du coin de l'œil. Il reprit la petite main dans la sienne et, plié en deux, s'éloigna prestement de la clairière. Son marmot avait-il, malgré tout, enregistré son message?

Chaque soir, invariablement, François et sa femme Jeanne reprenaient l'incroyable histoire des Plourde. Si énorme, cette affaire!

— Je ne sais pas si le petit comprend quelque chose de tout ça, s'inquiéta le père.

François, oppressé par une centaine d'années de retenue, aspira bruyamment.

— Des bouts, je te dirais. Tu sais comment il a une
bonne tête, ajouta Maman.

— Mais, il pense rien qu'à s'amuser...

Dans son for intérieur cependant, il s'en remit à
son petit pour qu'un jour cette famille retrouve sa vraie
nature, sa liberté.

L'enfant absorbait, certes. Mais comment ne pas
oublier quand on a tout juste cinq ans. Une nuit, l'enfant
perdit ce qu'il avait de plus cher ici-bas : ses deux parents.
Volatilisés, pas de traces ! Sa vie à la dure ne lui permit
pas d'attendrissement. Son instinct le porta plutôt à la
quête immédiate de nourriture. L'orphelin, sans un éclat
et sans une larme, partait à la recherche de sa ration de
baies quotidiennes.

CHAPITRE 4

Les affronts des ombres

L E Roi prit la parole.
— Baron René I de Plour, de par les pouvoirs et privilèges qui me sont confiés du Très-Haut, je vous déclare non admissible à l'héritage de vos pères. Vos biens *in extenso* serviront à renflouer les coffres royaux en souffrance, décréta-t-il, sans plus. J'ai dit.

La perte subite de son héritage confondit le puissant baron de quatre-vingt-dix ans. Il porta la main à son sabre. Voulut répliquer mais, sous le choc, tomba raide mort. Quant à son fils, René II, il ne sut rien du décès de son père. Depuis toujours, il guerroyait au loin dans d'interminables conflits de religion. Vint à la rescousse de son aïeul, « son mousquetaire » René III, le fougueux érudit, toujours prêt à se battre en duel pour son grand-père. Il s'engouffra sans attendre dans la salle du trône. Le dos tourné, le roi brutal vaquait à mille riens. Valois sans contredit, il avait enjambé la dépouille du vieux baron, René I, lui frôla le nez de son escarpin verni, et fit pousser son cadavre dans la pièce voisine.

— Sire, j'exige une audience sur-le-champ !

Le roi vit rouge.

— Qui ose s'adresser à moi sur ce ton ?

— René III de Plour.

Le roi frissonna. Ce seul nom lui mettait les nerfs à vif. S'il se trouvait une personne à la cour avec qui le roi ne souhaitait jamais, au grand jamais, s'entretenir, c'était bien le baron René III de Plour ! Ce puits de science, vif comme la poudre, le terrassait. Son personnage dans son entièreté s'opposait au sien depuis toujours. Louis le fuyait comme la peste, car, fait notoire, on reconnaissait à ce troisième baron de Plour la réplique la plus expéditive et cinglante de tout le royaume.

D'une curiosité insatiable, il dévorait. Il avait tout lu, connaissait tout sur tout : des pas de la gaillarde aux chansons de geste des trouvères, aux brumes du jeune Vinci, aux vers de Villon, à la prose de Commynes dont il pouvait déclamer des pages entières, à l'histoire de Joinville ; des sciences appliquées aux sciences occultes avec un net intérêt pour les mathématiques, la navigation, l'évolution de la lunette d'approche, la pêche à la baleine, l'astronomie et l'astrologie. Louis le Valois, peu attentif aux raffinements de l'esprit et au discours combien moins articulé retint au moins une chose : s'abstenir de jouer au plus fin avec ce baron lors de joutes où la réplique se trouvait à l'honneur. Ces réjouissances, copieusement arrosées de bonnes bouteilles du Poitou, donnaient lieu à des réparties sublimes. Alors Louis, pour ne pas perdre la face, atténua ses propos. Pour tenir les convives sous sa loi, il se proposa en modérateur. En fait, ces jeux de l'esprit demeuraient la seule chose où Sa Grâce ne cherchait pas à s'essuyer les pieds.

Sur son écran de pluie au cimetière, le jeune homme de 1684 observa l'affrontement de jadis. D'un tel réalisme qu'il eut l'impression de faire partie de ce tableau. Les hautes vibrations, dans la circonstance, avaient rendu son corps transparent. Il ne sentait plus ses membres, il se tenait droit debout au fond de la salle à observer la scène ancienne.

Même s'il s'appliquait à recourir à la prudence dans ce face-à-face dangereux pour son amour-propre, le souverain dut agir.

— Rétractez-vous immédiatement, Baron ! osa-t-il.

— Je me rétracterai si vous rendez à la lignée des « de Plour » l'héritage qui lui revient de plein droit.

— Plus un mot, Baron de Plour... ou vous prononcerez, pour la dernière fois, entendez-moi bien, votre nom à la noble.

— Je me tairai quand justice sera rendue.

— Vous l'aurez cherché, Baron !

— Quoi, la justice ?

— Indigne ! Vous en avez trop dit.

René III éclata de rire.

— C'en est fait. Je vous retire, de facto, la particule nobiliaire de votre identité, conclut le roi.

Louis avait perdu la maîtrise et il le savait. Le drame venait d'être signé.

— N'en croyez rien, Lou-is, scanda le Mousquetaire. Vous jouez un jeu auquel vous n'entendez rien. La noblesse du cœur vous est inconnue. La liberté de l'esprit également.

Alors, le Mousquetaire s'amusa à entraîner le roi dans d'impossibles dédales. D'un geste vif, il traça un écran imaginaire entre le monarque et lui. De l'autre main, il inscrivit dans la transparence de l'air, *René de Plour*, avec moult fions. Ses mains raffolèrent du moment. Ses jambes fébriles se délectèrent du jeu et, ne se retenant plus, elles esquissèrent quelques pas de danse. S'ensuivit une échappée à gauche. Moment capital ! Du bout des doigts, il fit mine de soutirer lentement, précieusement, la particule de son nom. Le roi subjugué s'appliqua et chercha des yeux à suivre l'invisible. L'émotion gagna en intensité. Oscillant trois ou quatre fois du coude, le baron vola à droite. Une deuxième échappée de ce côté, pour la forme, et il s'empressa d'accoler la particule à la fin de son patronyme. Frénétique, il recula d'un pas de géant, s'arrêta les jambes en écart. Il pencha la tête à gauche tel un artiste jaugeant son œuvre et, d'un geste théâtral, souligna son nouveau nom de famille : René Plour-de. Minute de vérité. Il s'applaudit à grands fracas.

— Parfait, Plourde ! décocha-t-il.

Louis s'abrutissait. Ce pauvre taureau allait-il perdre la raison ? Il ne s'agissait plus ici de défoncer les portes sans se faire du souci. En cet instant pathétique, il devait s'efforcer de lire une écriture invisible, sans véritable existence, à l'envers en plus. C'en était trop de ces simagrées fantastiques ! Restait que son regard abasourdi n'arrivait pas à s'en détacher.

— Me voici donc, non plus René de Plour mais bien René Plour-de, railla le subalterne. À l'avant ou à l'arrière, le *de* retentissait. Le roi se prit la tête à deux mains.

Le mauvais sujet s'en donnait à cœur joie, noircissait le tableau.

— Pour ne plus vous servir, Majesté.

Plus libre que jamais, Plourde venait de marquer son existence d'une autre empreinte.

Il se décida enfin à porter le coup final au roi assassin.

— Plus de repos pour vous, Lou-is. Le spectre de mon grand-père René I hantera désormais vos nuits.

Louis nageait dans la confusion la plus totale. Son divin pouvoir l'avait-il fui ? Sa Hauteur allait pourtant se raviser. Plour-de entreprit son cérémonial de retrait avant d'encourir les nouvelles foudres royales. Sarcastique, il ajoutait :

— Majesté, René III Plour-de requiert la permission de prendre congé de votre incommensurable grandeur.

Il s'éloigna à reculons, courbette après courbette. Plus bouffon que les fous du roi eux-mêmes.

Le Valois, assujetti, ployait sous la charge du sarcasme. Les coudes sur les genoux, il regarda dans le vide. Trop, beaucoup trop pour cet esprit… étroit. Pourtant, ce crime de lèse-majesté méritait un châtiment exemplaire.

— Scé-lé-rat ! rebondit-il, avant que la situation ne lui échappe de nouveau. Hors de ma vue pour toujours ! Gardes !

Les gardes, telles des royales potiches, demeurèrent cloués au parquet, la gueule grande ouverte. De longues minutes avant de soustraire leurs bottes à l'infâme scène.

— Gardes !

Enfin, ils se jetèrent sur le baron en défaveur. Vite, le mettre à l'écart, le tenir à distance des mains de

Sa Grâce. Leur position parla d'elle-même. L'égorger si cela fut possible.

Résolu à lui clouer le bec pour toujours, le roi aboya :

— Au bagne je vous dis, au bagne !

Chemin faisant, les gardes malmenèrent le Mousquetaire. Même désarmé, il résista encore, mais l'épreuve se déroulait à dix contre un. Lorsque le détenu passa près de lui, René IV ne put lever un doigt pour venir en aide à cet impétueux ancêtre. Alors les vilains « petits cailloux » de sa culpabilité en profitèrent pour lui lapider l'esprit. Ils s'en donnèrent à cœur joie.

Dans la geôle, et pour ne pas prendre de risque, les gardiens doublèrent les chaînes du Mousquetaire. Un frisson dans le dos. Les tâches les plus épuisantes attendraient, au bagne, René III Plourde.

— Qu'il crève au plus vite !

CHAPITRE 5

Fils de René III, le Mousquetaire

A UX ABORDS de la vingtaine, René III, tout feu tout flamme, avait eu deux fils : Jean et Pierre, à l'opposé l'un de l'autre. Le plus vieux, Jean, entra dans les ordres, selon la coutume. Talentueux, cultivé comme son père, il se hissa bientôt au rang de secrétaire épiscopal. Monseigneur appréciait les services de ce distingué serviteur, jusqu'au jour où l'esclandre du Mousquetaire à la cour vint rompre ce bel équilibre. Le fils se précipita chez Monseigneur à la recherche d'un appui. Il ne se préoccupa ni de son père en défaveur ni de son bisaïeul qui venait d'être jeté aux orties.

— Excellence, c'est grave ! Mon père, toujours mon père !

— Comment donc ? sourcilla Monseigneur.

— Il a affronté Sa Majesté sur une question d'héritage. Pour le punir, le roi lui a retiré la particule de son patronyme. J'ai bien peur pour mon propre nom.

— Délicat, délicat...

La propre influence du haut dignitaire pourrait s'en ressentir. Un secrétaire en perte d'éclat peut toujours faire chuter la faveur d'une « Excellence ».

— Je vais voir ce que je peux faire. En attendant, veuillez à terminer la rédaction de l'édit épiscopal pour dimanche prochain.

Un Jean soucieux fit un effort suprême pour rassembler ses esprits. La fameuse dîme, toujours ! De six mois en six mois, elle augmentait.

— Et allez savoir pourquoi ! se disaient les paysans.

L'illustre prélat dut user de toute sa diplomatie pour obtenir une audience avec le Trône. Par cinq fois, cet entretien lui fut refusé. Le sujet même de l'affaire horripilait Sa Majesté.

— « De Plour », quelle horreur ! Je ne supporte pas ce nom. Plus jamais ce nom !

L'évêque, subtil, joua la carte de la flatterie.

— L'éclat de la Couronne se ternissait, rapporta-t-il au souverain.

Toucher au secrétaire de l'évêque du chef-lieu du Poitou aggraverait les choses, où son bras droit reluisait, où lui-même, l'Excellentissime, brillait.

— Le plus bel exemple de probité, de magnanimité que vous puissiez donner, Sire… quant à l'impardonnable offense de l'infâme René III.

— J'y réfléchirai, dit le roi. Mais je vous le dis, ce nom me déchire les oreilles. Laissez-moi.

Le souverain rageait de plus en plus.

— Ah ! s'il m'était possible de l'occire ce nom, de le pourfendre à l'épée, de l'éventrer. Qu'il soit banni à tout jamais de mon royaume ! Qu'il n'en fasse jamais partie !

Des jours plus tard, une missive en provenance du siège royal arriva à l'évêché. Jean de Plour n'existait plus.

Il devrait désormais se nommer Jean Pellorde. À prendre ou à laisser.

— J'ai du génie, pensa le monarque, même si le *p* l'ennuyait encore un peu.

Mais la résonance dans son entier ne lui rappelait rien.

Le secrétaire de Monseigneur l'avait échappé belle. Parce qu'il tenait à son poste et à ses privilèges, il dut se plier à la blessante fantaisie du roi. Un message on ne peut plus clair lui parvint : tout ou rien. La rancœur qui lui empoisonna aussi l'âme lui sortit par tous les pores. Avoir un père qui n'avait jamais su tenir sa place, quelle abomination ! L'horreur, pour lui, elle se trouvait là.

*   *

*

Très tôt le lendemain, le parfait secrétaire de Monseigneur faisait « une cure d'air pur », après la gifle du roi. Il se demanda s'il finirait par oublier. Non, le feu de cette mortification ne s'éteindrait pas de sitôt. Il avait gardé son poste à l'archevêché, cependant. Dans la cour extérieure, il tomba donc sur une paysanne à sa tâche matinale.

Elle venait de traverser les arrière-cuisines et se hâtait vers la forêt, une corbeille dans chaque main. Martine Jousselin avait la charge des petits plats de Monseigneur. Mais, aucune servante ne devait jamais se trouver sur la route d'un dignitaire. Malheur ! Elle venait de croiser le prêtre. Elle se confondit aussitôt en excuses à Monsieur Jean de Plour qui la reprit vertement.

— Ne m'appelez plus jamais comme vous venez de le faire sinon je vous ferai fouetter. Je m'appelle désormais Jean Pellorde.

Martine aurait voulu disparaître. Si elle avait pu, la moins que rien, d'un coup de baguette… Elle tira de son mieux sa pauvre révérence et s'enfuit. Martine n'avançait pas assez vite à son goût. Courir, marcher, elle ne le savait plus…

— … pellorde pellorde, ça me rappelle quelque chose, quoi ? quoi ? pellorde horde corde sainte misère.

Enfin, elle parvint à l'arrière-cour ; à l'abri de tous les regards, croyait-elle. Martine avait ralenti, essoufflée et confuse comme si elle venait de subir l'assaut sur sa personne une seconde fois.

— Ne te trompe plus jamais, grande folle ! Ce nom…

Elle se massait les tempes, sans ménagement, pour oublier le mot. Le murmure revenait. Un doux murmure, Plouououou, si doux murmure. L'ancien nom chantait à son oreille, telle la brise à l'heure où les choses s'apaisent. Une sérénade qui, en souplesse, interrogeait aussi son avenir… Oùoùoù ?

Douces pensées s'il en fut, mais la vision du difficile Monseigneur la fouetta bientôt. Il trônait, joufflu et replet, au bout d'une table recouverte de victuailles. L'évêque ne lésinait jamais sur la saveur de ses aliments. Chaque jour, Monsieur exigeait, pour ses convives et lui-même, rien de moins que fines herbes et champignons frais. Un peu de sauge purificatrice par-ci, de cerfeuil frisé par-là, de l'angélique confite sur toutes les sucreries sans omettre le romarin sur les légumes. Leur arôme capiteux, aux abords des cuisines, lui chavirait l'esprit et faisait frémir sa panse païenne. Que dire des morilles, chanterelles et cèpes qu'il adorait ? Qui le faisaient saliver d'avance. Passé à table cependant, une sainte frousse l'envahissait aussitôt. Si jamais il y avait eu contact avec les amanites.

— Les vénéneuses, les traîtresses ! Elles pullulent. Comme tous ces gens dont il faut se méfier.

Martine allait très tôt le matin dépouiller tout un champ des fines herbes du jour. D'abord, elle englobait l'étendue d'un regard, humait, puis sautait d'un rang à l'autre et se dirigeait vers les plus savoureuses, celles à maturité.

Elle pénétrait ensuite dans la forêt paisible en quête de champignons. Les meilleurs pour Son Excellence.

— Un panier à ras bord, ça sera pas de trop aujourd'hui, finissait-elle par se dire. Paraît qu'il aura deux fois plus d'invités, ce soir.

Se pouvait-il que le nombre d'invités de Monseigneur augmente de jour en jour ? Ou était-ce une constante réclame de sa panse ?

Un matin, elle vit une silhouette se faufiler derrière les arbres. Elle cessa tout mouvement. Rien ne remua plus.

— Tiens, j'ai des visions maintenant.

Le lendemain, semblable scénario. Elle se tenait toujours immobile quand un homme apparut entre deux arbres, l'index posé sur sa bouche. Martine n'eut pas peur. En général, elle n'avait pas la peur facile, car quoi de pire pour une manante qu'être manante ? Alors, elle haussa la voix pour mieux se faire entendre de lui.

— Vous charchez quelque chose ?

— Psit.

Il l'appela de la main, puis leva les bras en l'air pour lui montrer sa bonne foi et la retenir. Aucun sabre ne pendait à son côté.

Martine fit quelques pas dans sa direction.

— Madame, murmura-t-il.

— Quelqu'un me suit.

Elle pivota, regarda tout autour. Personne. Jamais de sa vie, on ne s'adressait à elle en lui donnant du « madame » ! D'étonnement, elle se redressa l'échine et écarquilla les yeux.

— C'pas un paysan coume moi, se dit-elle. Seule. Faut que j'prenions garde tout de même.

— Madame, je vous surveille depuis quelque temps et je sais que vous travaillez à l'archevêché.

— Pas difficile à voir.

Est-ce que, par hasard, vous auriez déjà entrevu le secrétaire particulier de Monseigneur ? Il s'appelle Jean de Plour ?

— Chut ! messire. Qui qu'vous soyez, prononcez plus jamais ce mot d'vant parsoune, si vous voulez pas être écartelé sur la place publique.

L'homme, par peur de la dénonciation, n'osa s'aventurer plus loin dans sa requête. Il attendrait à demain.

— Elle le connaît donc, ce Jean de Plour.

Il s'enfonça dans le bois.

Le lendemain, Martine interrogeait du regard la forêt. L'ombre mouvante s'y trouvait-elle encore ? L'homme réapparut. Il gardait le silence. Martine vint encore à sa rescousse.

— Ça s'rait-y que vous charchez quelqu'un ?

L'homme n'osait répondre.

— Pensez-y à votre guise. Je r'vindrai demain, une dernière fois. Après, je pars pour un quartchier. Y aura quelqu'un d'autre qui vindra à ma place.

L'homme ne souhaitait pas la perdre de vue. Le lendemain, il se présenta sur les lieux avant elle. Dans son dos, il l'aborda. Martine sursauta.

— Vous voulez me faire défaillir.

— Madame, je connais bien le secrétaire de Monseigneur...

— Ah ! crèyez-vous ! dit-elle, en reluquant ses hardes. Vous m'semblez pas du même monde.

Il hésita encore.

— C'est mon frère.

Ahurie, Martine détala vers l'archevêché. Une trentaine de pieds plus loin, elle s'arrêta net. Elle jeta un bref coup d'œil par-dessus son épaule.

— Impossible !

Elle revint sur ses pas. Pour se rasseoir les esprits, elle l'examina un bon moment, des pieds à la tête. Des guenilles pires que les siennes.

— Je vous en prie, Madame, ne vous sauvez plus et ne faites plus d'esclandre. Je m'appelle Pierre de Plour, frère cadet de Jean de Plour.

Un frisson d'effroi lui contracta les scapulaires. En ce moment, ces deux noms, bout à bout, martelèrent son oreille comme s'ils avaient été d'airain.

— Madame, accepteriez-vous de me rendre un service ?

— ...

— Voici un mot pour mon frère, le bras droit de Monseigneur. Vous serait-il possible de le déposer dans ses appartements... en catimini.

— En cati... en cati...

Martine avait transporté de tout dans sa vie, même des pots de chambre, mais jamais des choses de valeur comme des écrits. D'une trop grande dignité pour son peu. Devant une telle marque de confiance, elle se rengorgea :

— Il l'aura son mot !

— Mais puis-je compter vous revoir à votre retour dans une huitaine ?

— Craignez pas. Je r'vindrai. Monseigneur, y pouvions pas se passer de manger. Des fois, j'pensions qu'y'a la bouche plus grande que le ballon.

La servante termina sa tâche. De loin, Pierre suivit ses moindres mouvements. Elle se hâtait maintenant vers l'archevêché. Était-ce la nouvelle émotion sur son visage qui tenait d'une intrigue amoureuse ou cette feuille qui lui brûlait les doigts ?

Dans l'arrière-cuisine, la brosse n'avait pas perdu de temps. Le nettoyage des végétaux s'accomplit en un temps record. Martine s'apprêtait à planter le message entre les champignons du plateau quand la porte bâilla.

Jean Pellorde, en rogne, venait remplir ses nouvelles fonctions : goûter, avant Monseigneur, aux champignons de l'assiette de Monseigneur. Chaque jour que le bon Dieu amenait, il devait se plier à cet acte dégradant.

— Je vais lui apprendre, moi, à cette tête enflée, se disait l'évêque, à qui la situation avait donné du fil à retordre. Il ne sera pas dit que je mordrai la poussière à cause de cette famille d'orgueilleux.

L'éminent évêque ne s'était-il pas vu repoussé par le roi à cause de ce Jean Pellorde ? Plus d'une fois, pensez donc. Beaucoup trop pour cette vanité épiscopale. Cela se payait, non ? À chaque chose, son prix.

Les pas firent sursauter Martine. La feuille lui glissa des mains, voleta et se déposa sur le parquet vis-à-vis de l'ouverture de la porte. Martine s'évapora par l'escalier des manants. Un pas, deux pas, trois pas et le papier craqua sous la chaussure de monsieur le secrétaire, impatient d'en finir avec cette tâche de petits. L'impeccable soutane noire se pencha vers les carreaux de faïence et sa main saisit la dépêche. Son benjamin signait Pierre Plourde (de Plour). Cendres vives dans l'œil.

— Nom de Dieu !

Jean Pellorde, comme s'il allait vomir, trébucha hors de la pièce. Il se heurta la tête au chambranle et se mordit la langue. Dehors, il redressa sa fière stature et cracha son fiel au large. Ensuite, il leva les yeux vers le firmament, prit Dieu à témoin et postillonna pourpre dans sa sainte Face.

— Plus jamais ! Jamais ! Jamais !

L'ordonné des ordres majeurs avait perdu toute maîtrise. Son cœur à vif n'arrêtait plus de japper ses jamais,
jamais, jamais...

Au crépuscule, Jean Pellorde enfourcha sa monture,
galopa vers la clairière et y largua son boulet. Le caillou
emprisonné dans la note fit cratère à l'endroit désigné
par son jeune frère. Les bottes de la hargne dardèrent
aussitôt les flancs du cheval, et le frère aîné disparut avec
sa misère dans le soir tombant. Une hargne contre les
siens qui ne le lâcherait plus.

— Ne t'avise plus jamais de tenter de communiquer
avec moi car je risque de tout perdre, disait la note. Mon
père au bagne et toi, paria ! Quand on a perdu son nom
en plus, c'en est trop. Je ne veux plus jamais avoir à faire
avec toi. Je n'ai plus de frère. Je ne te connais pas.

Martine retrouva Pierre au même endroit, huit jours
plus tard. Cet intervalle comme une éternité. Le billet
et ses conséquences ne revinrent jamais sur le tapis.
Des questions d'une tout autre nature se pointèrent à
l'horizon.

— Madame.

Un nouveau frissonnement accueillit l'appellation.

— Bonjour, Messire.

— Laissez-moi vous aider, ajouta Pierre d'une voix
attendrie.

— Jamais de la vie ! Vous allez vous salir.

Cette réponse n'avait pas sa place. Un même accoutrement dénudé, de si pauvres haillons en commun. Ils
se sourirent.

En douceur, Pierre retira des mains de Martine les deux corbeilles pour les laisser tomber aussitôt.

— Qu'est-ce qui m'arrive ?

À la seconde, il saisissait son imprudence.

— Suis-je en train de perdre la tête ?

Que faisait-il donc en pleine clairière à la vue de l'un comme de l'autre ? Il décampa vers l'ombre sécuritaire de la forêt. Martine ne se formalisa pas de sa brusquerie. Elle avait déjà souffert pire. Elle se pencha, attrapa les deux anses et se dirigea d'un pas certain vers l'archevêché. Une vraie chouette, à la tête oscillant du côté de la forêt.

Le lendemain, une Martine perplexe termina sa cueillette de champignons entre les arbres. À reculons, elle sortit du bois et appela d'une voix retenue.

Aucune réponse, ni apparition. Elle attendit quelques minutes et comprit qu'elle ne le verrait pas. Son esprit erra, se demanda si c'était pour toujours, ou, si... demain... Autant d'hésitations revinrent et la firent souffrir. Elle se tira de la lisière du bois et s'éloigna d'un pas lourd.

Le jour suivant, elle accomplit ses deux tâches quotidiennes avec la rapidité d'un automate et se retrouva au bord de la forêt une heure à l'avance. Ses yeux fouillèrent la lumière graphitée du sous-bois. Soudain, elle crut apercevoir du mouvement. Des pas de l'intérieur s'approchèrent.

— Vous ? de si bonne heure ? dit Pierre.

— ...

Leurs yeux se croisèrent et leurs corps se figèrent. La parole devint inutile. S'écoulaient une dizaine de minutes, puis chacun retourna à ses occupations. Matin après matin s'élabora une même approche. Un beau jour, Pierre Plourde posa sa main sur celle de Martine Jousse-lin. La manante crut défaillir. Le temps lui-même venait de s'arrêter. Lorsqu'ils retrouvèrent leurs esprits, le soleil, à son zénith, brillait de tous ses feux.

— Juste ciel ! Qu'est-ce que ça va être comme coups !

Cette réflexion bastonna Pierre. Il eut mal pour elle. Ah ! non, on n'allait pas la battre ainsi. Trop injuste à la fin. Il s'en fallut de peu pour qu'il coure à l'archevêché prendre sa défense. Oh ! le regard noir de Martine : un mur entre eux.

— Vous mêlez pas de ça !

Interdiction absolue. Le prétendant comprit qu'il ne devait pas lever le petit doigt. Deux billes noires de désaccord mirent du temps à retrouver les étincelles ocre de leur bonheur. La manante avait l'habitude des cor-rections ; pour la première fois, le fouet lui semblerait doux.

Les jours passèrent et les marques d'affection se mul-tiplièrent. À l'archevêché, le maître d'ordre interpella Martine :

— Débarrasse manante, plus besoin de toi ici !

Monseigneur devait s'absenter pour un an. Le pauvre, il souffrait d'insatisfaction. L'étendue de son domaine ne suffisait pas à son importance. Faudrait-il partir en guerre ? Quant aux amoureux de fraîche date, ils s'éloignèrent des environs. Des rosiers sauvages plus loin lançaient leurs effluves. Ils bordaient, par centaines, l'orée du bois où la douce romance s'amplifiait. Jusqu'au jour où...

Martine donna naissance à un solide garçon. La jeune famille commençait une nouvelle vie, toute au bonheur d'appeler leur fils, François... Plourde. L'auteur de son existence, Pierre, avait fini par se rallier à la contrefaçon du patronyme de son célèbre père, René III, au cachot.

— Plourde, comme j'aime ce nom, répétait l'heureuse maman.

François grandit. On lui apprit à vivre dans l'anonymat. Le fils imita ses parents sans trop de mal. La règle était la règle. S'il devait traverser la clairière pour se gaver de baies sauvages, il le faisait à quatre pattes. Malgré les égratignures des ronces, leur cueillette au milieu des champs de brandes valait toujours la peine. Ces minuscules fruits regorgeaient du soleil de la clairière.

Le cercle des occupations du jeune garçon s'agrandit avec sa taille. À la puberté, ses échappades durèrent parfois jusqu'à trente-six heures. Un jour, il ramena avec lui une toute jeune inconnue, Jeanne Perrine Grémillon. Ses parents n'en revenaient pas.

— Où diable avait-il bien pu dénicher cette personne ? Une humaine à part entière, en plus, qu'ils détaillèrent des yeux.

— Rien d'un loup-garou, se rassurait enfin la mère. Fort jolie, du reste. Comment donc ? Se trouvait-il dans leur forêt quelque cache inexplorée ?

François Plourde et Jeanne Perrine Grémillon eurent tôt fait, à leur tour, de fonder une famille. Petit René naquit à l'été de 1667. René IV à François à Pierre à René à René à René faisait la joie du clan. Un ravissement qui ne fit pas long feu. René se retrouvait bientôt seul dans la vie. Il avait cinq ans.

PARTIE II

LES CHEMINS DU COURAGE

CHAPITRE 6

L'adoption

D ÉSORMAIS SEUL, ce petit bout d'homme arrachait
déjà sa pitance à la terre. À sa mesure, il travaillait
sept jours sur sept, du levant au couchant à l'exemple de
ceux qui lui avaient donné la vie. Il se questionnait sans
arrêt. Pourquoi l'avait-on laissé là ? Pourquoi ne l'avait-on
pas enlevé avec les siens ?

— On m'a peut-être pas vu ? On m'a peut-être pas
entendu respirer dans tout le vacarme. Non, peut-être
que j'étais parti courir après les brigands ? Ça m'est déjà
arrivé de me lever la nuit et d'aller faire la vie dure aux
malandrins qui se sauvaient entre les arbres.

Midi. Le soleil brillait à pleins rayons. L'enfant s'arrêta, ébloui.

— Il a pas beaucoup de raison de s'inquiéter, lui, le
soleil.

Il s'écrasa près d'un buisson, avala une à une les baies
et les radicelles au creux de sa petite main, et s'arrondit
près d'un arbre comme la nuit où ses parents étaient disparus. En apercevant les hautes cimes, il déduit que peut-
être on l'avait confondu avec une roche tout en bas.

— J'aime faire dodo en boule, ça me fait chaud en
dedans. Les arbres, eux, ils sont grands et forts.

Il se disait qu'ils jetaient un œil sur sa petite personne pendant que papa et maman dormaient à côté.

Avant qu'ils ne s'envolent... Le sommeil prenait possession de sa jeune intelligence.

Une heure plus tard, il s'affairait déjà à la recherche
de son repas du soir, toujours en quête d'une explica-
tion. Une supposition après l'autre, il commençait à perdre patience. « On m'a pris pour un tas de broussailles,
tiens ! Ça doit être ça. En tout cas, laissez-moi vous dire,
voleurs, que des broussailles c'est capable de faire des
grosses, grosses crises... Capable de tempêter, même
quand il vente pas. Moi aussi, quand ça va pas, je tempête. Et je tempêterai autant que ça me chante, si vous
voulez savoir. Qu'on essaie surtout pas de m'en empêcher ! Personne ne pourra m'arrêter de *venter*, pas même
les méchants messires... ou les grands rois de sept pieds.
Qu'ils se le tiennent pour dit :

— Je venterai bien quand je voudrai. »

Il avait trouvé sa réponse.

Puisqu'il se sentait maintenant aussi indistinct qu'une
herbe dans une botte, son appréhension se dissipa. Avec
le temps, il se rapprocha de la lisière du bois. Bientôt, il
se montra au grand jour, debout sur ses robustes petites
jambes.

De loin, Eusèbe, un paysan des environs, l'avait
aperçu. Il l'avait observé pendant des semaines et s'était
dit que, par temps froid, il ne pourrait laisser ce mio-
che dormir dehors. « Pas plus qu'un chien qui n'a pas de
grange. »

— Commence à faire froid, hein petit ? grelotta
Eusèbe comme si l'hiver battait son plein.

— Pas tant que ça...

Un soir, à la brunante, le petit s'apprêta à se lover dans le creux d'un arbre pourri. « Ses » brigands ne revenaient plus jamais le jour. Dans son sommeil cependant, lui, le plus grand chevalier entre tous, il en profiterait sur sa monture isabelle, pareille à celle de l'Ancien, pour les poursuivre sans relâche.

— Où y sont tes parents, p'tit ? s'approcha à nouveau Eusèbe.

— Disparus, continua tout bonnement le garçonnet.

— Où ?

— Sais pas.

— Comme ça, t'as plus d'parents ?

— Non... ajouta-t-il, sans broncher.

Mine de rien, il examina le paysan.

— Amène-toy. J'te f'rai une p'tite place pour coucher... ce soir...

René se laissa désirer un bon moment, puis s'approcha. Il leva son regard azur vers les orbites charbonneuses d'Eusèbe... et vrilla son poing au creux de la paume du frêle paysan. Il lui esquissait son plus beau sourire.

— Câlin en plus, le petit indépendant.

Ses doigts se resserrèrent sur la menotte et on marcha en silence jusqu'à la maisonnette.

— Tiens, tu couch'ras juste ici.

Il lui délimita de ses mains une place grande comme celle d'un nourrisson.

Le sauvageon s'éclata de rire, car, de toute sa vie, il n'avait habité entre quatre murs... Quel palais !

— Tu t'appelles comment ?

— René.

— Bon. Dors maintenant.

Le lendemain, l'enfant, le premier, chevaucha la barre du jour. Eusèbe se réveilla une quinzaine de minutes plus tard. Il constata à regret que René s'était enfui... parce qu'il manquait de place. Vers dix-sept heures, l'enfant réapparut, les mains jointes en coupole. Un long jour à glaner dans les champs voisins une vingtaine de petits fruits. L'enfant plongea ses yeux dans le regard de l'homme et lui tendit sa récolte dans sa totalité.

— C'est pas beaucoup... le froid... Il avait tout roussi.

Rire en cristal, une avalanche de notes jaillissait de sa bouche. Eusèbe lui sourit, mais il avait peine à contenir son émotion. Il n'avait pas souvenance d'une telle gratuité à son égard. D'une voix aussi terne que son regard, il ajouta :

— Tu peux rester ici, si tu veux. Toujours.

— Demain, ça sera trois poignées, juré !

Dans son cœur, Eusèbe l'adopta comme un fils, son fils unique. Toujours la même question à l'esprit depuis qu'il cultivait ce lopin. Comment faire pour nourrir toute une famille ? Comment ! avec une terre à peine plus grande qu'un potager ? Ainsi, chaque jour que le bon Dieu amenait.

— J'ai beau glaner, me priver, j'arrive tout juste à honorer mes redevances : au roi, sa taille ; au seigneur, son cens ; à l'église ; sa dîme. Que des grenailles pour mon seul petit garçon.

L'enfant, en retour, éplucha la campagne de ses baies tardives. Il comprit sans pouvoir se l'expliquer que les grenailles de son paternel valaient autant que les pierres précieuses qui ornaient le justaucorps des grands messires de sept pieds. Il ferma les yeux et vit fondre ces joyaux en sucre d'orge sous son palais.

Au fil des jours, ces grenailles nourrirent autant son âme que son corps, lui enseignèrent l'essentiel. Hier, dans le bois, la vie lui apprenait à être conciliant, mettre de la distance quand il le fallait, à se faufiler parfois. Aujourd'hui, sur cette maigre terre, du vital au dépassement, il gobait tout. Avec l'humble Eusèbe, il se forma au quotidien de sa vie. Une existence aussi difficile que celle vécue avec ses parents.

Autrefois, ce père adoptif avait mérité un grade d'excellence dans le canton de La Plourderie. On attribuait à Eusèbe le titre de laboureur. À cette époque, ce rang conférait une certaine noblesse qu'on appelait l'aristocratie de la terre et faisait l'envie de tous les paysans. Un compère, de loin, lui cria :

— T'en as grand comme la main, mon vieux. Pas surprenant que tu sois l'meilleur du coin.

Eusèbe salua d'une main cette camaraderie, et continua, de l'autre, à prendre de la peine. Dans la lumière de dix heures, l'ourlet de sa terre reluisait d'humidité. Le droit admirable des sillons semblait calqué sur les parallèles célestes.

René grandit à vue d'œil.

— Attention au chambranle, lui rappela Eusèbe.

— Ouille !

Le pauvre venait de se heurter le front pour la vingtième fois.

— C'est grand'ment temps, conclut Eusèbe.

Et il aiguillonna René dans ses traces, les traces de ses labours. Eusèbe avait pris la décision que René deviendrait un laboureur, comme lui.

— Ce sera ton héritage, mon fils !

Le fils plissa les yeux sur ce ton grandiloquent jamais encore utilisé par Eusèbe. Son torse se redressa.

René mit deux ans à acquérir son titre.

— Il laboure une beauté mieux que moi ! remarqua Michaux-Michaux, du champ voisin.

L'histoire ne dit pas si l'élève dépassa son maître. Toujours est-il que les deux intéressés tinrent l'affaire morte. Une question d'honneur.

Le frêle Eusèbe prit de l'âge. Vers quarante ans, il se sentit à bout de course. René se dévoua corps et âme pour prolonger sa survie. Il se tint loin de la table pour lui offrir deux bouchées de plus. Il le transporta partout où la nature pouvait adoucir ses heures ; d'un mur à l'autre pour le mettre à l'abri du vent, d'une plaque de soleil à l'autre pour que les rayons réchauffent ses membres.

— Ça fait du bien, laissa filer le vieillard. Approche, toussota-t-il. T'es le meilleur des deux... laboureurs.

Un oui bouclait son dernier souffle.

René lui-même l'ensevelissait. Il conservait sa mémoire dans le terreau de son cœur.

Après maintes démarches et moult redevances, René obtint l'autorisation de demeurer sur la parcelle d'Eusèbe et d'y poursuivre la culture. Il y habitait encore à ce jour. Un jour menacé d'extinction.

CHAPITRE 7

Les recrues

D ES RUISSELETS couraient tout autour. Soudé à la sépulture de son ancêtre, René n'avait pas fait un geste depuis des heures. En proie à un profond bouleversement. L'impression de remonter un siècle dans le temps où, plongé au cœur de lui-même, il prenait le pouls de son existence, mesurait son destin. Au firmament, des visions de ses ancêtres placardaient l'espace. L'image de son arrière-grand-père, le Mousquetaire, éclairait avec la brillance d'une nova. Son audacieuse anecdote à la cour autrefois le fascinait, l'incitait à faire des pas en avant. Ah ! ce René III. Cet esprit libre devenait son maître à penser, lui apprenait à se délester de sa propre peur, à quitter son servage. René ne savait plus si ses yeux rejetaient des larmes ou s'il pleuvait à travers eux.

— René ! René !

Il tendit l'oreille. Son regard fit lentement le tour de l'horizon, chercha cette petite voix venue de nulle part et de partout à la fois.

— Ton nom... il porte loin.

Secoué, René mit un genou au sol, toucha la terre d'une main, la porta à son cœur, et partit oint par le sang de ses ancêtres. Il n'entendait plus ses chaînes cliqueter. Du figurant animé, l'homme renaissait. Il éclaboussait au grand jour sa vérité. En lui, une force se décuplait. Il se sentit plus grand que nature.

— Plus jamais, ni vilain, ni manant, lança-t-il à tout vent.

Oh ! son feu intérieur. Même les gouttes de pluie s'asséchèrent au contact de sa peau.

— Me voilà, clama-t-il, comme si on l'eût cherché.

René s'embarquerait, dorénavant. Il ferait partie, à n'en pas douter, du prochain voyage vers la Nouvelle-France. Il saurait la retracer cette bonne sœur dédiée au recrutement.

Une seule fois, René avait-il aperçu Marguerite Langlois dans son bourg de La Plourderie avant l'orage. Ce jour-là, il s'affairait, au bord de la route, au nettoyage de son champ. Une litière passa. René leva la tête et vit la dame pousser le rideau. Quelques instants plus tard, le cortège s'arrêta. En un tournemain, son antre se transformait en plate-forme d'embauche. Elle attendit le jeune homme, car elle avait lu la tentation dans son regard. Il ne s'était pas approché. À cette époque, René ne connaissait pas l'audace. Accroupi, il gardait la tête baissée, mais ses mains rageuses soulevaient une tempête de poussière.

— *Tudieu* de racines ! Satané champ de brandes ! Champ de misères !

Clac ! Une longue racine avait cédé sous l'effort du manant tombé à la renverse. Inadmissible, une telle impatience de la part d'un moins que rien. Les spasmes de l'angoisse replongèrent dans ses entrailles. Quand il se redressa, il aperçut l'intendant à cheval, en train de faire sa ronde. De nouveau, une farouche opposition l'envahit. Il regarda la tige entre ses mains.

— Tout ce qu'il mériterait, celui-là, c'est de se faire rosser le mollet.

La fine branche tournoyait déjà au-dessus de sa tête et s'embobinait autour de la jambe pendante.

— À bas, cavalier ! À ton tour de lécher la poussière. Maître va bien voir comment ça pince, comment ça chauffe, comment ça humilie surtout, une petite hart.

Le cheval ralentit, vint trop près du jeune homme. L'intendant brandit son fouet et, de hargne, lacéra la poussière à une ligne de sa main. Une explosion brune aveugla le paysan à genoux.

— Plus vite, manant !

Intolérable sensation de brûlure.

Madame Langlois avait continué sa route en direction de Troyes. Elle allait à son couvent pour y recruter des religieuses enseignantes et obtenir des avances d'argent.

René marchait de plus en plus vite. Il se disait que cette Mère Langlois signerait pour lui son contrat. Il passerait volontiers à la roue pour obtenir cet engagement. Trois petites années, et il deviendrait seul et unique propriétaire. Cette concession en Nouvelle-France, sa terre, l'attendait depuis toujours, mais il l'avait seulement un peu oubliée, pensait-il. René n'avait jamais entrevu de si belles et bonnes choses.

Une vague de bonheur le submergea. Son esprit jubilait. Il avait toujours aimé la terre, la respectait comme une princesse. Toute subsistance passait par elle, par ses caprices également, mais au Nouveau Monde cette terre ne saurait se montrer aussi ingrate. Cette certitude ne le quitta plus.

La démarche élastique, René avançait en sifflotant. Il tomba face à face avec Michaux-Michaux. Cet ami de toujours travaillait la terre voisine de celle d'Eusèbe avec Pierre Michaux, son père. Dès l'âge de cinq ans, les jeunots s'étaient aperçus de loin. Une grande amitié naquit entre les pieux de la clôture séparant les deux terres. Cette pluie battante ne semblait pas l'importuner non plus. Plourde fit mine de passer tout droit. Michaux-Michaux l'attrapa par la manche.

— Où est-ce que t'étais parti, espèce de grand cadavre ? Je t'attendais hier soir. On avait des choses à se dire... Non ?

Un bond, un saut, un tourniquet et face à face. Pour la cent dixième fois, les comparses allaient se toiser en duel. Un jeu qui ouvrait chacune de leur rencontre. Arme imaginaire à la main, car un manant n'avait pas droit à l'épée. Un amusement capable, cependant, de faire oublier ses humbles origines, ou encore propice à se donner des droits. L'air convaincu, Michaux-Michaux provoqua. Une attaque en flèche ! Plourde riposta aussitôt. Les sabres fantômes se choquèrent, se résistèrent, s'arrachèrent. Le métal tinta sourd dans l'abondante pluie.

Les rivaux avancèrent, reculèrent. Pas la moindre inimitié autre que le jeu. Le combat simulé se déplaça sur le pont d'un voilier au mât unique. Volé en haute mer par le flibuste Michaux-Michaux. Un beau coup.

— Au grand hunier, matelot, ouvrez les voiles.

Vif comme l'écureuil, Plourde grimpa à la mâture.

— Capitaine, ce grand mât n'est pas du pays.

— En effet matelot, il provient des forêts du Nouveau Monde. Mais, vous, moussaillon, votre sens de l'observation vous honore. Vous aurez droit à une pièce d'or.

— Dites plutôt que c'est mes gras de jambe qui m'honorent, capitaine. Un pin haut comme un clocher, ça prend du mollet pour monter ça.

— Justement, vous avez été affecté à ce poste à cause de vos gras de jambe, tenez-vous-le pour dit, matelot.

Un autre épique combat prit fin entre deux *ferrailleurs sans fer* de l'ouest de la France.

À toutes jambes, les jeunes gens avaient repris la route. Michaux-Michaux choisissait le haut côté de la sente. Il compensait son centimètre de moins. Ils parlaient sans se regarder. Leurs répliques venaient aussi drues que leurs pas. Mais, on tenait secret sa réflexion profonde, mûrie en commun par les longs mois d'hiver. Le goût de l'aventure les emportait. Sujets traités à l'emporte-pièce : des rarissimes Ève de la Nouvelle-France qui les faisaient quand même saliver, aux grands navigateurs, selon la légende, épris des baleines, à leur grand Louis d'or et à son manque d'intérêt pour sa colonie.

— Parle pas si fort, si on nous entendait, l'arrêtait Michaux-Michaux.

— En tout cas, moi, je les aime avec la taille plus fine, les donzelles, laissait entendre Plourde.

Arrivés à la chaumière de Michaux-Michaux, ils se faufilèrent par la porte qui bâillait déjà sous la poussée

du vent. Un lac important se forma aussitôt à leurs pieds.
On oublierait les dégâts. Ce soir, il faudra tirer les choses
au clair, une bonne fois pour toutes. Et plus de retour en
arrière. Michaux-Michaux se cracha dans les mains, et
annonça sa décision de partir pour la Nouvelle-France
au printemps.

— Définitif!

Il venait, le premier, de lâcher le morceau.

C'était à prévoir, il lui fallait toujours le dernier
mot.

— Donc, on va s'inscrire ensemble demain? le
relança René avant de partir.

— Finalement, plus j'y pense, René, plus que je pense
que ça se pourrait que j'attende que la pluie arrête avant
de faire le pas. Après tout, c'est peut-être pas si rose que
ça, là-bas.

— Le grand Michaux-Michaux qui se dégonfle
encore!

— Si la pluie n'arrêtait plus jamais, jamais, là-bas.
On sait pas.

— *Tudieu* de *tudieu*, on aura tout vu! Faut pas penser à la pluie, faut penser à après.

Sans une hésitation de plus, Plourde prit le dehors. Il
rentrerait à la maison. Parfois, il en avait assez des tergi-
versations de son compagnon. Comme toujours avec lui,
c'était deux pas devant, un pas derrière; ou, au mieux,
une fois blanc, une fois noir. Michaux-Michaux referma
la porte sur son ami.

— On verra toujours! lança-t-il, pour se donner du
poids.

Michaux-Michaux, toujours le premier à atteler, toujours le premier à dételer.

En face de sa chaumière, René s'arrêta net. Une immense flaque d'eau noyait le devant de sa porte. Il avait beau être grand et fort, il s'inquiéta pour sa petite talle de marguerites sauvages collée au pan sud. Il s'empressa d'aller les voir. Elles faisaient la roue sur la flaque d'eau. De la pointe de son sabot, il traça une rigole, les redressa de son mieux. Pour cette petite tache de couleur, il aurait combattu à l'épée.

Durant la nuit, l'averse avait mis un point final à son remue-ménage, et le cimetière avait cédé. Dès le lendemain, la bonne sœur aboutissait sur la place centrale du village afin de mettre en branle la traversée du printemps. Ce voyage s'articulerait-il comme les autres ? Les choses ne semblaient pas vouloir suivre leur cours normal.

Malgré le pavé boueux, la religieuse avait réussi à équilibrer sa petite table lie-de-vin au centre de l'activité publique. Se côtoyèrent à la surface une plume, un encrier, un paquet de feuilles disparates et un gros cahier noir à la couverture rigide. Là, se trouvait l'histoire de tous ses voyages, rédigée avec une précision monacale. Ses plans, en ce jour, accusaient du retard à cause de l'invraisemblable pluie. Mais il y aurait, envers et contre tout, une traversée au printemps 1685. La bonne sœur allait, venait devant sa table, balançait dans les airs un contrat type.

— Approchez ! Approchez ! Laissez-vous tenter par la grande aventure, mes braves. Une avance sur vos gages est possible.

Avances ou non, Mère Langlois n'ignorait rien de la somme de courage nécessaire à pareille folie.

Le nez dehors pour prendre, enfin, une bouffée d'air, de nouveaux chefs de famille aux patronymes de leurs précédents cousins déjà engagés, ou des inconnus du même nom, Migneault, Bouchard, Hudon, Desjardins et Meneux avaient entendu l'appel de la religieuse et s'attroupèrent au loin... Une manière de tâter du rêve à distance, de remettre son existence en question en s'offrant du temps, de donner une autre assise à sa vie. Peut-être ? Combien de fois n'avaient-ils pas traité de l'affaire entre eux ? Champlain lui-même accusait de lourdes pertes à son retour. Sur vingt-huit hommes à son départ, il n'en restait plus que huit ou neuf à Kébek. On hésitait donc à s'aventurer.

— Une terre pour chacun de vous. Seul et unique concessionnaire, au bout de trente-six mois seulement, ne l'oubliez pas !

— Seul et unique propriétaire, il doit y avoir de la magouille là-dessous, s'éleva une voix. Ça se passe dans l'air du temps ou il y a des papiers avec ça ?

— Papiers en règle, mon bon monsieur. Acte notarié et tout. Monsieur ?

— Meneux, dit-il, d'un ton bourru.

Ce chaudronnier n'avait jamais eu la langue dans sa poche. De ce fait, nombre de coups de cravache avaient plu sur son dos.

— Trois autres années à crever de faim, avança Bouchard, le taillandier. C'est pas mieux que par ici.

— Vous avez tort, en Nouvelle-France, vous verrez, c'est différent. Tout est différent. Vous serez au service d'un seigneur dès votre arrivée, soit. Mais, il vous garantira le gîte et le couvert, je dis bien le gîte et le couvert jusqu'à l'obtention de votre concession. Cinquante belles livres par année en plus, ce n'est pas rien. Et vous l'aurez, cette terre, prenez-en ma parole !

Elle se signa pour ajouter du poids.

— Un seigneur, encore un seigneur, on en a plein par ici, des seigneurs, voyez ce que ça donne. C'est à cause de ça qu'on voudrait s'en aller ailleurs, renchérit Hudon, l'apprenti meunier.

— Les seigneurs de la Nouvelle-France n'ont rien à voir avec ceux d'ici. Ce sont plutôt des marchands, des gens d'entreprise. Retenez d'abord ces deux noms, Charles-Aubert-de-la-Chenaye et Jean-Baptiste-des-Champs-de-la-Bouteillerie. Il est fort probable que l'un d'eux soit votre prochain employeur. Comme moi, ils ont à cœur de faire avancer le projet de colonisation de Sa Majesté.

Avec une lenteur excessive, l'un après l'autre s'approcha, écouta, hésita un moment de plus et finit par donner son nom. La chose engageait, mais pas trop, examina Desjardins, grand penseur entre tous. Somme toute, il s'agissait de donner son nom pour se réserver une place, avant de prendre l'ultime décision. Avec du temps pour retourner vingt-huit fois la question à l'envers, en compagnie de son épouse ou de ses voisins. Existait même le choix de payer juste avant de franchir la passerelle, quand on en avait les moyens. Pour les autres, le seigneur leur prêtait l'argent, à rembourser sur leurs trente-six mois.

Enfin, le boulanger Migneault s'extirpa doucement du groupe et, les mains dans les poches, s'approcha de la bonne sœur.

— Tiens, un homme prudent, remarqua Dame Langlois.

Habitué à se mouvoir près des tisons d'un four à pain, Louis Migneault semblait attentif à tout ce qui se passait autour. Il n'avait eu qu'un seul enfant, Gilles. Mais au bout de la douzième année, sa femme devint enceinte une deuxième fois. Une chance inouïe, calcula-t-il.

— Le plus grand bonheur de ma vie, pensa Anne, son épouse.

Oh ! ce qu'elle ne ferait pas pour cet enfançon. Elle voulait tout pour lui, tout, même une nouvelle patrie.

Le soir, sur l'oreiller, elle se mit en frais de convaincre son mari de partir pour la Nouvelle-France.

— Chaque nuit maintenant, je rêve que j'accouche au Nouveau Monde. Dis oui, mon Louis !

— Mais Anne, c'est le projet de toute une vie, ça. On n'est plus jeunes, jeunes. Tu n'as pas peur dans ton état ?

— Peur de quoi. Regarde, Mère Langlois, cinq fois qu'elle fait la traversée. S'il y avait à craindre ! Tu verras, je serai la plus parfaite enceinte du monde. Tu n'auras pas à te plaindre de moi.

— Et les nausées, le mal de mer ?

— Nausées pour nausées, sur la terre ou sur la mer...

Louis s'informa de toutes les conditions, s'ouvrit à Mère Langlois sur sa pire inquiétude : la grossesse de sa femme. Finalement, il inscrivit les trois membres de sa famille comme recrues.

À la course, René arriva au cœur de toute l'activité. Enfin ! Il se sentait en retard. Il avait fait un détour chez Michaux-Michaux en quittant la maison et, ensemble, ils avaient repris les discussions de la veille. Blanc... noir... blanc... René finissait donc par mettre les pieds dans les traces de Louis près de la petite table. Assise, Madame Langlois repassait les données de la paperasse. Elle leva les yeux et redressa la tête devant le grand gaillard.

— Madame, je souhaite faire partie du prochain voyage, et je suis venu donner mon nom.

— Vous êtes ?

— René Plourde, Madame.

— Écoutez, Monsieur Plourde, je ne veux pas vous décevoir, mais je viens de réserver, à l'instant, les dernières places pour la famille Migneault.

Avec Madame Langlois, il n'y avait pas d'erreur possible. Elle avait toujours tenu une liste exhaustive de tout ce qui montait ou monterait à bord : passagers, coffres, animaux... même jouets et babioles.

Pas possible donc !

Madame Langlois ressentit son intense désarroi.

— Si quelqu'un se désiste, mon cher Monsieur, je vous promets de vous réserver cette place. Quoi qu'il arrive, tenez-vous prêt.

L'aspirant détourna les yeux. Regarder droit devant, il ne savait plus comment. Son œil chercha une issue :

nord, sud, ouest. Il s'arrêta sur l'est ; le cimetière se trouvait dans cette direction. Son regard y demeurait jusqu'à ce que l'image de René III lui saute aux yeux. Dans une aura de lumière, le tableau du Mousquetaire qui réclamait son dû à la cour une soixantaine d'années plus tôt, défila devant lui. Cette scène lui insuffla à nouveau un tel courage que c'est comme si Madame Langlois l'avait assuré d'une place. Cette fois, il replongea son regard dans celui de la religieuse et le soutint. Il serait de la prochaine expédition. Il n'en avait ni l'argent ni la place, mais il en serait.

CHAPITRE 8

Les préparatifs de La Rochelle

L'EAU DU CIEL apaisée, le cimetière des manants englouti dans le Clain, l'automne cauchemardesque de l'année 1684 tirait à sa fin. Même si les ordres lui pesaient de plus en plus, le manant Plourde travailla d'arrache-pied dans son champ de La Plourderie. Que ne ferait-il pas pour un liard de plus ? Il lui fallait réunir la somme du voyage rêvé. Dans sa tête, payer son passage coûte que coûte, c'était déjà être un homme libre. Mais que se passait-il ? Derrière sa charrue, il s'immobilisa, pris au piège de lui-même.

Il fixa un point invisible. Impossible d'arracher son œil à cette ligne imaginaire sortie tout droit du sillon de son labeur. *Tudieu!* cette terre est en vie. Elle remua sous lui. Le nouveau sillon le tirailla, s'élargit comme une faille entre ses pieds. Il se chevilla au talon, s'enroula autour du mollet, de la cuisse, du torse, l'enserra, le força à rejeter son ancienne peau. Quelque chose n'en pouvait plus.

— René, René.

Il lâcha les poignées de la charrue, et tomba de tout son long dans le sillage. La tiédeur surprenante du sol l'apaisa. Des pousses prirent racine sur son thorax; jaune cuivré, elles sortaient de sa chair d'homme végétal comme le sarrasin sur les coteaux à la fin août.

Absorbé dans un monde parallèle, René naviguait maintenant en terre liquide. C'était l'Atlantique, presque l'Atlantide où il pourrait s'engouffrer. Il suivit dans l'obscur de ce songe le quarante-septième parallèle terrestre ; celui qui l'interpellait et, sans qu'il le sache, le mena directement du Poitou de sa première naissance au Kamouraska de sa deuxième naissance. D'un bout de ce quarante-septième parallèle, Poitiers, de l'autre bout, Kamouraska, point pour point. Dans le champ voisin, Michaux-Michaux vit son camarade s'écraser.

— Ça va, là-bas ? lui cria-t-il, inquiet.

Confus, René bondit sur ses pieds. Il allait reprendre les mancherons, mais étendit plutôt les bras en barre d'équilibre et se mit à marcher comme un funambule sur un fil, un pied devant l'autre, avec précision. Oh ! comme il voudrait prendre l'air, vagabonder.

Ces eaux vives de La Rochelle : si près et si loin à la fois dans son esprit. Combien effrayante cette terre liquide, quand elle est en proie aux humeurs des vents ; ou enragée comme lui, quand elle est en proie aux humeurs de la noblesse.

Sa résolution ? Une seule et unique. Insufflée par la vie de son ancêtre ! Une toute nouvelle audace habitait René maintenant. À partir de ce mémorable événement, n'avait-il pas travaillé jour et nuit ? Aussi vrai qu'il n'avait toujours pas réussi à amasser l'argent nécessaire à son entreprise. Pas moyen d'économiser un seul écu en hiver. Aux premiers jours de décembre, cette autre redevance imprévue : Monseigneur réclamait de chaque manant deux poulets en surplus.

— À être livrés sans faute à la grange à dîme avant la grande fête de Noël, édita l'Évêché, clama son crieur.

Le dignitaire n'accepterait jamais que d'aussi chrétiennes agapes, copie conforme du modèle païen, souffrent de manque.

René s'apprêta à enjamber le seuil de la porte. La grande affiche à droite de l'ouverture retint son attention. Il s'immobilisa. Depuis le jour où il avait appris à s'attarder sur ses états d'âme, tout écrit prenait une importance capitale, lui inspirait du respect.

— Un jour, osait-il prétendre, je saurai lire...

Il se frotta les yeux devant ces fions qui lui brûlaient la rétine. L'image de son érudit ancêtre passa en coup de vent devant lui. Le marguillier, en toute chair, sortit et l'aperçut.

— Pardonnez-moi, maître, mais voulez-vous me lire ce qui est écrit ici ?

L'intendant le regarda du haut de sa superbe, puis s'abaissa à lui faire la lecture. René s'efforça de tout enregistrer. L'en-tête *Redevances* accrocha son regard. Le son de la première syllabe résonna tel le début de Re-né. Une révélation ! Le miracle opéra comme au cimetière : il crut savoir lire sur les lignes, cette fois. Il remercia le marguillier et se hâta de mettre ses deux poulets sur le tas. Le responsable le suivit à l'intérieur et prit note. Alors René ressortit en vitesse. Il figea à nouveau devant l'affiche. Ses yeux ne purent se détacher du *re*. Il se rapprocha du mur et son gros index recommença par dix fois le contour de la syllabe. Il dut partir, car le marguillier apparut dans l'encadrement.

— Va paître ailleurs, manant !

René s'excusa d'avoir lambiné devant l'affiche et s'en alla. Il reprit, en route, le tracé du « re ». Comme s'il venait de découvrir la raison de son existence. Sur le dos de sa main, sur le devant de sa cuisse. Partout où il trouvait une surface dure. Autrement, sa main ne savait jamais où elle était rendue. Ces gestes dans le vide le rendaient ridicule. Des yeux, peut-être, l'observaient.

Même appauvri de deux poulets, et toujours pas un sou pour la traversée, il se sentit plus riche. En vérité, il savait lire maintenant. Non seulement entre les lignes, mais bien sur les lignes.

Pendant ce temps à l'archevêché, Jean Pellorde, lui, comptait ses jours, ses heures et son pécule. Comme chez ses ancêtres presque oubliés, son âge défiait le temps. Un jour cependant, on lui signala la présence d'un certain Plourde sur un lot grand comme la main dans la commune de La Plourderie. Avec Monseigneur, ils faisaient une tournée d'inspection du domaine de l'évêque. Cette terre minuscule ne se trouvait même pas inscrite dans les registres. L'ancien lot d'un manant au seul prénom d'Eusèbe, père adoptif du dénommé Plourde. Prétextant des difficultés respiratoires, Jean Pellorde mit fin à son trajet de reconnaissance. Il ne se présenta plus jamais de ce côté. Le soir de son quatre-vingt-dixième anniversaire de naissance, le vieillard s'endormit du sommeil du juste, mais se réveilla couvert de sueur, à l'aube, en proie à un violent hoquet. Chaque billet de sa fortune, lui semblait-il, devenait une petite chose informe dans son œsophage. L'obstruait. Un billet, un hoquet ; un billet… Sa hantise se réaliserait-elle ? Allait-il mourir étouffé ? Que faire ? Vivement, il chercha refuge dans la prière, mais la Providence l'ignora. Cette fois comme toutes les autres. — Quand avait-elle déjà répondu à ses besoins ? Jamais. Alors, comment se défaire de son magot, celui de la hargne ? Plus de frères, ni de descendants, et certes pas l'Église ! Irait-il le jeter dans les eaux du Clain ?

* *
*

Par ailleurs, quant aux manants dépossédés au fur et à mesure, le plus petit rien, le moindre retard se résolvait par le fouet. Si en plus, on avait le malheur de séjourner au cachot, « un supplément de coups on aurait ». Car l'ouvrage n'avançait pas. René n'accusa pas de retard de toute la saison, mais deux jours avant le départ, pas un louis ne l'adorait encore. Il ne ralentissait toujours pas et cherchait dans son esprit comment trouver cet argent. À quelle porte cogner ? Depuis la décision de son départ prochain, le souvenir de son grand-oncle Jean, malgré sa mauvaise réputation, remontait dans sa mémoire. Il irait quémander chez lui s'il habitait encore l'archevêché. N'avait-il pas été secrétaire de Monseigneur autrefois ? Il ne l'avait jamais vu en personne, mais sait-on jamais ?

Jean Pellorde, au fait de l'existence de ce petit-neveu, refusa de le recevoir.

— Qu'il ne franchisse jamais le seuil de ma porte.

René demeura sous le choc. Il se résigna à se tourner vers la bonne Mère Langlois. Malgré une première mésaventure, il éprouvait pour cette femme une confiance aveugle.

— Elle saura me faire crédit.

De plus, la nouvelle d'une abstention probable était parvenue à l'oreille de Michaux-Michaux. Un candidat au voyage avait retiré son nom.

— Il aura eu peur encore, fit-il remarquer à Plourde.

— Madame Langlois m'aura retenu la place. Pour sûr. C'est pas toujours facile de me joindre...

Confiant, il se présenta devant elle.

— Mon cher Monsieur Plourde, je regrette, mais la chose n'est plus de mon ressort. J'ai avancé au patron la somme déjà amassée. Elle est entre ses mains. Il le fallait pour aider à la réfection de la coque qui prend un peu l'eau.

Avant de consentir au coût du voyage, le capitaine Georges Séguier rongea son frein pendant une nuit entière. Comme il aurait voulu se tenir à distance de cette femme, de la très catholique Marguerite Langlois, lui, un ancien disciple de Calvin. L'imminence du renforcement de l'édit de Nantes l'obligerait dans quelques mois à abjurer sa foi s'il voulait demeurer en France. Il passa donc sous silence ses origines huguenotes, mais il n'en demeurait pas moins subjugué par une incontrôlable amertume envers tous les catholiques. La tragédie de sa famille massacrée par cette race de catholiques lors de l'événement de la Saint-Barthélémy ne quittait pas son esprit. Il devrait accepter la somme s'il voulait hisser les voiles au printemps. Le visage en grimace, il prit les billets du bout des doigts comme s'il s'agissait de l'argent de la damnation et non du colmatage. Cette entorse faite au règlement.

— De sa faute, à elle !

Cette remise des frais du voyage se faisait d'habitude le matin de l'embarquement. Le cœur de René ne battit plus que d'une aile. L'heure suprême approchait. Le départ prévu pour le lendemain. Il fallait agir. Il discourait encore sur son vieil oncle et son argent quand il arrêta sa décision. Il irait lui soustraire la somme de son voyage. À la première heure, le jour suivant, le neveu se glissa par la fenêtre de sa chambre à coucher. *Tudieu* ! Il l'avait cru à sa messe, mais il le trouva raidi par la mort. Qu'avait-il fait de son bien ? Comment en avait-il disposé ? Lui-même, son parent le plus proche, avait-il le temps de s'appesantir sur sa dépouille quand la liberté l'attendait depuis si longtemps ? Depuis toujours. Il ouvrit tiroir après tiroir, fouilla au fond de la penderie, souleva le coin de la paillasse, et sans égard au cadavre qui roulait par terre, ne décela aucun trésor. Debout, devant cette scène, un mort vivant !

Aux alentours de dix-huit heures, le zombie rentra dans sa mansarde. Il avait marché la tête en l'air. Même si un torrent de larmes lui barrait la vue, il défia à l'aveugle ce nouveau ciel orageux. Il ouvrit la porte en titubant, tapa sur le chambranle, bourra de coups toute résistance. Une tablette résonna d'un bruit assourdi. Il abaissa ses paupières boursouflées. Un sceau à la cire rouge s'imprimait sur sa rétine. Il n'osa toucher à l'enveloppe. Erreur de parcours, crut-il. Pour qui cet emballage ? Certes pas pour sa personne. Pourtant le seul être à nicher dans ce réduit. Sa main effleura la chose. Il la souleva. L'épaisseur ployait sous son poids. Il ne rêvait pas. Il hésita encore. Ses yeux s'asséchèrent, se préparèrent à s'ouvrir sur l'inattendu? Il éventra l'enveloppe d'un coup. Le rabat libéra une volée de billets qui s'étalèrent devant lui comme une inscription sur une pierre tombale. Il comprit aussitôt la provenance de cet argent.

— Encore du bon quelque part, pensa-t-il.

En nombre suffisant pour couvrir les frais du passage.

— Plus que nécessaire même, ouais !

Il lui fallait réfléchir vite et mieux.

— Michaux-Michaux, où es-tu ?

Ne rien oublier de leur plan commun. Sans toutefois y parvenir. Demain, mais oui, dans quelques heures, au port de La Rochelle, le navire de l'espoir devait faire voile. Plourde enfouit les précieux billets dans les poches intérieures de son pourpoint.

Il courut chez Michaux-Michaux. Personne. Il revint sur terre.

— Michaux !

La place désertée résonna. Ohoh…

René ravala sa salive. Que se passait-il encore ?

— Bon sang ! Où es-tu ?

Il se demanda pourquoi il ne s'était pas encore pointé, celui-là.

— J'espère qu'il n'a pas changé d'idée. Il m'avait pourtant dit que son cas était en règle pour la traversée, tandis que, moi, je traînais de l'arrière avec ma tête de cochon et mon honneur. Qu'il verrait même à trouver coche et voiture pour transporter avant qu'il fasse noir leurs deux coffres d'effets personnels, au cas où j'arriverais à trouver par moi-même l'argent du voyage. Il devait même revenir me faire un rapport sur le déroulement. Il est peut-être venu pendant que j'étais pris ailleurs.

En effet, à détrousser son grand-oncle.

— C'est du Michaux-Michaux tout craché, ça, un pas devant, deux pas derrière.

René s'informa. Personne ne l'avait aperçu depuis la veille au soir. René s'affola. La nuit gagna sur le jour. Plus de temps à perdre.

— Michaux, *tudieu*, tu peux pas me faire ça ; t'as pas le droit.

Dans la vie de René, quand il n'y avait plus rien d'autre à faire, c'était comme s'il y en avait encore. Oublié le coffre, il attrapa sa pauvre besace et se lança dans l'aventure de la liberté. Dans la nuit, comme à l'automne précédent, sa course l'amènerait à l'ouest cette fois, et non au sud. Une douzaine de milles à parcourir les deux distances. Vers le port de La Rochelle, aujourd'hui, vers l'enclos funèbre de Poitiers, auparavant. Des routes en équerre. Équilibre entre la vie et la mort. Mille questions à l'esprit sur cette route desséchée, aux grumeaux de boue.

Dans sa lancée, le cours des choses prit une autre teinte. Bleu comme l'exode, celui de son esclavage. Du peuple de tous les René en lui. Le navire de la délivrance l'attendait au port. Son ami volatilisé à la dernière minute, pourquoi ? La traversée de l'océan, leur unique sujet de conversation durant les longs mois d'hiver. Une aventure si angoissante et si exaltante ! Lui faudrait-il entreprendre cette odyssée seul ? Toujours seul, comme souvent dans sa vie. Avec bonheur, la pensée de Madame Langlois lui revint à l'esprit. Elle le recevrait, ne lui ferait plus faux bond.

— Toujours pas de sa faute, la première fois. Elle peut pas en inventer de la place.

S'il parvenait au port à temps, elle ne l'abandonnerait pas. Elle avait tant à cœur ses recrues. Un seul à mettre en doute sa réputation d'honnêteté : le capitaine du bateau.

Il hâta le pas. À haute voix, il posa ses questions, s'adressa soit à la nuit profonde et à son silence suspect, soit à son impétueux ancêtre, soit à son introuvable ami même. Comment se fait-il que ? Pourquoi ? Pourquoi ?

— Michaux-Michaux, où es-tu ? Réponds, *tudieu* ! lança-t-il, fort impatient.

Le silence s'alourdit.

— Qu'est-ce qui t'est arrivé ? continua-t-il.

Un faible gémissement lui parvint de la fosse au bord de la route.

— Hein ? Quoi ?

Silence. Il ralentit. Ululements. Il avait confondu. Il repartit de plus belle. Une chauve-souris lui rasa la tête, s'accrocha, une fraction de seconde, au pan de sa couette. Un froid dans le dos et son pied s'enfonça dans un nid-de-poule. Il aboutit sur le bout du menton. Le nombre d'étoiles doubla dans le firmament.

La faible plainte lui répondit.

— … ici…

Vrille au diaphragme. Une seconde chauve-souris lui frôla la toison. Spasme.

— Re-né…

Les animaux parlaient-ils sa langue à présent ?

— René ?

Mais non ! Il s'arrêta net, au péril de sa liberté. Clair de lune à témoin, il dit avec courage :

— S'il y a quelqu'un, parlez qu'on vous entende ?

— René, c'est moi… Mi…

La voix s'éteignit.

— Michaux !

René se mit à quatre pattes, tapota des mains le sol pour retracer le corps de son ami.

— Qu'est-ce qui t'est arrivé ?

— … truands… volé.

— Michaux, faut que tu te lèves. Allez. J'ai l'argent qu'il faut, pour nous deux. Encore un petit effort. Viens, la Dame Langlois nous attend. Penses-y…

Plourde réussit à mettre le pauvre Michaux-Michaux sur ses deux pieds. Le sol n'exerçait plus de pression sur sa nuque. Il se sentit mieux. Un court instant, car trois chauves-souris avaient étendu leurs ailes sur sa chevelure. Le clair de lune les fit déguerpir. En prenant le large, elles heurtèrent de nouveau la tête de René.

— Appuie-toi sur moi. On y va !

Michaux-Michaux avançait de son mieux, mais Plourde avait l'impression de reculer.

— Attends que je te prenne sur mes épaules, le temps que tu retrouves tes sens.

Comme un sac trop lourd, Plourde le hissa sur son épaule droite et embraya, les genoux fléchis. L'équilibre revenu, il prit un peu de vitesse. Un mille et demi plus loin, une brise relevée d'algues marines et de coquillages rances frappait l'odorat. Revigorés, les deux relevèrent la tête. Le jour entrouvrait sa plus belle paupière.

— On va y arriver, mon vieux.

Ils entendirent le rituel de l'appareillage. La corne de brume du voilier retentit. Impossible de distinguer le navire tant la brume se faisait épaisse. Plourde se hâta de déposer son ami sur ses deux jambes.

— Je reviens te chercher. Sur la tête de mes ancêtres !

Plourde courut de toutes ses forces. Les bras en l'air, il gesticula, siffla, hurla :

— Attendez-moi, attendez-moi !

Lorsqu'il arriva au quai, plus de passerelle, et les voiles commencèrent à prendre la brise.

— Madame Langlois ! Madame Langlois ! Mère Langlois ! Attendez, j'ai l'argent.

La voix suppliante perça la brume. La religieuse l'entendit, mais elle n'en distingua pas le porteur. Les voiles de l'Engoulevent se gonflèrent dans toute leur majesté. Le voyage au long cours s'engagea. Quand René comprit qu'on ne l'attendrait pas, il se lança à l'eau. Il atteindrait le navire à la nage. L'eau clapotait. Le nageur menait exprès un boucan de tous les diables. Mère Langlois, à demi repliée sur la rambarde, chercha des yeux cette voix décidée.

— Plourde !

Sur le pont humide et glissant, elle s'amena à la barre.

— Capitaine, attendez, un passager s'est lancé à l'eau, supplia-t-elle à bout de souffle. Il veut monter à bord.

— Madame, je n'ai que faire des retardataires.

— Je vous en supplie. Il va se noyer, un bon candidat, fort comme deux. Pour l'amour de Dieu! joignit-elle les mains en prières.

— Retenez-vous! Vos bondieuseries ne me concernent en rien. Laissez-moi travailler en paix.

Marguerite Langlois rebroussait chemin, mais en tournant le dos au capitaine, elle se renversa la cheville. Il ne leva pas le petit doigt pour lui venir en aide.

— Grenouille de bénitier, c'est tout ce que tu mérites. Race d'hypocrites, va!

Elle sut que le temps pressait. Elle aperçut le fort gaillard aux prises avec le remous près de la coque en train de tourner vers le large. Elle prit alors une décision au-delà de ses compétences.

— Beaujean, mettez une chaloupe à la mer et allez à son secours. Qu'on attache Beaujean solidement, ajouta-t-elle à l'intention des curieux.

Ce qui fut dit fut fait. On remonta Plourde.

— Michaux-Michaux-Michaux-Michaux-Michaux, psalmodiait-il.

Revenu à sa pleine conscience, il supplia Mère Langlois du regard.

— Michaux attend que je revienne le chercher là-bas.

— Oubliez ça, Monsieur Plourde, objecta Marguerite Langlois.

Une réponse sans appel. Plourde replongea à la mer. Il retournerait au rivage. Il ne partirait pas sans son compagnon.

Dans le remue-ménage, les passagers s'ameutèrent. On parlementa cramoisi autour du capitaine. Il ne voulut rien savoir. Il se méfia, toutefois. Une mutinerie toujours possible. « Avec cette bande d'écrasés séculaires, on sait jamais. » Ces paysans « catholiques » en mal de liberté lui tombaient sur le cœur. Des fusils appuyés aux sabords pointaient vers le large. Il commanda aux soldats en poste :

— Faites-moi taire cette bande de vauriens ! Enchaînez-les, s'il le faut.

De nouveau, les manants touchèrent le fond. Passeraient-ils toujours par là ? Même au Nouveau Monde ? S'en sortiraient-ils jamais ?

À travers les tourbillons de l'eau, Plourde avait regagné la rive de peine et de misère. On l'avait aperçu dans le soleil de huit heures. Sur la grève, le colosse épuisé tentait de se remettre sur ses jambes.

Deux journées d'un soleil éclatant se succédèrent. Le navire voguait en toute quiétude vers le lointain. En après-midi, un homme d'équipage s'amena au poste de commande.

— Capitaine, la coque prend l'eau, lui murmura-t-il à l'oreille.

— Quoi ! Où ?

— Encore la ligne de flottaison... mal colmatée. Le bois doit être pourri plus grand qu'on pense.

Une attaque antérieure des pirates y avait fait un trou difficile à étancher.

— Depuis quand ? reprit le capitaine à la colère débordante.

— Depuis le départ ! On a cru qu'on en viendrait à bout sans vous en parler. Mais là, c'est rendu trop loin, on n'y arrive pas.

— Encore ces chiens de papistes qui nous attirent le malheur, marmonna le maître, acerbe.

Une seule chose à faire dans la circonstance. Il le savait fort bien. Il fit venir le timonier.

— Occupe-toi de ça, lança-t-il dans sa rancœur.

Il disparut dans sa cabine.

— Virez les voiles, cria le timonier. Nous retournons au port.

Vues d'en bas, on aurait dit de vieilles loques. On attendit, attendit. Pas de vent. Plus de vent du tout.

— Comment ? Pas de vent, s'étonna Desjardins qui, à la proue, interrogeait l'horizon. Où est-il passé celui-là ? Le vent, c'est là pour durer, non ?

— Un vent debout, qu'on appelle en mer. Une vraie malédiction, renchérit le timonier.

Revenir au quai demanda quatre jours d'efforts !

La coque avalait la mer à grandes gorgées. Tout dans la cale baignait déjà dans le liquide. On risquait le naufrage. Les passagers furent mis à contribution. Chacun d'eux, jour et nuit, à abaisser le niveau d'eau.

On accosta finalement. Le capitaine, son spectre, aboya.

— Câbles aux bollards, amarrez !

Il eut le goût de les traiter de vauriens, mais retint sa furie.

Aussitôt, il quitta le bâtiment. Le premier ! Nouvelle entorse à la règle. Deux en six jours. Il ne se le pardonnait pas. Il ne s'attarderait encore moins avec cette bande de chacals catholiques. Que non !

En bas de la passerelle, il se retourna à peine vers les recrues paralysées sur le pont.

— On repartira quand on repartira…

Sarcastique, il ajouta à l'intention de Madame Langlois.

— Votre sainte femme s'occupera de vous.

Il disparut. Un réel fantôme.

Marguerite Langlois avala la pomme de discorde à petites doses. L'attente plongea dans l'incertitude ses pauvres recrues dont le regard anéanti en disait long. Elle s'en chargerait de son mieux. Elle n'oublia surtout pas ces deux grands gaillards si près de l'objectif, mais laissés en plan sur le quai. Pas question pour les recrues d'aller se distraire dans les rues de La Rochelle. Trop d'insubordination autrefois dans cette ville.

— Monsieur Guiberge, je vous saurais gré d'aller faire savoir aux deux jeunes gens qui ont manqué le bateau que nous sommes revenus au bord. Vous savez, à La Plourderie ? Ils auront le temps… Qui sait quand on repartira ? Pour vous-même, ne vous en faites pas.

Je veillerai sur vos effets. Avertissez le cocher que je le réglerai dès votre retour.

— Bonne façon de voir du pays, se réjouit l'aventurier Guiberge, et d'occuper mes journées de célibataire.

Il se vit dépasser les grosses tours du port. Partir à l'aventure dans les artères de La Rochelle à la réputation douteuse. Une sensation renversante pour un manant. Tous ces commerces à visiter derrière les arcades de la rue du Palais, en plein air ou à l'abri. Surtout ceux à l'abri...

Le heurtoir résonna chez Plourde. D'elle-même, la porte bâilla. Debout, Plourde et Michaux-Michaux examinaient encore les billets étendus çà et là, soumis à la baignade six jours auparavant. Plusieurs avaient été perdus, d'autres dégradés par le sel de l'eau.

— Pierre Guiberge...

Il tendit la main.

— Madame Marguerite Langlois m'envoie vous dire que le voilier est revenu au quai.

— Quoi ! s'exclamèrent les deux jeunes gens.

Enfin, ils se sentirent dans les bonnes grâces du Ciel. Pas trop tôt !

— Le bon Dieu est avec nous aujourd'hui, se signa Michaux-Michaux.

Plourde imita son signe de croix.

Ils rassemblèrent les billets éparpillés. Par vingt fois en reprirent le décompte. Il ne restait plus que cinquante livres, l'argent nécessaire au passage de Plourde. Michaux-Michaux sans un sou vaillant depuis l'attaque dans la nuit saurait-il encore se débrouiller, se faire avancer

81

sur-le-champ des gages ? On résolut de faire appel à Mère Langlois. La bonne dame saurait convaincre le capitaine de les embarquer à crédit ou presque.

— En retour, qu'il nous demande n'importe quoi, on est prêts.

Cependant, ils ignoraient la sainte horreur de Georges Séguier pour tout bras catholique, fût-il celui du plus angélique des enfants de chœur.

Les deux camarades exultaient — et hop ! un petit coup de fleuret au flanc. Enfin, ils sentirent la Providence gagnée à leur cause. Pour la première fois de leur vie. Dans le secret de leur cœur, ils en attribuèrent tout le mérite à Mère Langlois.

— Si on demandait au cocher de nous ramener au port en même temps que vous, Guiberge ? Objection ? dit René.

— La compagnie, ça me plaît. Surtout que c'est pas moi qui paye.

Le cocher ne s'y opposa pas non plus. Avec la bonne religieuse, il ne risquait rien. Une réputation sans reproche. Cette fois, les deux paysans auraient le loisir de prendre autre chose que leur baluchon. On passa d'une chaumière à l'autre dans une bonne humeur excessive. On remplit les coffres déjà à moitié pleins, car demeurés intacts depuis la mésaventure. Avait-on pressenti l'imminence d'un second départ, d'une nouvelle chance ? Même si les bateaux en partance pour le Nouveau Monde se faisaient rares. Une fois par année, ou deux ?

Les préparatifs ne mirent pas longtemps. Un même choix à refaire : pain noir, légumes secs, œufs conservés

dans la graisse amollie, pondus par trois poules caque-
tantes, tout aussi heureuses de partir en voyage. Jusqu'au
jour de leur dernière heure sur le navire. De la viande
salée, il ne leur en restait plus — tant pis ! Une ration
d'eau potable dont il fallait prendre un soin tout particulier, car celle de la citerne générale grouillerait de vers
à la fin du voyage. Se prémunir également d'un luminaire
et d'un récipient pour usage strictement personnel. Bien
entendu, chacun dormirait sur son hamac. Parfois, un
ballot de foin servait de couchette. Équipage, soldats et
recrues dans la plus incontournable promiscuité.

Mère Langlois, sur le quai, clopina à gauche et à
droite. Même si son entorse prenait du temps à guérir,
elle se dévoua corps et âme, ne consentant à aucun privilège. Habillée comme les autres femmes, la religieuse
prodiguait ses services à tous et à chacun, sans distinction de grade. À l'exception de ce capitaine huguenot
incapable de la sentir. Pour lui, tous les catholiques, ces
empiffrés d'indulgences, allaient dans le même panier
à salade.

— De vrais suppôts de Satan, en remettait-il en
lui-même.

Pour dépeindre le mal perpétré contre les siens et
pour traduire sa peine, aucun qualificatif ne semblait
assez fort.

— Merci, Mère Langlois d'avoir pensé à nous,
s'empressèrent de relever les deux jeunes gens de La
Plourderie.

Ils lui tenaient les mains comme si elle avait été le
bon Dieu. Ils n'en attendaient pas moins d'elle. Les trois

s'éloignèrent de l'appontement. On les vit parlementer avec grand sérieux.

— Laissez-moi faire, se retira Marguerite Langlois. Je répondrai de vous auprès du capitaine. Mais soyez prêts à faire plus que votre part...

On mit deux longues semaines à réparer la brèche. Les recrues collèrent au port. Sur sa nouvelle vie, on déchanta fortement. Les provisions se trouvèrent entamées pour de vrai. Ah ! que vienne l'autre rive.

CHAPITRE 9

Les incertitudes du départ

ON N'AVAIT pas revu le capitaine autour du navire en réparation. Avait-il cédé sa place ? On aurait pu le croire.

Quinze jours plus tard, Monsieur fit son apparition.

— Embarquement immédiat ! tonna-t-il.

On embarquerait en silence… la générale, tenue deux semaines plus tôt. Les diverses façons de monter sur le bateau furent déployées. Les voyageurs fixèrent le pont.

— Tout un va-et-vient, là-haut !

Depuis l'aurore, les marins, une cinquantaine au total, s'affairaient aux manœuvres d'appareillage. Y prenaient place, également, des soldats, fusils à l'épaule. Leur mission ? Défendre le navire contre les fréquentes attaques des pirates qui, à l'époque, sillonnaient les mers en grand nombre. Ils pouvaient surgir de tous bords. On s'en remettait aux militaires pour sa sécurité, et pour faire régner l'ordre sur le bâtiment. Une prise de bec entre les plus hardis des passagers catholiques et de l'équipage sur ses gardes demeurait toujours possible.

D'abord, il fallut voir à l'installation des passagers à quatre pattes. Exceptionnellement, on plaça les petits animaux dans le bout sombre de l'entrepont. Après le *déluge* et un premier départ manqué, les choses de ce voyage ne pouvaient pas se dérouler selon la norme.

Dans la cale ou à l'étage, ces créatures acceptèrent mal l'épreuve. Forcés à prendre leur rang entre les mollets des maîtres de familles, moutons, cochons, poules et autres petites bêtes susceptibles, un jour ou l'autre, de servir en pâture à leurs semblables à deux pattes, grognèrent, vacarmèrent. Le goret de la petite Clémence Hudon ne voulut rien entendre. Papa ! implorait-elle. Son père se vit contraint de le porter dans ses bras avant que sa petite n'explose. Quand il s'agissait de sa Rosinette, la bambine de trois ans pouvait vous piquer une de ses crises !

Voyons, du calme ! Faire les choses dans l'ordre et avec classe. À cette devise, les futurs colons de la Nouvelle-France s'appliquaient de tout leur être. N'allait-on pas, au nom du roi, bâtir un nouveau pays ? En plus de concourir à l'honneur des galons du pionnier ? Pour un manant en dépossession totale depuis sa naissance, cet aperçu insufflait une fierté certaine.

S'ensuivirent les lourds coffres où l'univers des effets personnels se trouvait entreposé. On les traîna en remontant une passerelle sommaire pour ensuite les descendre, à deux ou à quatre, dans la cale. Frottage, couinements, chahut, pleurs des poupons dérangés dans leurs routines et suçotements des plus vieux en train d'avaler leur pouce et leurs sécrétions surettes, tout s'estompait sous le cri infernal des goélands. Il y a quinze jours, ces chants d'oiseaux évoquaient le ciel, parlaient de liberté. Comment se faisait-il, aujourd'hui, qu'ils vous traversaient le plexus comme une rage de dents ?

Se déploya la portion inquiète de cette humanité. L'angoisse se lut sur tous les visages. Par petits groupes, on entreprit de remettre les pieds sur le pont. Têtes basses, une quinzaine de filles en quête d'un époux en Nouvelle-France battirent la marche dans un froissement de jupes. Entre ces candidates, la pucelle Mance devrait prendre époux à son arrivée, le jour de ses douze ans, si tout allait bien. Les familles Hudon, Paquet, Dubé, Migneault, Bouchard, Desjardins et Meneux suivirent : pères, mères et enfants, en tout une quarantaine. Des célibataires entre dix-huit et trente ans leur emboîtèrent le pas ; vingt-cinq hommes engagés dont René Plourde et Michaux-Michaux. Un maçon d'âge mûr, un jésuite récemment ordonné, un chirurgien-barbier démuni, un notaire distrait, un marchand au faciès viné longèrent, l'un après l'autre, cette même pente. Marguerite Boisjoli, une veuve devenue prostituée pour survivre, et Marguerite Langlois, la responsable de toutes les recrues, fermèrent la sombre marche. De cette deuxième revue, seules Anne Migneault et Jeannette Meneux, enceintes de cinq mois, arborèrent un large sourire.

— Quelle joie d'avoir la chance d'enfanter sur le nouveau continent, se dirent-elles.

Un petit rien, ce retard. Sur la grande scène de leur vie, une première anticipée…

Entre le pont supérieur et le faux deuxième, une masse grouillante entreprit de se faire un nid dans un entre-deux guère rassurant. Cent quatre-vingt-onze personnes se maillèrent comme en début de colonisation. On se groupa autour des hamacs en des replis de *qui se ressemble s'assemble*. Son besoin d'intimité désormais entre ses deux oreilles.

Du bout de son postérieur, on testa la stabilité de sa natte avec l'impression de se trouver sur des gradins flottants. La gorge sèche.

Trois cris lugubres. Trois oiseaux de malheur, plaqués au plafond du ciel. Le drame s'enclencherait au ralenti.

— Larguez les amarres ! vociféra le capitaine.

CHAPITRE 10

La traversée

L A CORNE de brume poussa sa première lamentation. On orienta les voiles vers l'ouest et le navire quitta lourdement le port. Que les éclats de voix des membres d'équipage affairés et les cris des mouettes, de plus en plus sinistres. Chez les recrues, le silence ne démordit pas. Par où avait donc fui la liberté ? Ses ailes miroitantes ? Son indépendance ?

Contre toute expectative, le brouillard donna sa chance au soleil. Une bénédiction, cette lumière. Certains se signèrent. On dit en chœur une prière de reconnaissance. Ce genre de manifestation catholique fit sourciller de malaise le capitaine, sa foi huguenote passée sous silence. Il prétexta un appel ailleurs. Rapidement, il s'éloigna.

Même s'il faisait beau temps, le simple roulis du vaisseau eut raison de la plupart des estomacs. Commença le défilé des seaux pleins de rendu stomacal à déverser dans la mer. Autour des grabats, d'autres glissantes vomissures bleuies par les planches. On s'efforçait en vain de laver à grande eau l'entrepont trois fois par jour. Une odeur persistait, imprégnée dans le bois. Indélogeable. Parfois les porcs se trouvèrent mis à contribution, avec leurs museaux en forme d'entonnoir. Bien vite, l'humidité malsaine engendra quinte de toux après quinte de toux.

Si on débarbouillait souvent les planchers, le nettoyage des vêtements ne relevait pas de cet ordre. Il se faisait uniquement en cas d'extrême nécessité. À la manière des marins, dans l'eau de mer et sans savonnage. Une fois séchés, ces habits en salaison, de réels épouvantails avec la faculté de se tenir debout. Il n'y avait que la chaleur du corps pour les ramollir. À moins qu'une série de frissons catatoniques ne vous saisissent avant. Alors, seule une deuxième enveloppe charnelle pouvait vous venir en aide.

Plourde et Michaux-Michaux s'affairèrent plus que les autres. Le capitaine les avait à l'œil. Plus il réfléchissait à la situation, plus il se demandait pourquoi il avait accepté de les laisser embarquer à moitié à crédit, ces deux-là ? Cela n'aurait jamais dû se produire. Foutue nonne, toujours elle ! Elle et ses faire-valoir... Arrête jamais d'insister. Par quelle putain d'entourloupette ai-je encore plié l'échine devant cette race de... ? Seulement l'apercevoir me fait manquer à mon devoir. Il faut que je me tienne loin d'elle, ou que je la tienne loin de moi. C'est de sa faute si je suis descendu du voilier le premier, l'autre fois, avant tous mes passagers. Quand j'y pense ! En trente ans de métier, ça m'était jamais arrivé ; j'ai toujours été un capitaine irréprochable. Le déshonneur me colle à la peau depuis qu'elle piétine autour de moi.

Le capitaine prit une longue respiration pour dissiper les reproches dans son cœur. Peine perdue ! « Faut encore voir comment elle récolte les hommages. Les passagers sont à genoux devant elle. Une sainte ! Oui, ils la vénèrent comme une sainte. Plutôt une teigne, une vraie punaise de sacristie, que je dis, moi. Je vais lui en faire, des *ma mère* par-ci, *ma mère* par-là. Elle l'emportera pas dans son paradis catholique. Une troisième fois, elle m'aura forcé la main, mais ce sera la fois de trop. Sur la tête de Calvin, je jure qu'elle n'aura jamais mon pardon !»

Malgré son ressentiment envers tous les catholiques, le capitaine, pour tenir loin de lui *la Langlois*, parlementa de bon gré avec les deux jeunes gens. Plourde et Michaux-Michaux tâchèrent de se montrer dignes de cette faveur. Ils avaient conscience de l'affreuse réputation de Mère Langlois auprès du capitaine et travaillèrent à rétablir les faits. À la longue, ils devinrent comme des hommes d'équipage.

Le beau temps s'étala sur la saison nouvelle.

L'habitude du tangage acquise, on se sentit mieux. Parfois un sourire éclaira le pont supérieur. Tout le monde profitait du soleil. Ses rayons vous amollissaient et les épaules et le cœur. À l'heure du souper, on descendit prendre une bouchée. Dix minutes à peine. Les odeurs abominables de l'entre-deux ne tardèrent pas à vous faire remonter.

— Ah ! la bonne brise.

Vint un soir où un vent de gaieté souffla sur l'assistance. On se mit à avoir le verbe haut. À se raconter des histoires, des drôleries. À bisser des chansons, à battre des mains. Le jeune René Plourde ne tenait plus en place.

— Mam'zelle ? salua-t-il gauchement la petite Estiennette Lévesque.

Elle n'eut pas le temps de répondre qu'il l'entraînait déjà dans une gaillarde du tonnerre. Elle n'ajouta pas un seul mot de la veillée, car elle dansa à perdre haleine. Des impatiences dans les jambes, toutes les jeunesses les imitèrent. Les plus vieux se contentèrent de battre la mesure des pieds et des mains. L'amusement culmina. Avant la fin de la soirée, René et Estiennette entraînèrent la centaine de passagers dans une bruyante farandole en travers du pont. Le couperet du capitaine ne venait toujours pas, ne vint pas. Son amertume se serait-elle affadie à la vue des belles filles en âge de se marier ?

On s'assagit sans remontrance et on alla se coucher, petite douceur en bouche. Sur son grabat, on se félicita d'avoir quitté le vieux pays, pour un monde meilleur. L'avenir sentait bon la fraîcheur matinale. L'âme laissait tomber ses loques séculaires. Ses alvéoles s'écartèrent comme des narines, pulsèrent, prirent l'air, enfin !

Dans ses rêves doucereux, René Plourde, lui, avait revu l'affiche de la grange à dîme avec son ineffable *re*. Comme deux notes d'une gamme dans sa tête : *Re-né*. Sur d'autres pancartes, il avait réussi, à force de concentration et d'hypothèses, à saisir de courtes syllabes telles les *à*, *le*, *la*, *de*, *ne*… Presque des tatouages sur le galbe de sa cuisse à force d'en repasser les contours. Parfois son esprit avait l'impression d'une connaissance spontanée. À peine arrivait-elle au bord de la conscience qu'elle battait déjà en retraite. Malgré lui, il avait arqué le dos, tendu le bras pour la saisir du bout des doigts. Par ailleurs, les découvertes faites à petites doses demeurèrent de l'acquis. Un seul rappel et l'influx nerveux reprit le dessin machinal sur la chair vive de sa cuisse. Comme une nourrice dont le sein dégoutte à la seule pensée de...

Les *tudieu* d'accents ! Petites saletés des plus intrigantes entre les lignes.

— Qu'est-ce que ça faisait là ?

Les premières fois, il chercha d'un coup de patte à déloger ces poussières des affiches. Il ne lui arrivait pas à l'esprit que ces minuscules barres obliques pouvaient produire autant d'effet. Comme une dévorante envie de parfaire son apprentissage le tenaillait, il s'en ouvrirait à Madame Langlois. Il se dit que cette institutrice de profession saurait lui enseigner tout de la lecture et vite surtout.

Dès la lueur du jour, il se hissa par l'escalier exigu menant au pont supérieur. Mère Langlois, tel un spectre dans le brouillard, y méditait déjà. Il s'approcha et tout de go ajouta :

— Madame, je veux apprendre à lire.

Marguerite esquissa un léger sourire, se tourna vers l'homme et le regarda droit dans les yeux. Même neuf pouces plus haut, elle entrevit à sa place un petit bonhomme réclamant illico une sucrerie. Une douceur pour intelligence. La lecture, une récompense pour cet esprit affamé.

— J'ai déjà commencé par moi-même vous savez, ajouta-t-il pas peu fier, mais je trouve que ça va pas assez vite.

Marguerite demeura muette. Elle avait à cœur d'instruire non seulement le grand Plourde, mais aussi toutes les autres recrues. Son regard chercha de nouveau la mer.

Elle interrogea les flots. Dans la répétition des vagues, elle trouvait parfois des réponses. Elle se demanda si cet apprentissage ne venait pas trop tôt. Depuis des mois, ses pauvres recrues allaient d'épreuve en épreuve. D'abord, ils avaient perdu toutes leurs racines dans le «déluge», pour subir ensuite un embarquement manqué et, après quinze jours de patience, remettre les pieds sur le bateau, la peur au ventre.

— Apprendre à lire n'est pas une mince affaire.

Un fait demeurait pourtant. Ces gens s'étaient engagés au service de Dieu et du Roy. Son devoir de le leur rappeler.

— Y soupçonneraient-ils aussitôt quelque redevance ? Ça, je ne le veux pas.

Même si cette Appelée brûlait du feu de l'évangélisation, elle se promit de ne pas alourdir leur devoir religieux. Bientôt, l'enseignante en elle ne supporta plus d'attendre. Oh ! cet instant où la fierté du savoir dresse son drapeau au fond de la prunelle. Voir briller cet éclat, Marguerite n'avait jamais pu s'en passer.

— Cette fois, le Roy passerait avant Dieu. Ils apprendront à parler comme Sa Majesté... Mieux que lui, peut-être.

Elle refoulait aussitôt cette pensée importune.

— À écrire comme le *Roy*, aussi. Lire et écrire, l'un ne va pas sans l'autre.

Elle se frotta les mains de contentement. Toute l'histoire du dialecte régional, à laisser tomber de leur vie, vagabonda un temps dans son esprit. Elle-même ne sortait pas de la noblesse. Elle comprenait.

— Je vous en reparlerai demain, relança-t-elle à l'intention de René.

René n'insista pas, car il pressentait ce genre de réponse. Il avait regardé la religieuse avec la plus grande attention. À son tour, il avait lu dans son regard. Un peu plus et il l'entendait lui dire :

— Vous n'êtes pas le seul sur ce bateau.

Malgré tout, il se savait pris en considération.

— Elle ne me laissera pas tomber. Tout ce qu'elle a mis en œuvre pour me rendre ce voyage possible avec Michaux-Michaux, ça ne trompe pas.

Le soir même, au moment où tout le monde se trouvait encore sur le pont, l'éducatrice grimpa sur un coffre d'agrès. Le silence se fit de lui-même. Cette femme représentait un guide pour tous ces gens.

— Mes amis, il y a des choses dont je voudrais vous entretenir plus longuement. Selon vous, quel serait le meilleur moment ?

— Demain matin, ajouta René, une longueur d'avance sur les autres. Dès que l'équipage aura terminé le nettoyage du pont.

Par-ci, par-là, on jetait un coup d'œil à la tête qui dépassait et on hochait avec Plourde.

— Donc, à demain mes amis, et bonne nuit.

Les recrues descendirent se coucher. Le pont reprit son ventre plat. Un autre matin lumineux mordora les planches de ses rayons écrus. La lassitude ne viendrait pas ternir cette belle journée. Le toujours devoir religieux mis en veilleuse, Marguerite entreprit de les entretenir sur la façon de prononcer certains mots. Même si l'écriture des lettres nécessaires demeurait inconnue, elle décida d'opter pour la façon suivante et d'y tenir. Au fur et à mesure, l'enseignante gribouillait, au dire des manants, sur sa petite ardoise. Cet objet essentiel ne quittait jamais son coffre de voyage.

— Commençons par le commencement, dit-elle.

— La meilleure chose à faire, lança Meneux.

L'assemblée s'esclaffa. Marguerite fut reconnaissante à la vie de ce terreau d'humour propice au champ de la connaissance.

— Voici un mot.

Elle inscrivit moy, que les manants prononçaient encore *moi*, à l'exemple du petit peuple de Paris lui-même à ladite époque.

C'était donc cela un mot ? Rien que cela ?

Elle ajouta.

— Ce mot se prononcera dorénavant *moé*, à la manière de notre bon maître, Louis XIV lui-même.

Un deuxième éclat de rire fusa. *Moué, moué*! Drolatique, ce *moé*! On se regardait et on se faisait une moue prononcée, *Mouou-é*. Les visages se rapprochèrent bientôt, puis les bouches. Qu'une ligne. René et Estiennette s'échangèrent un baiser furtif. Il fallait bien que quelqu'un ose. Toutes les autres jeunesses eurent tôt fait d'imiter cet exemple. René eut le goût de revenir à la charge. Non, ce genre de baiser n'avait rien à voir avec, sur ses lèvres, la douceur de ses marguerites près du mur de son ancienne demeure. De son côté, la religieuse passa outre à ses digressions. Elle en profita pour jeter un coup d'œil à la belle nature. De lui-même, le petit jeu traîna en longueur. D'autres assonances s'y ajoutèrent. Les yeux de l'institutrice brillaient. Son cœur palpitait. La découverte s'initiait d'elle-même. But atteint. Elle se retourna carrément vers ses ouailles. Leurs déductions la divertissaient. Il y avait eu *toé*, loé, foé...

— Voyons encore, ajoutait-elle. Aviez-vous pensé à *Roé* ?

Sursaut de l'assistance.

— Rappelez-vous cet énoncé sorti tout droit de la bouche de Sa Majesté : le *Roé*, c'est *moé* ! Par là, il veut signifier toute sa grandeur.

Plus jamais personne n'arriverait à chasser de son esprit une telle paraphrase.

N'allait-on pas participer à la fondation d'une nouvelle patrie en l'honneur de son *Roé* ? Tout manant qu'on ait été sa vie durant, on valait peut-être quelque chose à la fin ! On passa le reste du merveilleux jour à s'arracher des mains l'ardoise de Marguerite Langlois. On s'essayait à transcrire sur le bois du pont les lettres de l'ardoise.

— Madame, on manque de craie, revenait la ritournelle.

Qu'est-ce que ce goût de jouer à la marelle entre les symboles ? Les jeunes filles et les enfants en moururent d'envie. Quel mal à se retenir ! Mais le capitaine pouvait faire son apparition à tout moment. Par ailleurs, chaque nouveau lavage entraînait dans son bain ses chers hiéroglyphes.

Pour l'élève Plourde, ces grands mots de trois lettres s'ajoutèrent à sa connaissance de la syllabe *re*. Quel avancement dans le domaine du savoir ! Le soir venu, il l'avait reprise un nombre incalculable de fois sur la chair de sa cuisse.

Le lendemain, les recrues, pêle-mêle sur le pont, voulurent devancer l'heure de la leçon. Les membres d'équipage au travail se sentirent poussés dans le dos. Ils leur firent de gros yeux, et la moue.

Marguerite entreprit de compliquer sa leçon avec deux mots en enfilade. Elle imprima sur son ardoise *j'allions : je vas…* qu'elle prononça avec application. Ainsi dit le *Roé*.

Dans ce cas, la graphie posait problème. Une telle longueur ! Après une dizaine de répétitions de tout l'énoncé, la prononciation fut acquise. Quel effort ! Pourtant, comme on se croyait instruit. En ce deuxième jour d'apprentissage, la blague ne se manifesta pas. On avait fini par se sentir dépositaire d'une chose rare, comme du sacré. En plus de l'impression d'être savant.

Quant aux règles de grammaire des bonnes manières, elles s'énonçaient toujours par dizaines. Celle du costume en disait long sur l'exception. Encore une partie de son moy, enrégimentée. Eh ! oui, il existait une tenue vestimentaire pour aristocrate et une autre pour paysan. L'accoutrement obligatoire du deuxième servait, comme il se devait, à faire montre de sa nullité. Sans le sabre, de toute évidence. Trop de prestance dans ce geste.

La troisième journée s'annonçait paradisiaque, Marguerite les rassembla sur le pont. Cette fois, elle les entretiendrait d'avenir. Avant de se fixer dans les cerveaux, les rudiments de la lecture prennent toujours un certain temps. Elle se dit que deux jours de feux d'artifice dans ces regards éteints depuis des siècles suffisaient pour le moment. Et comment leur parler aujourd'hui de liberté ? De tous les possibles... Dans le pays de *là-bas*.... Sur l'autre rive, l'impossible n'existait plus. La vision de ce pensable sonnerait bientôt à leur porte, à quelques lieues près. Au Nouveau Monde.

— Seigneur, faites qu'ils n'éclatent pas d'espoir, pria-t-elle.

— C'est-y Dieu possible, bégayait-on.

Dans une joyeuse incrédulité, on se signa de reconnaissance.

— Au Nouveau Monde, il n'y a pas de classe, ajouta la religieuse. La seule différence qui existe, c'est la force de vos bras. À chaque homme, sa chance de devenir quelqu'un s'il travaille fort. Même un chef.

Un cri symphonique pour René Plourde, écho des arbres de sa forêt de demain. Ses fibres de géant se tendirent, s'arc-boutèrent, prêts à être catapultés dans le travail vingt-quatre heures sur vingt-quatre, sans jamais de repos.

— Je salue votre courage, vous qui avez eu la volonté de vous embarquer, qui avez su garder au fond de vousmêmes le goût de la digne aventure, du meilleur malgré le pire, qui pouvez encore croire au miroitement de la liberté. Je sais que plusieurs d'entre vous ont laissé des familles décimées par la maladie et la pauvreté.

— Vous, Bouchard, combien de frères vous reste-t-il à la maison ?

— Aucun, reprit le célibataire. Après la dernière famine, Ambroise et Louison ont été emportés par la faiblesse. Grégoire, lui, a été envoyé seul, tout fin seul, au fin fond des terres pour surveiller les limites du domaine. Une nuit, il a été attaqué par une bande de brigands et laissé mort sur les lieux comme une vieille guenille.

— Moi, je veux dire *moé*, Madame…

Un léger sourire illumina l'assistance. Tiens, on se permettait une autre latitude. Retrousser les commissures, mais au moment où on le choisissait. Le sujet s'avérait pourtant tragique, mais quel était le tragique quand il s'agissait de son lot quotidien ? Bouchard continua :

— Moy, devenu comme orphelin à vingt-huit ans. Mon père estropié à mort derrière son enclume, ma mère étripée à la besogne, mes deux sœurs mortes en couches.

— Moy aussi, reprit Dubé, également fin vingtaine. Plus personne de mon bord. Y'a quasiment pus de famille complète dans mon bourg. Les mauvaises récoltes, pis la disette toujours ! Pis après la disette, c'est forcément la maladie.

Comme les conditions de vie des manants tenaient de l'impossible, le célibat s'étendait tard dans la vingtaine pour les garçons, avant de coiffer sainte Catherine pour les filles. Dans l'attente, gare au libertinage ! Le châtiment saurait venir tôt ou tard. Dans ce bas monde, sinon dans l'autre bas monde, aussi bien dire au fond de l'enfer. Toujours, deux poids, deux mesures. Pour les nobles, le dévergondage admis devenait monnaie courante. L'enfer, dans leur cas, se révélait pavé d'or.

Suite à la remarque de Dubé, le jeune Plourde qui s'y connaissait bien en la matière avait renchéri du haut de ses dix-huit ans.

— Moy aussi… depuis l'âge de cinq… orphelin.

— On l'sait, pour toy. On en a entendu parler à gauche et à droite, enchaîna Pelletier.

— Ça se parle encore comment t'es devenu orphelin, renchérit Hudon.

René, de surprise, s'enfonça en lui-même, comme s'il rapetissait. Se pouvait-il que, eux aussi, ses frères paysans en veuillent à sa personne, à cause de cette histoire du passé ? Il éprouva la tentation de redevenir invisible. Son esprit le ramenait à ses cinq ans après la disparition de ses parents.

Durant cet échange, pas une voix féminine ne desserra les lèvres. Comment prétendre autrement ? Elle n'avait jamais eu voix au chapitre. Des femmes avaient été brûlées vives sous leurs yeux parce qu'elles avaient eu le verbe haut et clair. Prises pour des sorcières, il ne restait plus que le bûcher pour éteindre cet ascendant, croyait l'autorité. Ou si, par malheur, elles se voyaient dans l'obligation de mendier, elles se trouvaient bannies de la société, à vivre avec les bêtes au fond des bois pour le reste de leurs jours.

Le lendemain, les vaguelettes continuèrent de lécher avec grâce les flancs de la coque, comme une femelle, son nouveau-né. En après-midi, Marguerite Langlois s'accola au groupe pour fêter. Les noces de la liberté duraient. Quatre semaines venaient de glisser dans la plus parfaite complaisance. Une orgie de beau temps, le vertige tout en bleu, de la mer au ciel, du ciel à la mer. La liberté miroitait tout autour. On entendit des éclats de rire. Les recrues osèrent, parlèrent plus fort. Elles s'instruisirent mutuellement. Avec gravité, chacun exposa à l'autre les raisons de son départ, son goût de l'aventure pour un ailleurs… Tous salivaient devant ce meilleur à venir.

— Moy, les arbres à tailler, ça me fait pas peur, lança Plourde dont le seul mirage de la cognée faisait saillir les biceps sous ses manches. En dessous, de la terre riche qui te coule entre les doigts comme de la poudre de talc, qu'on nous dit.

Il aspira à pleins poumons cet humus millénaire qui lui titillait déjà les narines.

De satisfaction, son pouce caressa ses doigts. Sa langue s'écrasa au fond de sa bouche. La terre promise. Un sol béni cultivé pour soi-même et sa petite famille. Uniquement. Peu importe ses menues redevances. On n'avait jamais connu rien de tel dans le Poitou.

On sentait en Plourde une détermination à toute épreuve. Un entrain communicatif capable de donner au plus fluet des hommes le goût de s'engager à sa suite dans l'abattage de toute une forêt. Sa volonté rare d'arriver à quelque chose et de tout faire pour y réussir rappelait celle de ses ancêtres. Expérimenter, acquérir des tas de connaissances, avancer…

— Moy, c'est coureur de bois que je me ferai quand l'hiver arrivera, comme on dit là-bas, relança Michaux-Michaux.

Dans l'intervalle, les enfants, eux, coururent partout sur le navire. Aujourd'hui, ils jouaient à cache-cache. Le capitaine continuait de se faire invisible tandis que le voilier avalait des lieues toujours plus bleues.

Une nuit, le petit Gilles Migneault poussa quelques gémissements. Anne, sa mère, couchée près de son enfant, étendit son aile protectrice sur son corps.

— Maman est là, souffla-t-elle, croyant à un mauvais rêve.

Quelques minutes plus tard, l'enfant repoussa sa couverture et des gémissements plus rauques arrivèrent à l'oreille de sa mère à moitié endormie. Elle tâtonna pour atteindre le front de l'enfant. Le dos de sa main s'arrêta dans l'inquiétude. Sous le menton, du feu.

— Seigneur Dieu ! bruissa-t-elle, inquiète.

Tant bien que mal, elle s'assied en tailleur, attira le petit corps brûlant près de son ventre plein en place sur ses cuisses. Le cauchemar s'était transformé en fortes fièvres. Les plaintes de l'enfant s'intensifièrent.

— T'as mal où, mon garçon ?

— Dos…

Anne lui passa la main dans le dos.

— Ça va passer.

Plaintif, l'enfant repoussa sa main comme si tout le corps lui faisait mal.

— Touche pas.

— Bon ! bon ! Tranquille-là, près de Maman.

Plus le garçonnet resta collé à sa mère, plus la fièvre augmentait. À l'aube, son père Louis enfila la coursive en direction des cales. René avait suivi le drame de loin. Il s'interrogeait sur l'état de santé de l'enfant. Lui, dans la forêt, il n'avait jamais été malade. Cependant, il y avait perdu son père et sa mère. Il se disait que le petit Gilles avait de la chance d'être malade entre les bras de ses parents. Il l'envia. Entendant les pas feutrés de Louis, il se tira de sa rêverie et s'interposa.

— Tu vas chercher de l'eau ? J'y vas pour toy. Retourne près de ton garçon.

Les pas de René approchèrent de l'écoutille. À droite du couloir, la porte d'une sombre casemate bâillait. Des lambeaux gris d'une vieille couverture se répandaient sur le plancher devant.

— C'est bien le temps.

D'un coup, la jambe de René envoya promener la grande guenille qui se tricota à ses mollets. Le jeune homme se retrouva tête première au bord de l'ouverture, une bosse à l'arcade sourcilière. Il se sentit fort vexé.

— Il y en a qui font pas leur ménage.

Cette bâche puait le renfermé. Un marin avait, certes, omis de la passer à l'eau de mer après le voyage. Sa désinfection n'avait donc pas eu lieu.

— Elle aura servi à éponger un dégât, s'expliquait René revenu à ses sens, et le marin de veille, requis ailleurs, l'aura oubliée.

Ou seraient-ce les enfants ? Misérable réduit si l'on veut, mais excellent endroit pour se soustraire à la vue de ses compagnons de jeu. Personne n'avait pris garde…

Presto, René se remit debout et descendit puiser dans la précieuse citerne un peu d'eau douce. Il remonta en vitesse vers la famille Migneault. Anne passa aussitôt le corps de son enfant à l'eau fraîche. Chaque coup de chiffon comme un nordet qui le fouettait. Le petit frissonnait, claquait des dents. La fièvre ne descendit pas d'une ligne. Plutôt, elle augmenta sous la main étonnée de la mère.

— Sainte Bride, priez pour nous ! supplia Maman dans un murmure.

L'aube grisonnait. Un autre gémissement se fit entendre à travers les premiers bruits du matin. Anne se redressa, comme par un coup de grisou. À trois couches de son garçonnet, elle aperçut le petit Simon Desjardins qui battait de la tête contre son grabat. Sa mère, tout aussi secouée, s'activait autour de lui.

— Qu'est-ce qu'ils ont bien pu manger, ces petits-là ? chuchota-t-elle à Suzanne.

— Me demande.

— Peut-être qu'ils ont bu du cidre pourri que les marins laissent traîner partout.

— Possible ! Tellement couraillé partout depuis quelque temps.

Même si les deux mères s'efforçaient de parler à voix basse, tout l'entrepont avait suivi leur conversation étouffée. En avance sur les autres jours, le mouvement collectif du matin se mettait en branle. Une véritable usine humaine qui démarrait ses machines l'une après l'autre.

— Les enfants vont se réveiller bientôt, entendait-on de part et d'autre.

Les décibels augmentaient avec le nombre des activités. Bientôt on ne freinait plus les bruits. Tous les enfants, sans exception, continuaient de dormir, comme s'ils n'allaient plus ouvrir l'œil.

— Moy, je réveille ma fille, dit Mathurine Paquet. Dédette, allez, lève-toy, la poussa-t-elle légèrement.

Bernadette à son tour gémit une première fois.

Mathurine entrouvrit l'écran de cheveux sur sa figure. Rideau mortel.

— Brûlante comme un tison ! Mon Dieu !

Anne et Suzanne regardèrent dans sa direction, consternées.

Quelque chose n'allait pas sur ce bâtiment. La peur s'installait.

— Réveille-toy... Réveillez-vous, les enfants...

On brassa délicatement les couvertures. Rien. Les bras et les épaules. Rien, outre des gémissements. Cinq mères, cinq pères se regardèrent avec le plus grand sérieux.

Même couché à l'écart, le chirurgien-barbier entendit le brouhaha inhabituel et s'amena vers le petit Gilles.

— C'est quoi qu'ils ont, Monsieur ? demanda-t-on sur son passage.

— C'est ce que je m'en vas voir.

Il ausculta le petit Gilles, prit son pouls, lui fit écarter les mâchoires. Ce geste sembla exiger de lui un tel effort que Maman lui vint en aide.

— Forte fièvre, décréta-t-il, mais que de la fièvre. Mauvaise nourriture, possiblement. Rien d'alarmant. Demain, tout ira mieux. Y aurait-il quelqu'un qui aurait eu la prévoyance d'apporter du jus de sureau ? s'adressa-t-il à la ronde. Je n'ai pas de coffret à herbes dans ma trousse.

— Moy, rétorqua une frêle voix.

Mance, la toute jeune. Elle ajouta fièrement :

— C'est ma vieille tante qui connaît toute et qui pense à toute, c'est elle qui a mis ça dans mon coffre. Un trousseau est pas complète si on n'y tint pas du jus de sureau, qu'elle disait. Bon, pour toute. Y faut juste se frotter avec.

— En effet, conclut l'autorité, si Damoiselle Mance veut bien partager sa réserve… Imbibez-en un linge que vous déposerez sur le front de vos enfants en alternant avec des compresses d'eau froide. Faites-leur aussi avaler des gorgées d'eau fraîche pour leur nettoyer la gorge. Aussi souvent que possible. La fièvre devrait tomber dans les vingt-quatre heures.

Mance se révéla fort heureuse de vider sa petite bouteille sur une seule compresse. Les mamans se passaient le chiffon de quinze minutes en quinze minutes. Une heure plus tard, les fronts fiévreux l'avaient complètement remis à sec. La moitié des enfants n'avaient pas eu leur tour.

Penchés sur leurs petits malades, les parents en oublièrent de manger. À peine le temps de revêtir ses habits de jour, et la nuit revenait.

René Plourde avait choisi d'offrir une bouchée à l'un et à l'autre à partir de ses maigres réserves. Il se rappelait la générosité d'Eusèbe à son égard et se disait que, « grand et gros » comme il était, il pourrait bien s'en passer. Michaux-Michaux et Marguerite Langlois le rejoignirent bientôt dans l'entrepont atténuant la morosité de ce jour.

La fièvre n'augmenta ni ne baissa. Au crépuscule, les membres des familles s'étendirent sur les hamacs à côté de leurs petits patients. On attendit la fin de l'angoissante nuitée l'œil grand ouvert. Dans son cœur, on implora la Providence pour un immédiat retour à la santé par un de Ses miraculeux matins.

— Ça va leur redonner de l'énergie, l'beau soleil. À la fin de l'après-midi, y vont être tous guéris, nos p'tits chenapans. Et merci, mon Dieu ! pensa-t-on, de part et d'autre.

Des sourires s'étirèrent timidement dans le noir.

Vers minuit, des pleurs accompagnés d'une petite toux arrivèrent aux oreilles de l'insomnie. Les gémissements s'accentuèrent bientôt, et les mères reprirent leur position assise près de la souffrance. Escalade, haleine courte. Un vent de misère sifflait dans l'entrepont. Les longues heures s'égrenèrent avec peine. À l'aurore, le père Migneault s'en fut réveiller Monsieur. Son petit Gilles n'allait pas du tout. Venant à sa rencontre, le chirurgien-barbier zigzaguait déjà entre les nattes en direction de l'enfant.

De visu, l'enfant lui sembla dans un bien piètre état. Il s'agenouilla, regarda sans toucher le petit corps devenu rougeâtre. Dans sa tête, un retour sur ses notions de médecine.

— Ouvre ta bouche, petit.

Avec toute la délicatesse du monde, sa mère lui aida, cette fois encore, à entrouvrir les mâchoires. Le docteur éprouva un choc. Il vit ce qu'il ne voulait pas voir : un fond de gorge ensemencé de petits points blancs.

— Pas possible !

— Quoi ? Qu'y a-t-il ? dit la mère, affolée.

— Dame Migneault, il va vous falloir être très courageuse et prudente. Je détecte chez votre garçon les débuts
d'une grave maladie, la petite vérole. À ce stade, il faut
attendre patiemment pour voir comment la maladie évo-
lue. Demain, nous serons fixés. Entre-temps, des compresses… et de l'espoir, ajouta-t-il en lui-même.

Anne Migneault faillit s'évanouir. Les coups de pieds
en son sein du petit être dont la vigueur n'avait rien d'un
moribond lui firent entendre raison. Elle reprit aussitôt
ses sens. Plus prête que jamais à s'engager dans la lutte
pour la vie.

— Soyez courageuse, renchérit-il. Veuillez m'excu-
ser, il faut que j'aille examiner les autres enfants. Il y en a
douze en tout, n'est-ce pas ?

Et pour lui-même :

— Juste ciel ! faites que ce ne soit pas une épidémie.

Ce fut une épidémie.

Le lendemain, un nombre impressionnant de boutons apparurent sur le visage du petit Gilles ; une heure
plus tard sur celui du petit Simon ; sur celui de la petite
Bernadette ; sur les neuf autres petites figures. Puis ces
papules avides de chair, telle une éclosion de lentes, sautèrent sur le tronc, les mains et les pieds. D'abord roses
bordées de blanc, elles se mirent à grossir et à se remplir
d'un fâcheux liquide jaune. Trois jours durant, le trou-
blant liquide verdit et s'épaissit. Du pus. Des pustules
vert jaune recouvrirent bientôt les corps puérils, sans
exception.

Les parents ne savaient plus comment s'y prendre. De ces cloaques s'écoula un filet, épais, obscur, par-ci, par-là. Le degré de panique monta, chez tous, y compris le capitaine. La contagion, couleur brun jaunâtre.

— Qu'est-ce qui faut faire, Monsieur ? supplia du regard, Anne.

— Rien. La maladie va suivre son cours. Des croûtes vont commencer à se former. Elles seront tombées d'ici dix jours. Faites votre possible pour garder le petit confortable en attendant… et invoquez le ciel, continua-t-il à mi-voix. Rien de plus.

Tout l'entrepont qui vivait maintenant dans le silence avait suivi l'impuissante ordonnance.

— Encore dix jours sans savoir.

Sans savoir quoi au juste ? De quel côté basculerait son destin ? La vie ou la mort ? Prise de conscience troublante, directement sous le nez. Pas un adulte n'avait encore contracté la maladie.

Une autre nuit s'amena, puis s'achemina vers le désespoir. Anne, recrue de fatigue, s'endormit malgré elle. Cauchemar horrible. De toute son existence, le pire viola son être. Son tout petit geignit. Oui, il geignit en elle. Elle l'entendit parfaitement dans son rêve. Il avait attrapé la petite vérole, comme son grand frère, de son grand frère. Sur son grabat, Anne s'agita, se comprima le ventre, l'enfonça d'un côté comme de l'autre. Une houle déferlante. Elle le sortirait de ses entrailles son petit, le prendrait dans ses bras, le cajolerait, le guérirait. Louis voulut faire cesser ces affreuses convulsions.

— Anne, arrête, dit-il. Tu vas te faire mal.

Du fond de sa tourmente, Anne n'entendit rien.

Quinze minutes plus tard, le petit Gilles, les traits gonflés, enlaidi par des vésicules qui lui bouchaient la vue, se redressa fermement sur sa couche branlante. À partir de crevasses profondes aux lèvres, des chenaux s'ouvraient, atteignaient les narines. Fiévreux, il tourna une dernière fois sa tête aveugle vers sa mère, puis se laissa aspirer par le néant. Le plancher amortit sa chute. Premier haut-le-cœur d'un long glas. Petit Gilles avait perdu la bataille. À ses côtés, son père trembla d'effroi.

— Non, Gilles. Tiens bon, mon garçon.

René Plourde avait suivi le drame de loin. Il sut à la résonance du bois que la condition du petit avait empiré. Il vint, pieds nus, porter secours au père qu'il distinguait accroupi entre ses deux impossibles malades. Crucifié entre ses deux amours. Louis claquait des dents. Perdu, il marmonnait encore, se recomposait, puis tentait de conforter de son mieux l'une sur le hamac et l'autre par terre sur les planches. Revenu à la réalité du moment, le père et l'homme sans père devisèrent tout bas.

Anne, toujours inconsciente, s'immobilisa enfin. Une mince coulée de sang sortit de son corps. D'un ongle ébréché, elle venait de se faire mal. Elle cherchait à pénétrer au fond de ses entrailles pour secourir son petit.

— Occupe-toy du p'tit, dit Louis.

Mais le père croyait encore qu'un filet de vie comme un filet de sang continuait d'affluer dans le corps de son fils. Je m'occupe d'Anne.

— Anne, la secoua-t-il énergiquement.

Trop, dans la circonstance. Même le rouge est invisible dans le noir.

— Pour l'amour du ciel, Anne, réveille-toy ! Le petit va plus mal.

Pendant ce temps, René cueillit le petit corps. Ses bras l'entourèrent comme s'il avait été de sa famille, comme son propre père fit avec lui autrefois quand il craignait que son petit n'approche la lisière du bois. Il dirigea ses pas vers Marguerite Langlois. La bonne dame sentit la mort passer et vint tendre une main secourable. René eut vite fait d'écarter l'enfant mort de sa mère malade. Se laisserait-elle aller à le suivre dans l'autre monde ? Pas impossible. La contagion ! Marguerite sut prendre parti et se dirigea vers l'homme seul pour parler d'avenir. Le père fondit en larmes. La bonne dame mit une main sur son épaule, et l'autre sur le front d'Anne.

— Courage ! Je reviens.

René et Marguerite escaladèrent les barreaux menant au pont.

— J'attendrai demain pour aviser le capitaine, pensa la responsable.

Elle espérait ne pas troubler son sommeil, et surtout, la quiétude de son esprit devant la nature de cette mort. Au bord de la rambarde, Marguerite traça une croix sur le front de l'enfant. Malgré le petit dans ses bras, René tenta de se défaire de son pourpoint.

— Non René, vous n'aurez plus rien à vous mettre sur le dos.

Sans tenir compte de l'avis de la religieuse, il enveloppa de son vêtement le petit garçon comme un autre lui-même. Il pensa à sa course folle vers le cimetière. Lui, il avait eu la bonne fortune de survivre à la nuit profonde. Il entrouvrit bientôt ses ailes et l'oiselet mort glissa dans les profondeurs de l'abîme liquide. On se signa. Le temps suspendu jusqu'à ce que le ventre rebondi d'Anne s'impose à leur esprit. Marguerite et René retournèrent aux parents endeuillés. Déconfiture chez le pauvre père, larmes noires. Son fils jeté à la mer et sa femme Anne qui s'absentait, perdait pied. Non ! Pourquoi avait-il pris ces risques ? Pourquoi n'avait-il pas craint cette aventure en terre de liberté ? Qu'est-ce que le libre arbitre face à la grande faucheuse ?

Anne n'avait toujours pas réagi à la demande un peu rude de son époux, croupissait encore dans son coma.

Dans l'entrepont, personne n'osa bouger, mais chacun suivit le drame dans la plus grande appréhension. Tous les autres enfants, rouges de fièvre, allaient-ils y passer ? Et eux, chacun d'eux ? Personne ne se trouvait à l'abri de...

Une heure plus tard, une autre lugubre lamentation percuta les tympans comme un coup de canon. Les passagers à l'affût se dressèrent sur leur couchette. Au tour du petit Simon Desjardins de s'engager dans le dernier tournant. La gorge bourrée de pustules, il râla, chercha son vent, s'agita en quête de confort, roulant lui aussi sur les froides planches inégales comme une girouette en quête du nord. Sa mère Suzanne, voleta autour de lui, le ramena vers son nid infecté, en pourriture. Après tant d'efforts inutiles, il rendit l'âme. Sa mère paralysa. Son père en perdit la voix, mais, à grands gestes, appelait à l'aide. Les passagers demeurèrent figés sur leur grabat. Le jeune Plourde et la dame déjà debout s'amenèrent aussitôt. Devant les parents muets et à leur place, ils devisèrent sur la manière d'agir en la circonstance. Il n'y avait pas mille et une solutions. René cueillit de nouveau le petit corps dans ses grands bras. La mère ne bougea plus. On se dirigea vers l'écoutille, en compagnie du père tourmenté dans son silence. Là-haut, le père entreprit lui-même le rituel du...

Submergé par la douleur, il échappa le corps de son garçon qui frappa le bord de la coque. Un ultime cri s'échappa des poumons de l'enfant avant de rejoindre le gouffre. Secousses de sanglots blancs, le père s'enfonça dans son mutisme. On le ramena près de sa femme aux yeux vides. Tombée sur les planches, telle une morte. Il s'étendit tout près.

Vers les deux heures du matin, une autre plainte aiguë décocha son dard. Mathurine, la renarde, se précipita sur sa petite Dédette. Oh! elle n'en ferait qu'une bouchée de la maladie de sa petite fille. Elle saurait dévorer son aura s'il le fallait.

— Viens, mon bébé. Maman va te désinfecter.

Elle se mit à la lécher comme une bête.

— Tu vas retrouver ta peau de bébé, ma petite. Je te le promets.

Mathurin prit le menton de sa femme, la força à relever la tête, à le regarder.

— Non, Mathurine!

Encore une fois, René marchait dans cette direction. Il n'avait pas eu le cœur de chercher du repos.

Il réfléchissait à sa propre misère, à celle de sa petite enfance. À l'inverse, il avait survécu, mais ses propres parents étaient passés dans sa vie en coup de vent. Comme des malfaiteurs. René décida de jeter un œil à toutes les familles atteintes par la maladie.

— Comment faire autrement ?

En simultanée, une faible plainte arriva de l'autre bout du navire. Un marin. Ah ! non. Marguerite bifurqua vers l'appel de ce coin.

— Pas les grands, en plus ! Dieu du ciel, conservez la santé à ces généreuses recrues.

Pendant ce temps, Mathurine et Mathurin se soudèrent au corps de leur petite et entreprirent l'inévitable démarche. En aucun cas, ils ne céderaient leur trésor aux bras de René. Ils tentèrent l'impossible. Escalader l'échelle de l'écoutille en bloc. René les suivit de près dans les échelons, tâchait de maintenir en équilibre la masse. Comprimés au maximum, ils enfilèrent l'écoutille sans rompre le rang. Un sabot sur le pont et cet attelage s'élança au trot. Accéléra. Cette troïka à la pouliche morte sauterait par-dessus le bastingage. René dut appliquer toute sa force pour retenir le mouvement.

— Non, s'opposa-t-il, comme en droit de ...

Avec la plus grande délicatesse, il réussit à décrocher le petit corps du trio et procéda à sa descente en mer. Emportés par la vague du malheur, Mathurin et Mathurine s'échouèrent sur le pont. René s'assit tout près d'eux et attendit dans le silence. Deux heures plus tard, la lumière blafarde de quatre heures commençait à imprégner la nuit. René incita ces parents meurtris à descendre se reposer. Il ne souhaitait pas voir une si grande souffrance étalée à la vue des marins de quart. Avec l'automatisme d'un fil qu'on rembobine, les parents le suivirent dans l'entrepont.

Les recrues ne fermèrent pas l'œil de la nuit et s'affairaient déjà autour de leurs grabats, tous à l'exception d'un seul, Michaux-Michaux. René ne mit pas long à comprendre.

— Ah ! non. Tu me feras pas ça, espèce de saligaud. Tu as pas le droit. Pas toy, en plus.

Il se précipita vers le malade.

— Michaux, lève-toy !

Ordre sans appel. Toutes les têtes se tournèrent dans cette direction. Même celles des parents des enfants malades.

On vit Plourde se pencher au-dessus du hamac, saisir son ami par le collet et, d'une seule main, le mettre debout sur ses jambes flageolantes.

— Michaux, je te défends ! Tu te laisses pas aller ! Compris ?

Il lui administra une paire de gifles. La tête malade vola à gauche et à droite.

— Te laisserai pas me faire ça, tu m'entends !

Plourde tempêta. Son souffle poudroya. Un regard acier défonça les prunelles vitreuses de l'ami. Son bras retint le corps à la verticale.

Marguerite, près du marin alité, le semonça.

— Plourde, calmez-vous ! Remettez-le sur sa couche.

Plourde obtempéra. Encore haletant, il s'assit en tailleur près de son grand copain sur la natte et le veilla jour et nuit pendant une semaine, le soigna comme un enfant. Michaux-Michaux prit du mieux sous l'intense pulsion régénératrice. Tyran et serviteur à la fois, René ne dormit pas deux heures d'affilée en huit jours. De temps en temps, il piquait de la tête et tombait en état d'apoplexie pendant une quinzaine de minutes pour revenir à la conscience après avoir renâclé comme un cheval de course.

Un beau jour, René remit sur ses jambes mollettes son gringalet de Michaux-Michaux. Avec peine, à deux, on remonta sur le pont supérieur. Au grand air comme ça, on remporterait la victoire.

Les neuf autres enfants trépassèrent sous le regard anéanti de leurs parents désarmés.

Par contre, la malheureuse Anne revint à elle petit à petit, la menace d'une fausse couche écartée. Jeannette Meneux, sa compagne dans la maternité, put venir vers elle pour lui tenir la main. Ses autres compagnons de voyage lui laissèrent enfin le champ libre. L'histoire d'Anne marqua tout le monde. Recrues, marins, soldats, et même le capitaine. À son tour, Marguerite Langlois confirma le retour à la santé du marin. Elle l'avait couvert de tous les soins imaginables.

Le temps tint bon. Il ne fit pas aussi beau qu'avant l'épisode de la maladie, mais le tout se déroulait dans les limites du raisonnable. Une dizaine de jours à reprendre de la force, morale et physique. L'épidémie avait duré deux semaines. Le mitan de l'océan, dit la ligne, se trouvait dépassé maintenant. L'autre rive battait des ailes. Un peu plus, elle-même volerait à leur rencontre.

CHAPITRE 11

Le naufrage

P LUS QUE vingt-quatre heures avant de mettre les
pieds sur le sol de la Nouvelle-France, de secouer le
joug, de rompre les chaînes. À la tombée du jour viendrait
la toute dernière nuit. L'attente sur sa couche, le sourire de l'aurore et les côtes ambrées du Nouveau Monde
peintes à l'horizon. Enfin la terre de l'affranchissement
et son humus fleurant bon la liberté !

Au crépuscule, le soleil se coucha de fort mauvaise
humeur. Deux épais boudins charbonnèrent son regard.
Des nimbus de plomb abîmèrent sa rondeur. Son auréole
aplatie n'augurait rien de bon.

Accoudé au bastingage, René prolongea sa réflexion,
planifia sa vie future. Belle, vraie. Un torrent de pluie
soudain éventra l'obscurité.

— Nenni ! s'insurgea aussitôt René, le bras en l'air.

Plus question de remettre en cause la quête de sa
liberté.

La cataracte noyait déjà ciel et mer. René s'ébroua.
Son esprit contraint de faire marche arrière se retrouva
face à face avec celui de son ancêtre du cimetière. Se
pouvait-il que son descendant de la septième génération
aille, comme lui, vers une dissolution complète ?

— Non et non !

À l'océan, il s'adressa :

— Tu m'auras pas, gobeuse de bâtiments. Ni moy ni mes semblables. Te laisserai pas faire.

Un souffle maudit contre-attaqua de tous les points cardinaux à la fois. Le voilier oscilla… On aurait cru une toupie à la fin de sa course. Des bourrasques s'extirpèrent de l'ouragan et giflèrent, à travers les interstices, les précieuses jeunes filles en robes de nuit. Elles se heurtèrent l'une à l'autre comme des poupées de chiffon. À la recherche d'un semblant d'intimité, elles avaient élu domicile tout près de la coque.

— Mance, le p'tit cochon, s'égosilla le père Bouchard.

Bang ! Le cochonnet de la petite Clémence et la pucelle s'assommèrent l'un l'autre. Rosinette avait filé vers Mance comme un boulet. Les deux pantins se tamponnèrent à travers les ballots de foin éventrés. Le regard rivé à la scène, la bambine refusa la perte de son joujou dodu. Elle bleuit dans d'importunes convulsions pendant que des chèvres, les pattes en accents circonflexes, continuaient de valser sur leurs sabots de satin.

Vsoum ! Sous l'impulsion du vent, un deuxième porcelet fendit l'espace. Il s'enfila par le trou d'un sabord avec une précision telle qu'on y reconnut son destin. Les autres lards, eux, volaient comme des mouches sur la basse-cour saisie de plomb. Les poules couvaient leur peur, les ailes soudées au corps.

— Lève ton aile, belle poulette, s'amusa encore cette rafale.

Elle leur fouailla un moment les aisselles et les projeta au mur comme des fétus de plumes.

— Bouchard, l'oie !

Digne de mémoire, un croc-en-jambe avec le cou de l'oie colla Bouchard au plancher. Ils entrèrent dans la stupéfiante mêlée avec Mance et Rosinette. Il ne resta bientôt plus une paille digne de son ballot.

Toutes les oies sans exception se rompirent le cou sur les murs de la furie.

— Qu'on ferme les enclos, entendit-on de part et d'autre de l'entrepont.

Ces ordres continuèrent d'affluer, mais ne trouvèrent pas d'ouïe.

Les haubans sinistrés gémirent de plus belle. Les voiles s'estampèrent contre le mur bétonné du vide. Des craquements sinistres sortirent des planches tordues. Le vent siffla en travers, vous malmena le tunnel de l'oreille.

— À vos postes, à vos postes, tous ! revint à la charge le capitaine soudé à sa barre en convulsion.

Il hurla comme si les marins se permettaient un gentil roupillon à l'étage du bas. L'écho de sa voix, aussitôt sorti de sa bouche, refluait en *u* dans sa poitrine.

— Je vas t'en remontrer, chargea de nouveau le responsable. Je fais ma vie de vent de mer. Débrouille-toy avec la tienne.

Le capitaine n'inspira plus que par saccades, les poumons en feu. Cet air mouillé, salin ! Plus il se débattait contre la nature de cette nature, plus rien ne se passait.

— Point besoin de hurler, capitaine, lui résonna sa poitrine en tam-tam. J'enregistre.

René, en lutte contre les éléments, chercha à joindre le maître. Il vit ses membres se débattre, sa bouche articuler, mais n'entendit rien.

Un marin après l'autre s'amena à son poste à quatre pattes. L'énergie perdue à se mettre debout et à se cramponner aux poutres paralysa toute démarche de sauvetage. Tendre un câble, redresser les voiles, raffermir le précaire, totalement impossible. Les passagers, eux, glissèrent sous les hamacs, les genoux en sang. Partout, un désordre innommable ! La contagion, plus que possible. De tendres moitiés s'agrippèrent les unes aux autres. Favorisés par l'étrange sort que leurs petits ne soient plus de ce monde.

— Plourde ! Le mât de misaine branle.

René se retourna comme par un coup de canon.

— Vous ici ? Vite, à l'abri !

— Juste ciel, protégez-nous ! pria la sœur.

À tombeau ouvert, des rouleaux de vent se dirigèrent sur eux. Dans l'écume, l'engagé et sa recruteuse se perdirent de vue.

René, toujours en marche vers le capitaine, avançait d'un pas, reculait de deux. L'homme lui sembla mal en point. Soudain, une déferlante prit le patron par le bas et le propulsa contre Marguerite, comme sur un caisson en chiffon. Le capitaine dans les bras, la même vague projeta la religieuse contre la rambarde.

— Dieu du ciel ! s'exclama-t-elle, en reprenant ses esprits.

De sa bouche glissa un *Requiescat in pace !* dont ni l'écho ni les larmes ne se distinguèrent. Elle marqua d'une croix ce front volontaire où deux petits lacs figés ne tempêtaient plus. Se signa à son tour, avant d'être engloutie par la mer.

— Mère Langlois ! Nonononon ! s'écria le jeune homme.

Dans la tourmente, René perdit l'équilibre. Il aboutit contre la barre. Message clair des éléments !

— À toy, Plourde ! Voyons ce que tu peux faire.

Le nouveau maître de manœuvre opéra de rage et de désespoir. Dans la fureur du vent, le voilier craqua, ses chevrons se tordirent. On aurait dit un insignifiant bibelot. Soudain, le vase en bois s'éleva, compléta, dans l'œil de cette tornade, un tour sur lui-même, et alla s'écraser sur les dunes en face de la Rivière-Ouelle. Anne, à la recherche de son époux, se cramponnait à l'épave pour garantir sa maternité. Une fraction de seconde et elle fut lavée du pont... vers l'est !

— Mon Anne ! mugit l'époux.

Une deuxième vague balaya Louis. Vers l'ouest.

Cette nuit d'apocalypse s'acheva sur un deuxième vent debout. Plus un friselis, rien. Une mer étale, un ciel couleur de muraille, se déversant l'un dans l'autre. À bout d'espoir, les passagers muets ne réagirent plus. Ils venaient de payer leur tribut à la mer.

René, mis à mal, éprouva la sensation d'un immense vide. De nouveau, seul au monde. À se tirer d'embarras comme toujours. Était-ce la fin de sa course, de ses recherches ? Il éprouvait la sensation qu'il ne reverrait pas en ce lieu ce qu'il cherchait depuis toujours. Le savait-il vraiment ?

— Mais non, René, tu n'es pas seul ! As-tu oublié que des gens demeurent sur ces côtes ?

Au souvenir de ses semblables dans l'existence, à défaut de ses proches, René cilla. Peu à peu, il retrouva son courage. Un courage, cent fois remis en question.

— Tout de même, faudrait faire de quoi ! se redressa-t-il à la fin.

Son regard fit le tour des lieux, s'appliqua à prendre le pouls des choses. Puis une voix venue de l'arrière.

— René...

— Michaux ! Toy ?

Le son de cette voix amie desserra pour de bon ses mains crispées sur un reliquat de la barre.

— Échoués où, tu penses ?

— Sais pas.

— La marée, elle monte ou descend ?

— Sais pas.

— Faudra marcher jusqu'au bord, observa Michaux-Michaux.

— Tout de suite ou jamais, ajouta René.

Oui, mettre un pied devant l'autre, avancer. Courir le risque de s'embourber dans ces fonds incertains. Et les coffres ? Pour ce qui en restait. Son grand mât à un fil de la bascule, l'épave but à petites gorgées tant que l'eau resta basse.

La tornade avait traversé la côte en ligne droite, et n'avait pas endommagé les habitations. Levé dès l'aube, le bourg au grand complet s'ameuta sur le rivage. Tout changement dans leur bord de mer méritait qu'on le passe au peigne fin. Dix familles, nourrissons sous le bras, chiens et chats dans les pattes, venues ausculter l'énorme masse noire dans l'eau. Un monstre marin ? Le leur ? Toujours possible. D'aussi effrayantes hypothèses ne pouvaient rester muettes. Des voix s'élevèrent. Se donnèrent la réplique sans jamais détourner la tête, sans jamais perdre de vue la chose.

— Toujours pas une apparition !

— Pourquoi pas ? On sait jamais avec les tempêtes.

— Un loup-garou, peut-être ?

— Voyons, c'est ben trop gros. Puis, le loup-garou, il se noierait. Ça respire comme nous, un loup-garou.

— À moins qu'il soit assommé, sur le dos.

— Assommé, il aurait pas vu l'aube se lever et aurait pas pu disparaître à temps, tu veux dire ?

— …

— Le diable, alors ?

— T'es tombé sur la tête ou quoi ? Le sournois ? Ça se peut pas. Se laisse pas prendre en défaut, celui-là.

— Fâche-toy pas. De toute façon, loup-garou ou diable, ça peut pas rester en place des saligauds comme ça. Trop empressés à faire le mal. Comment ça se fait que ça bouge pas ?

Pour alléger sa propre peur et ne pas courir le risque de voir le village entrer dans la lorgnette du malin, il fallait revenir sur terre.

— Écoutez-moy ben tout le monde, énonça leur vieux sentencieux. Je vous dis que c'est un bateau échoué.

Pour se sortir du traquenard du diable, un voisin s'empressa d'ajouter à la satisfaction générale.

— Si c'est ça, c'est tant mieux. Mais faudrait aller les aider. Et tout de suite.

— S'ils sont pas tous morts là-dedans.

— C'est peut-être des pirates ! relança un garçonnet.

— Hé ! le jeunot. Monte à la cabane, si tu as peur.

— Vite, avant que la marée soit trop haute.

— Faut traîner des barges.

— Sûrement des blessés dans le tas.

Sans autre préambule, on partit à la rescousse des naufragés, heureux d'avoir la solution.

— Ohé ! là-bas ! signalèrent des bras élevés. On vient vous chercher.

Pendant que les habitants s'amenaient à grands coups d'éclat, deux Sauvages ennemis, à la recherche de mousquets, pagayèrent en silence vers l'arrière de l'épave *cantée*. Ils l'abordèrent bientôt et louvoyèrent d'un pont à l'autre tantôt dans l'eau jusqu'à la ceinture, tantôt sur le sec. Près des cales, le cagibi de malheur et trois mousquets les attendaient. Les couvertures infectées s'y trouvaient toujours. Le marin d'office, d'un coup de botte, les aura tout simplement repoussées dans l'antre de la petite vérole. Pour soustraire à la vue la différence de leur habillement et les mousquets, les pilleurs eurent la malencontreuse idée de s'en faire des capes. Deux ou trois plumes rebelles dépassaient toujours, mais les yeux atterrés des voyageurs n'en firent aucun cas. Qu'un détail de plus à ce songe maléfique !

Même les soldats se sentirent réduits à néant. Que défendaient-ils donc encore, ces malheureux militaires ? Mais rien, rien du tout ! Et ces marins sans capitaine ?

Autant de navires sans pavillon. Et le chirurgien-barbier, le jeune jésuite, le marchand, et les autres de la classe à part ? Tous, immobilisés, comme des mollusques exclus de la mer.

— Hâtons-nous, se reprit René.

Ses grands bras appelèrent à l'aide.

— Michaux, occupe-toy de la petite Mance et des jeunes filles autour d'elle, je prends en charge les Meneux.

— Et les coffres ?

— Oublie ça, pour ce qu'il en reste.

Malgré les tentatives de regroupement, on quitta l'épave dans le désordre le plus absolu. Les habitants venus à leur rescousse se firent des plus hospitaliers. Heureux de voir des semblables, ils distribuèrent les poignées de main à gauche et à droite. Ils se délectaient à la pensée des nouvelles en provenance de la mère patrie.

— On est où ? s'enquit René auprès de Berrubey, le maçon du coin.

— Rivière-Ouelle, répondit-il, dans l'eau jusqu'aux genoux. C'est ma femme là-bas… avec la petite sur la hanche.

Du mal à détacher son regard de cette bambine. Il aurait voulu lui tendre la main, lui offrir une sucrerie.

— René, réveille, reprit Michaux-Michaux. C'est pas là qu'on va, toy et moy.

— … non, pas dans notre contrat, la Rivière-Ouelle.

— Y a-t-il des blessés ? s'informa Berrubey.

— … pense que tout le monde peut encore marcher, observa Michaux-Michaux.

— Pas Jeannette, dit René. Dans son état, le dernier mois… Faut la faire monter dans une barge et la hâler. Son mari est à bout de souffle derrière.

Les habitants ne cessaient de reprendre :

— Vous avez essuyé tout un grain, pauvres amis !

À cette constatation, les naufragés affichèrent bouche cousue. Ah ! oublier cette misère qui leur collait aux tripes.

— Amenez-nous ailleurs, ailleurs, ailleurs !… S'il vous plaît.

D'un bord de l'épave, des dizaines de survivants à piétiner vers le littoral. De l'autre, deux Iroquois pas peu fiers de leurs trouvailles. Ils s'éclipsèrent, armes sous le bras dissimulées sous ces couvertures pourries, infestées de petite vérole. Ils s'éloignèrent de l'épave comme s'il avait fait vœu de silence. Le premier sur la grève signala de la tête à l'autre.

— … la courbe à gauche.

Oui, mais vlan ! Face à face avec trois Hurons. Comme il se doit entre frères ennemis, une lutte s'engagea. Objet de la lutte ? Les mousquets. Le Huron de tête réussit à mettre la main sur une des armes.

— À moy, Chef Basteun.

Il valait mieux déguerpir. Honneur sauf : les Iroquois demeuraient en possession des deux tiers de leur terrifiant butin, et le chef huron jubilait devant sa prise inespérée. Les cinq querelleurs s'évaporèrent dans la forêt bourgeonnante.

Le régiment de l'épave pataugea dans la marée montante.

— Ah ! gémit une jeune fille.

Elle avala de l'eau et perdit pied. René l'attrapa par le coude et la releva. Comment cette eau à l'aspect si calme pouvait-elle imprimer une si forte résistance ? Dans le cas présent, sur des cuisses à bout. La marche dans l'élément liquide parut à la fille tout aussi impossible qu'avant.

— Lâche pas, Estiennette, on arrive, dit Plourde, la soutenant d'une main et de l'autre tirant la barge de Jeannette.

Il jeta un coup d'œil à la ronde pour voir de quelle manière les autres se débrouillaient.

Une heure plus tard, ces compagnons d'infortune, accablés de fatigue, étourdis par des lunes de privations, rejoignirent la terre ferme. Recrues, soldats, matelots et les autres se laissèrent tomber sur le sable. La population de la Rivière-Ouelle quadruplée en moins de deux. Une cinquantaine de personnes habitaient ce lieu. Il s'en trouvait maintenant plus de deux cents. Leur littoral, noir de monde. Plus un pouce de sable où poser les yeux.

— Clair comme de l'eau de roche, ce débarquement passera à l'histoire, dit Berrubey.

Et de la manière forte !

Mais la patience d'un exilé a ses limites quant aux nouvelles de la mère patrie. Cet océan sans fin où ils avaient eux-mêmes risqué leur vie aiguisa leur besoin. Les habitants observèrent les voyageurs abattus se redresser un à un, à la recherche de calme, d'air pur qu'on aspirait une large bouffée après l'autre. Ils n'en pouvaient plus de respecter leur repos. Comment refouler l'inédit de ses racines ? Toutes nouvelles émanant du vieux pays, de pures délices ! Les questions se mirent à pleuvoir. Qui étaient-ils ? D'où venaient-ils ? Quels métiers exerçaient-ils ? Avaient-ils un contrat avant de partir ? Par quel seigneur se trouvaient-ils engagés ? De-la-Bouteillerie, De-la-Chenaye ou...

— Qu'est-ce qu'on porte à Paris en ce moment, du droguet ou de la mousseline ? s'informa Madeleine Blondeau-Verbois. Malgré sa condition de pionnière, elle conservait ses petites façons et gardait un œil sur la mode.

— Certainement pas une robe d'*inyienne*, lui répliqua Mara Sanschagrin, sa voisine.

Un léger sourire transporta un peu de lumière sur les visages.

À son tour, le seigneur de la Rivière-Ouelle venu à la rencontre de ce flot humain s'enquit de Sa Majesté.

— Notre bon Roy se porte-t-il bien ? demanda-t-il, soucieux des convenances.

— ...

Il comprit la fatigue de ses nouveaux sujets et n'insista pas.

— Je vous fais porter de quoi vous désaltérer et vous sustenter un peu. Tout ce que je peux trouver. Vous êtes très nombreux pour notre si petit bourg.

Il se retira, mais non sans apercevoir, au bord de la grève, un grand gaillard immobile, un pied sur le sec et l'autre dans l'eau. Auprès d'un soldat qui tentait de reprendre du galon, il s'informa :

— Comment s'appelle celui qui est figé debout là-bas ?

— Plourde, répondit-il, sans aucun intérêt.

Jeannette, seule dans sa barge, attendit la main du jeune homme pour descendre. Elle aussi le regardait, médusée. Se portait-il bien ? On dirait qu'il n'est plus le même, qu'il est transporté ailleurs. Elle souhaita la chose temporaire. Elle se rassura en se disant que René ne perdrait jamais la raison. Pas lui. Dans sa lourdeur, elle quitta la barge en prenant appui sur les côtés, laissant l'halluciné à ses visions. Un pied dans l'eau et l'autre sur le sec.

Une femme du pays s'avança gentiment dans sa direction.

— Venez chez moy, lui offrit Pauline Renaud, également enceinte.

Une coulée de baume se répandit dans le cœur de Jeannette qui avait perdu Anne, sa compagne dans la maternité. Malgré la tristesse de la circonstance, Jeannette préféra ne pas s'attarder à de tels souvenirs. Un ventre plein ne devait pas entretenir des pensées sombres ; on le disait partout. Son petit pourrait naître infirme ou idiot.

René se rassura.

— Enfin à terre ! À terre ! Enfin…

Du sol, un courant l'avait saisi par les pieds, lui avait cadenassé les hanches, mis son corps en arrêt. Mais son esprit demeurait affûté comme un point d'exclamation. Prêt à toutes les ouvertures.

— Que de la bonne terre en cette nouvelle patrie, devisait-il sans trop savoir.

— Libre, enfin ! Libre comme l'air… de ce pays tout neuf.

René constatait que sa vie venait de prendre un autre tournant. Pour la première fois, son destin basculait du bon côté.

— Hé ! sors des limbes, le poussa Michaux-Michaux.

La mécanique de René démarra de nouveau. Un premier pas, un deuxième, et les deux amis, à leur tour, se laissèrent choir près de la barge de Jeannette.

— Tu as vu la montagne là-bas ? dit René, le regard perdu dans ses brumes indigo.

— Ouais…

— C'est la plus haute des environs, je pense !

— Et après ?

— …

René lui jeta un œil de travers. Son grand copain n'avait rien saisi de sa toute dernière illumination. Comment aurait-il pu ? René ne lui offrit aucune piste. Il garda pour lui seul le nouveau en germination.

Les questions s'estompèrent avec la fin de l'avant-midi. Puis une apparition. En file, trois domestiques vinrent vers eux avec des plateaux bondés de victuailles. Jamais rien vu de tel, même dans son pays natal. Les naufragés mangèrent sans excès, tant d'années de vaches maigres à l'esprit. Des colons circulèrent au milieu d'eux, offrirent d'abord le gîte aux précieuses jeunes filles. Tous les autres, matelots, recrues, soldats dormiraient dans le foin avec les animaux. En attendant, on écoutait le bavardage ou on continuait de répondre aux questions sur le vieux pays. Ceux qui avaient repris assez de forces allaient d'une cabane à l'autre…

Plourde et Michaux-Michaux foulaient à leur tour la sente en lacet. Quinze heures. Il leur fallait se trouver un gîte. Qui les accueillerait pour la nuit ? Berrubey ne les perdit pas de vue de la journée. Il s'approcha d'eux. Quand Plourde le vit venir, il tendit le menton pour voir s'il n'apercevrait pas sa petite au loin.

— Vous pouvez dormir dans la *tasserie*, à soir, si ça vous chante.

Parlant du mil, il ajouta :

— Il reste encore assez de « poils de princesse » pour vous *rapailler* une petite couchette.

— Moins piquant que les branches d'épinette à la belle étoile, conclut-on.

— Une bonne nouvelle, je pense, les gars, continua Berrubey. Ai ouï-dire que le sieur De-la-Chenaye doit venir causer avec notre bon seigneur, question d'avoir une idée précise des bornes de son fief, ça serait peut-être ben l'occasion de régler votre cas, de voir à votre avancement. Puisque vous êtes arrivés plus vite que prévu…

Lorsque René entendit nommer le sieur De-la-Chenaye, il eut la certitude de tenir la bonne personne. L'image de Mère Langlois avec le papier du contrat dans les mains traversa son esprit. Le souvenir de cette femme dévouée appela d'abord le recueillement. Pendant qu'il baissait la tête, il l'entendit faire sa lecture. Même si elle avait saisi la puissance de son âme de géant, le contrat stipulait : le dit René Plourde servira de domestique au sieur De-la-Chenaye en personne, tout le temps qu'il

133

faudra. Le jeune homme avait serré les dents. Son rêve de posséder une terre en propre, et en toute liberté, lui échappait un peu, semblait-il.

— Si je peux finir par mettre les pieds en Nouvelle-France, je saurai bien voir venir.

Marguerite Langlois leva les yeux vers René, y décela le désenchantement, mais aussi la détermination à ne pas céder un pouce de son rêve.

Elle s'empressa d'ajouter :

— Si je vous inscris comme domestique, c'est que je crois que des liens étroits avec le seigneur du lieu peuvent vous être d'un grand secours dans l'avenir. Votre sens de la débrouillardise fera le reste.

Cette remarque ne l'apaisa pas. Pour la première fois de sa vie, René ressentit de la colère. Une émotion trouble, une force menaçante dirigée contre tout ce qui se mettrait en travers de sa route. Le sieur lui-même, s'il le fallait. Du pied, il écrasa ce sentiment comme on écrase une limace. Sur le tableau de son rêve, il s'était vu non seulement fermier, mais laboureur, un vrai, un bon, un parfait. Un aristocrate de la terre. Avec des galons mérités par un travail sans relâche, comme Eusèbe.

Pendant ce temps, Paradis, un solide cultivateur de trente-cinq ans sifflotait les mains dans les poches. Le nez en l'air, il reniflait le futur, semblait-il. Tout compte fait, de ce groupe, une damoiselle de France lui était destinée. Le naufrage la lui apporta avant le temps, voilà le fait. Mais qui était-elle? Allant de gauche à droite, il prit la chance de s'informer.

— Y aurait-il, par hasard, une promise pour moy sur ce voilier ?

Mance avait remarqué les yeux avides. Elle se présenta à lui avec toute la candeur de ses douze ans.

— C'est moy.

Paradis saliva, au comble de la satisfaction.

Le lendemain, dès l'aurore, Mance et Paradis convolèrent en justes noces. Le jeune jésuite, cherchant à se ressaisir, avait dressé un autel de fortune sur une souche. Mance arbora, pour tout diadème, une bosse indigo à l'endroit du troisième œil avec le tracé du groin de Rosinette tout autour.

Le village au complet se rassembla près de la bûche pour assister à la noce. La célébration dura une demi-heure. Une petite demi-heure engageant toute une vie. Et quelle vie !

— *Ite missa est.*

Les *amen* firent écho aux premiers *gloria* du nouveau-né de Jeannette.

Vint l'heure de se chercher de l'emploi. Les papiers disparus avec Mère Langlois, on devait maintenant s'organiser seul. Qui engagerait qui ? Voilà la grande question. Ensuite s'allongeraient ces trente-six mois à suer sang et eau en hommage à leur Roy. Abattre de la besogne d'une étoile à l'autre pour un mince cinquante livres par année pour aboutir, en fin de terme, à la concession d'une terre, papiers bien en règle. Une terre à soi, pour toujours ! À léguer en héritage à ses enfants. Rien de tel pourtant n'existait en France. Et on la disait si généreuse, cette Majesté.

À l'un comme à l'autre, on offrit ses services : assistant-ci ou assistant-ça, meunier, maréchal-ferrant, tavernier, laboureur, bûcheron, servante. À Berrubey, à Lavoye, à Soucy, au seigneur De-la-Bouteillerie lui-même. Qui n'a pas besoin d'aide de temps en temps ? Surtout au moment des semailles. À la saison morte, les plus résistants et les plus braves envisagèrent de se faire coureurs de bois dans les pays d'en haut. Au printemps, on vous rapporterait, mes aïeux, un chargement de peaux à vous faire pâlir d'envie. Un bas de laine bien garni s'avérerait un secours de taille au moment de la concession d'une terre.

— Je peux te remplacer au moulin à farine quand t'auras trop d'ouvrage aux récoltes, offrit l'un.

— Peut-être ben… si t'es pas trop regardant… Amène-toy demain matin.

— Moy, je ferrais les bœufs dans mon bourg, à Plourdegais ; t'aurais pas besoin de quelqu'un pour t'aider. Je vois que tes récoltes vont être bonnes… et que tu vas être ben empressé. Je pourrais te donner un coup de main.

— Le gîte et la soupe aux pois, tout ce que je peux t'offrir comme salaire, si ça fait ton affaire.

— Ben bon ! De toute façon, notre bon Roy n'oubliera pas ses recrues. On va recevoir nos cinquante livres à la fin de l'année. Quasiment une fortune pour un manant comme moy, continuait-il en lui-même.

Les chaînes héritées de la vieille France resserraient encore leur étau. Cette fois, le manant se rebiffa sans tarder. Il recula les coudes, écarta les pectoraux, inspira au point d'en écarter toutes les mailles de son esprit.

— Plus jamais cette appellation maudite !

En un dernier réflexe de culpabilité, il s'administra une taloche à la tête. Le maréchal-ferrant s'arrêta net. Il attendit que l'émotion de l'arrivant se dépose.

— Ça va passer… Seulement, faut garder ta tête bien droite entre tes deux épaules, ajouta-t-il d'un ton affable.

La taquinerie vint assouplir la sentence du manant.

Une dizaine de jours plus tard, une forte fièvre inscrivit sa petite vérole sur les fronts des cinq Sauvages en chicane. Comme un feu de paille, elle enflamma les deux bourgades ennemies. Une lourde tâche pour les chamans. Ces maîtres, à la mine renfermée, de qui on attendait la guérison, se sentirent inquiets. La crainte et le souci durcirent leurs traits. Ils se demandèrent si les amulettes à plumes viendraient à bout de cette nouvelle maladie. Une autre manifestation de l'esprit mauvais, fallait-il croire. Les plaintes de la douleur, aiguës comme leur flèche, affluèrent des tipis. Les chamans passèrent la première nuit à marmonner des formules bizarres, à conjurer l'au-delà avec des gestes maladroits. L'air de plus en plus renfrogné, ils s'accroupissaient pendant de longs quarts d'heure, puis se dépliaient à moitié, tournaient sur eux-mêmes cherchant à faire sourdre le remède d'un ailleurs. Ils répétèrent ce rituel toute la nuit. Au moment où l'horizon grisonna, ils firent apporter les corps des malades autour d'un bivouac en attente sur la place centrale. Les pauvres malades durent se tenir assis, épaule contre épaule, le regard pointé vers le ciel. Les chamans balancèrent des fétiches au-dessus de leurs corps mis à nu. Des plumes frôlèrent leurs dos rougis par le mal naissant. Comme il faisait cru, la peau se couvrit de frissons gros comme des pois, prélude aux pustules. Par devant, la fumée les étouffait. La toux prit de l'ampleur. Le cercle perdait de sa rigidité. Le délire et les convulsions achevèrent de briser son arc parfait. Les chamans se lancèrent des regards, sautillèrent de reconnaissance. Le ton de leurs prières se haussa de quelques décibels. Leur écho alla se perdre dans la brise fraîche du printemps revenu.

Les Sauvages moururent comme des mouches. Toutefois, cette nouvelle épidémie de petite vérole ne fit pas d'autres ravages chez les Blancs, déjà immunisés sur le navire.

PARTIE III

Les chemins de la liberté

CHAPITRE 12

De l'attente,
de la grande visite, et des jeux

RENÉ BRÛLAIT d'impatience. Quand allait-il vraiment la commencer, sa nouvelle vie ? Il se redit qu'il lui faudrait d'abord agir en domestique, mais qu'un jour, oui, un beau jour, il l'aurait sa terre. Comme il avait hâte de prendre ses affaires en main ! Quelle chose merveilleuse de pouvoir dire *ses* ! Posséder des choses, les avoir en propre, vraiment à soi. Pour toujours. Cependant, les journées s'égrenèrent comme si chacune de leurs quatre-vingt-six mille quatre cents secondes trébuchait avant d'entrer dans sa coche. Parfois, René disparaissait seul à la lisière du bois. Il s'enfonçait de plus en plus loin causant l'inquiétude la plus vive chez les colons.

Un matin où il s'éloigna, Berrubey le mit en garde.

— Plourde, par icitte, faut faire attention à ces Sauvages qui aiment à faire le mal pour le mal.

— Ça veut dire ?

— Foutus Iroquois, nos pires ennemis, à part l'hiver. À Ville-Marie, au début, on disait qu'il y avait un Iroquois derrière chaque *âbre* qui guettait, qui les guettait.

Les récits de leurs attaques sanguinaires avaient marqué tous les esprits. Même si une grande paix avait été signée en 1667, les habitants de la Rivière-Ouelle gardaient l'impression qu'un nouvel assaut leur pendait au bout du nez.

— Pour eux et leurs semblables, ajouta Berrubey, souffrir sans que ça paraisse, ça équivaut à une marque de courage. Laisse-moy te dire qu'ils manquent pas d'imagination. Vont même jusqu'à manger les cœurs des plus courageux.

René se remémora son ancien pays où des Grands remplis de vengeance pouvaient ressembler à ces Sauvages sans pitié. À la cour du Roy de France, cette race foisonnait.

— Heureusement que les Hurons sont de notre bord, continua Berrubey. C'est eux qui nous ont appris à vivre dans ce pays pas facile. Des trucs de toutes sortes que tu vas découvrir au fur et à mesure.

— Hurons ?

— Oui, les Hurons. Des amis à nous, les Français. De savoir qu'ils nous aiment, ça pourrait t'être ben utile, un jour.

Cette nouvelle distinction lui porta sur le cœur, lui rappela à quel point sa famille avait été prise à partie.

— J't'annonce aussi que là-bas, sur le fleuve, y a deux Hurons qui pagaient à tour de bras pour nous amener icitte le sieur De-la-Chenaye. De la Rivière-du-Loup, plus à l'est, ça prend souvent une grosse semaine. Faut r'monter le courant. Quand on décide de faire un pareil voyage, c'est qu'on a des plans pressants sous la calotte. Il doit vouloir obtenir une autre seigneurie. Peut-être ben jaloux de La-Bouteillerie.

— Comment ! C'est pas lui qui doit m'engager ?
Tudieu, c'est lui, c'est son nom.

— Y'a rien que toy pour le savoir. Oublie jamais à
propos des Hurons.

— C'est vrai qu'hier, en prenant le bord de la forêt,
y'en a un Sauvage qui m'a suivi. De loin, mais il m'a pas
attaqué. S'il m'avait sauté dessus, je l'aurais défait en
petits morceaux.

— Attention à ce que tu dis, Plourde. Même si
t'es fait fort, les Iroquois aussi. Jusqu'à maintenant, ils
ont toujours eu raison des Français. Chaque fois qu'ils
nous attaquent, on perd un homme, deux hommes, une
récolte. Ils connaissent la forêt comme le fond de leur
poche. Ça se comprend, c'est leur bien. Leur bouclier
pour mieux nous prendre en souricière. Nous, du Poitou, avec nos champs en plateau, et tout nus... Alors,
pavoise pas trop.

Comment ! N'avait-il pas passé, lui, le début de son
existence dans la forêt d'Archigny. Par la force des choses, ce grand bois devenait le domicile de ses parents.

— M'y connais autant que les Iroquois en matière
de forêt.

Une réflexion dont il ne fit pas part à Berrubey.

— On aurait dit qu'il flairait mes pas, le Sauvage.
Inutile de te dire que malgré que j'avais pas peur, je mar-
chais les fesses serrées.

— ... ou bien c'était un Huron qui t'avait jamais
encore vu dans le coin, ou bien il y a eu un bon Dieu
pour toy, si c'était un Iroquois. On sait jamais. L'histoire
est qu'ils ont toujours voulu notre eau-de-vie et qu'on a

jamais eu la permission de leur en donner. Même pas en échange de pelleteries. Monseigneur de Laval était formel là-dessus. Par contre, les Anglais, eux, ne se sont jamais gênés pour troquer eau-de-vie et fusils contre leurs plus belles fourrures. Seulement, l'eau-de-vie et les Sauvages, tu dois le savoir, ça marche pas ensemble. Cette fermentation-là les rend fous, et ils peuvent plus s'arrêter. L'eau-de-vie tourne vite en eau-de-feu, et c'est la pagaille. Seulement, ils attaqueraient jamais un Anglais. Nononon ! Mordraient jamais la main qui leur donne à boire. Comme ça leur prend absolument quelqu'un pour se défouler, une fois le tonneau vidé, alors, nous, les Français, on y goûte. Nos amis pareillement.

René demeura coi et buvait les paroles de l'habitant. Cet homme venait de lui brosser un portrait réaliste du lendemain : garantir sa survie, travailler sa terre le moment venu et prendre garde aux Sauvages de la nation iroquoise surtout. Ils se complaisaient autrefois dans les alentours. Même un bout du littoral portait leur nom : l'Anse-aux-Iroquois. Fallait-il encore savoir que trois cents différentes nations de Sauvages se répandaient sur le nouveau continent. Il valait mieux apprendre à démêler les bons des mauvais.

Malgré la menace des Iroquois, René entrevoyait déjà ses sillons alignés comme des soldats en parade. À quand cette rencontre avec le Sieur ? Dans deux jours, dix jours, quinze jours, un mois ? Son esprit passa en revue ses anciens seigneurs, plus brutaux les uns que les autres. Comment serait-ce ici, en comparaison ? Un bon matin, un Huron qui avait tendu des collets la veille revint avec deux petites bêtes à la main, et une bonne nouvelle. Le bruit courait que le sieur De-la-Chenaye débarquerait sous peu.

— Le temps est venu, se dit René.

Son regard ébloui se promena du ciel bleu clair à sa haute montagne. Ce paysage de campagne sembla l'entourer avec émotion.

Dans son doux vertige, Plourde oublia les avertissements et pénétra toujours plus avant dans la forêt. La tête haute, il avançait en ligne droite comme s'il connaissait d'avance le terrain. Les arbres semblèrent s'écarter sur son passage.

— Où tu vas ? lui cria Michaux-Michaux trop engagé ailleurs pour se joindre à lui.

René ne répondit pas et continua son chemin, le regard perché à hauteur de montagne. Le voyant disparaître derrière les arbres, Michaux-Michaux lui lança :

— Hé ! Plourde, qu'est-ce qui te prend ? Va pas trop loin ! J'arrive.

Lorsqu'il se lança à la suite de son copain, les trois habitants en train d'abattre un arbre à la lisière de la forêt le rappelèrent à l'ordre :

— C'est pas pour rien, le jeune, que Dubé tient le fusil en joue pendant que nous deux on abat le frêne.

— Mais Plourde, lui...

— Ton Plourde, c'est une tête forte. Il écoute pas. Pourrait le payer cher... Un jour, il ne reviendra plus.

Michaux-Michaux ne voulut rien entendre.

— Entre pas seul, qu'on te dit ! Vous allez vous faire attaquer par les Sauvages. Ton compagnon s'en tirera pas toujours. Tu peux en croire nos derniers disparus. Boucher et Beaulieu, des voisins qu'ils étaient.

— Ne jamais s'aventurer seul dans ces bois, résuma Huot Saint-Laurent.

Michaux-Michaux n'en crut pas ses oreilles. Il avait l'impression de se faire amputer d'un geste de reconnaissance. Lui-même assailli et détroussé en pleine forêt sur la route de La Rochelle, Plourde l'avait découvert dans la nuit. Il le souleva, le porta sur ses épaules jusqu'au quai. Il avait dû pousser sur son rêve pour permettre à son compagnon de faire le voyage avec lui. Cette preuve d'amitié imprégnait encore son cœur.

— Voilà l'occasion de lui rendre la pareille.

Il déjouerait tout le monde, attendrait le crépuscule pour partir à sa recherche. À ce moment, personne pour entraver sa route.

— Faut pas y aller, jeune homme, lui rappela un fermier qui faisait le tour de ses dépendances avant la nuit. Le soir, c'est pire. Avec tout ce nouveau monde alentour, je parierais qu'on nous espionne. On peut se préparer parce que ça sera pas long que les Iroquois vont faire rafle dans notre petit bourg français. Je regrette pour ton ami.

Pour cette nuit encore, l'esprit de Michaux dut battre en retraite. Juste avant le lever du nouveau jour, il irait. Le lendemain, Michaux ne partit pas davantage. On l'épiait, ma foi ! Il s'en trouvait toujours un autre pour lui crier gare.

Michaux ne s'esquiva pas, et Plourde ne revint pas non plus. Ni le surlendemain. La rumeur ne tarda pas à se répandre. Le grand Plourde avait bel et bien été enlevé par les Sauvages. Probablement scalpé à l'heure qu'il était... Sans qu'il ne lui en coûte un sol, à part ça! Mais au matin du quatrième jour, le survenant fit son apparition. Au chignon, une couette graisseuse qui se dandinait de gauche à droite.

— Chanceux, le châtain, remarqua Lévesque. C'est pour ça qu'il a été épargné, pas un vrai pâle. Un scalp blond blanc, ça, c'est du trophée, mes amis!

Même si tous ses morceaux semblèrent en place, Plourde boitillait.

— Même si tu veux faire à ta tête, pense à te frotter les pieds avec de la résine avant de partir, la prochaine fois, ça t'évitera les écorchures aux orteils au cas où tu les aurais encore quand tu reviendras, le taquina Houalet.

— Si jamais t'as encore la tête sur les épaules, se marra Thiboutot.

Michaux-Michaux n'eut pas le cœur à rire.

— Bon sang! où t'étais passé? l'apostropha-t-il d'un solide coup de poing à l'épaule.

La réponse ne tarda pas. Un deuxième coup s'abattit sur la clavicule de Michaux-Michaux.

— Viens-tu fou?

— Du calme, les gars! s'imposa le père Deschênes.

— Va donc chez l'diable, lança Plourde, les mâchoires contractées.

Plus personne ne lui en imposerait, même pour sa propre sauvegarde. Plus jamais !

Plourde ne divulgua jamais le lieu et les motifs de ces échappées. À peine sorti de l'épave, il avait aperçu cette montagne mystérieuse, comme le toit du monde qui lui lançait une invitation :

— Monte, que je te fasse voir des choses, des choses qui te mettront l'eau à la bouche.

Un jour, il escaladerait l'aiguille de ce pic rocheux.

Plus les jours passaient, plus René acquit la certitude qu'il ne s'éterniserait pas au fief de La-Bouteillerie. Avec le sieur De-la-Chenaye, il partirait vers une autre seigneurie.

— Dans trois ans, une terre bien à moy.

Même s'il lui fallait d'abord traverser l'étroit corridor du parfait domestique.

— Tout compte fait, ça ressemble étrangement au Poitou, pensa-t-il.

Là où les paysans naissaient pour servir la noblesse.

— Patiente encore René, cette fois sera la toute dernière, se répéta-t-il.

L'ultime, puisqu'elle aboutirait sur le large dans sa vie, la liberté ! Ce seigneur de la Nouvelle-France l'engagerait bientôt…

— Inscrit dans le contrat.

Un jour où il n'en pouvait plus d'attendre le personnage, il repéra le plus haut pin du littoral et se promit d'y monter pour faire le guet.

La nuit engagée, il quitta la *tasserie* dans le plus absolu des silences. Il repéra l'arbre chapeauté de lueur d'étoiles. À pas de loup, il entra dans le sous-bois et vint s'y adosser. La paix ambiante soulagea son impatience.

Dans l'intervalle, Michaux-Michaux rebondit sur son grabat.

— Encore disparu ! Il commence à me taper sur les nerfs, lui...

Un maringouin en profita pour venir darder son cou élancé. Ouille et vlan ! Mais la bestiole dérangée dans sa nuit avait eu le temps de faire le plein avant l'attaque à main ouverte. Zzzzzz au loin.

— Ça lui apprendra à cet étranger, à venir déranger le silence de nos *tasseries*.

Non, il n'y avait pas meilleur endroit pour patienter. Sur le fleuve géant, une trace de lune l'accompagna dans l'attente. L'humidité montante l'enveloppa — rien en comparaison avec le moisi du navire. René n'opposa pas de résistance. Tassé sur lui-même, il s'endormit.

Des accents hurons le réveillèrent bientôt. Deux Sauvages dans la force de l'âge, engagés par le sieur depuis sa résidence de Kébek, le pagayaient dans tous ses déplacements. On glissait déjà l'embarcation sur le sable. Le sieur De-la-Chenaye dans ses plus beaux atours ! Plourde s'arc-bouta, sauta debout. Malgré son incertitude, il se dirigea vers le canot. Il allait à la rencontre d'une connaissance, semblait-il. Le sieur resta surpris de l'aplomb de cette approche, même s'il y détecta une certaine réserve.

— Vous êtes ?

— René Plourde.

— Bon ! Vous cherchiez à me voir si j'ose croire ?

— Oui, je suis un des naufragés.

— Ah ! il me semblait aussi n'avoir jamais vu un gabarit de votre espèce dans les environs. Mes deux amis que voici m'ont tout raconté de votre terrible naufrage. Vous vous en êtes bien sorti à ce que je vois. Votre forte constitution y est sûrement pour quelque chose.

— Monsieur, suis prêt à repartir avec vous de sitôt.

— Ho là ! Nous sommes venus parlementer avec le seigneur De-la-Bouteillerie, pas engager des recrues.

René abaissa le ton, mais angoissé ajouta :

— C'était écrit noir sur blanc dans le contrat de Mère Langlois. Elle me l'a lu au complet avant de partir. Elle m'avait désigné pour être votre domestique.

Le sieur se demanda s'il y avait eu erreur sur la personne ou si la bonne sœur avait manqué de jugement. Comment pouvait-elle voir un domestique en cet homme au physique de titan ? Elle devait avoir autre chose derrière la tête.

— Pas si vite. Nous nous rendons chez le seigneur De-la-Bouteillerie pour quelques jours. Nous aurons l'occasion de revoir les termes de ce contrat prochainement.

René Plourde dut mettre un frein à sa fougue. Une vive inquiétude s'était emparée de lui. Il avait pris de l'assurance, mais l'ancienne attitude se tenait toujours à la porte. Allait-on le retourner en France ? Était-ce une possibilité ?

— Jamais, se dit-il.

Ces bois, alors, deviendraient son refuge. Il courrait s'y perdre, ou se ferait sorcier ou loup-garou, ou n'importe quoi. À son tour de semer la peur.

Tout en cérémonies, le sieur De-la-Chenaye débarqua. Marchand le plus en vue de la Nouvelle France, il portait son costume des grands jours : soierie écrue, jaune et bleue des pieds à la tête. Ainsi voyageaient les personnages importants à cette époque. Les deux Hurons s'appliquèrent à lui ouvrir la voie, pouce par pouce. Après le rivage, il lui fallut faire une quarantaine de pieds à travers bois. L'un des guides retint les branchettes — s'il eût fallu que l'une d'entre elles cingle une joue aussi bien rasée et poudrée ; l'autre l'avertissait des dangers qui guettaient son pied de blanc chaussé : le trou de vase à droite, l'*enfarge* d'une souche, à gauche. Puis, vint l'unique sentier ondulant d'une cabane à l'autre, et le petit manoir où le maître des lieux le reçut avec la plus grande amabilité.

Le sieur De-la-Chenaye donna congé à ses guides amis.

Dans quatre ou cinq jours, on repartirait comme on était venu, en canot.

En attendant, les guides hurons zigzaguèrent à travers les grands arbres en direction de Kébek. À la fin de la journée, ils atteignirent leur minibourgade tapie au fond des bois. L'épidémie de petite vérole n'avait pas touché ce coin perdu. Assis sur le sol devant son wigwam, un centenaire fumait.

Les marcheurs vinrent d'abord saluer leur grand manitou. Les femmes, les vieillards et les enfants rayonnèrent bientôt autour. Que faisaient ces Français de plus en plus nombreux sur la côte ? Comment étaient-ils ? On leur raconta, à tour de rôle, le naufrage par le détail. Le regard plissé, l'aïeul écoutait impassible, mais la description du géant en attente du sieur sur la grève réveilla son attention. Dans une langue d'une autre époque, le grand maître vérifia.

— Les yeux comme le toit du monde par beau temps ?

Les deux acquiescèrent.

— Allez me chercher ce gaillard. Je connais une histoire qui pourrait changer sa vie.

En toute obéissance, les fils de la tribu retournèrent à la Rivière-Ouelle. Le lendemain midi, ils abordèrent le Français de la plage près de la grange. René hésita. Pourquoi les accompagnerait-il ? Et si cette histoire de vieux manitou se révélait un guet-apens ? Un peu à reculons, il les suivit, sans le laisser savoir à quiconque. Il va de soi avec un être aussi indépendant.

— Aie pas peur, le rassurèrent les pagayeurs.

— Le grand bois m'a jamais fait peur, vous saurez. Ni de nuit, ni de jour.

Son cœur, en secret, le porta vers son ancienne demeure : l'accueillante forêt d'Archigny.

À la vue du grand gaillard, l'Ancien se leva pour venir à sa rencontre, les bras ouverts. René se demandait la raison d'un tel accueil. À la mode française, le vénérable sage lui tendit la main.

— Enchanté de faire votre connaissance, dit-il, dans une langue impeccable. Monsieur Plourde, je présume ?

Non que l'hôte douta de l'identité de l'homme, mais il chercha plutôt la façon de l'aborder.

René ouvrit grand les yeux.

— *Tudieu!* Un Sauvage qui sortait tout droit de la cour de France?

Il le voyait mal, pourtant, assis par terre à deux pas de Sa Majesté, bandeau et plumes sur la tête, la pipe aux lèvres.

— C'est mon nom. Mais…

Le vieillard ne le laissa pas s'empêtrer.

— Venez plutôt vous asseoir et fumer un peu avec moy en souvenir de…

Tout près, une peau enroulée sur elle-même et retenue par une liane flétrie. Le vieil homme tourna vers lui l'embout du calumet. René n'avait jamais vu pareille pipe, longue comme deux enjambées, les siennes en tout cas, son fourneau taillé à même une pierre rouge, avec dessins d'oiseaux et plumes cramoisies ornant le pourtour de l'énorme tige. Il sourcilla. Comment arriverait-il à inhaler par une si longue cheminée?

— Monsieur? s'enquit le vieillard.

— René.

— Ah! vous aussi! C'est bien ce que je pensais. Vous lui ressemblez comme deux gouttes d'eau. Même démarche, même taille. Mêmes rêves dans les yeux. À l'évidence, vous deviez porter son nom.

— Le nom de qui, de quoi?

— Mon cher René, permettez-moy de vous appeler René, en souvenir de…

— En souvenir de quoi, *tudieu*?

René avait haussé la voix.

— L'histoire que je m'apprête à vous raconter pourra vous sembler incroyable, mais c'est la stricte vérité. Je le jure sur la tête de ce que j'ai de plus précieux au monde, mes ancêtres.

« Un autre et ses ancêtres, pensa René. On est donc tous pris avec ça. »

Le grand manitou lui fit part de la plus invraisemblable des histoires. Alors qu'il n'avait que huit ans, il avait fait la rencontre dans ces bois d'un visage pâle d'âge mûr. Un Français pas comme les autres.

— Son histoire tient de l'épopée, et je vous la raconterai mot pour mot, l'assura encore le vieillard. Il pointa le rouleau en cuir.

« D'ailleurs, c'est lui, votre sosie, un autre vous-même si vous cherchez à savoir, qui m'a enseigné votre langue. »

René avait appris le respect des aînés et se tint tranquille en attendant la fin… qui prenait un temps fou à son avis. Il se dit que le pauvre vieux était à bout d'âge, et que tout ce qu'il pouvait faire consistait à fumer sa pipe à longueur de journée en inventant des histoires.

Il allait allonger la jambe pour se remettre debout et prendre congé quand le vieillard déposa une main insistante et autoritaire sur son bras. Pour lui, il s'agissait d'une ultime mission, un testament à divulguer.

— Écoutez-moy jusqu'au bout, ajouta-t-il. Comme je vous disais…

« Ça fait deux fois qu'il recommence », pensa René.

«… j'ai eu cet immense privilège de connaître votre ancêtre. Je sais aujourd'hui que le moment est venu de livrer toute son histoire, telle qu'il me l'a si souvent racontée. »

René eut encore envie de l'interrompre, mais le vieux parlait avec un tel ascendant.

« De par ses faits et gestes, elle s'apparente même à l'esprit du totem. Vous me devez de m'écouter jusqu'au bout, jeune homme. Vous êtes la personne que j'attendais. »

« Comment donc ? Être redevable à quelqu'un ! Encore et toujours ! Serait-ce mon lot pour le reste de mes jours ? » René se renfonça par pure gentillesse pour le vieillard, qui poursuivit :

« Donc, à sa sortie du bagne, votre ancêtre, René III, avait été envoyé à la pêche à la baleine avec un équipage de forçats. »

« Qu'est-ce qu'il dit là, lui ? Jamais sorti du bagne, ne vous déplaise, monsieur le grand manitou », pensa le jeune René.

Sous influence, il avait sorti ses plus belles formules. L'instant d'après, il aurait voulu lui crier par la tête.

« Ça ne sert à rien, un vieillard, ça comprend ce que ça veut bien comprendre. »

La mort au bagne de son arrière-grand-père, une évidence depuis l'enclos funèbre.

« On peut pas nier des certitudes de cimetière… surtout d'un cimetière qui, d'une minute à l'autre, pourrait glisser dans un ravin ! Ce vieux Sauvage sait vraiment plus ce qu'il dit. »

D'une lenteur excessive, le vieil homme se releva et se dirigea vers le feu dormant. Il s'agenouilla avec peine et raviva les braises de son souffle. D'un geste, il invita Plourde à s'approcher des flammes. Il déroula la peau de daim et commença la lecture d'une longue et renversante histoire écrite de sa propre main sous la dictée du Mousquetaire en personne.

À la fin du récit, l'actuel René sut qu'un bateau pirate avait pris d'assaut la caraque où naviguait René III. Par la suite, cet ancêtre aurait obtenu de la femme capitaine d'être déposé sur les côtes du Nouveau Monde non loin de Kamouraska.

René n'avait pu prendre congé. Il avait tendu l'oreille jusqu'au bout. S'agissait-il d'une simple politesse ou… d'un grand besoin ? Il ne saurait le reconnaître. Cependant, l'imaginaire de ce vieillard tombé en enfance l'estomaquait. Délirait-il vraiment ? Alors, comment se faisait-il qu'on lui rapportait, en Nouvelle-France, une anecdote sur ce fougueux ancêtre qui l'avait tant bouleversé dans un cimetière de l'ancienne France ?

— Cela était-il possible ?

Mais, penser à cet ancêtre, ou entendre des choses à son sujet ne cessait de le fasciner. La simple mention de son nom l'avait donc retenu sur place pendant la longue lecture.

— Et, où, *tudieu*, a-t-il appris à parler comme le Roy, celui-là ? Et bien mieux que moy, tout compte fait. Et c'est lui qui aurait gravé tout ça sur la peau ? Non, ça se peut pas.

René se refusait à plus.

La lecture terminée, le vieux manitou déposa le parchemin. Il se tourna carrément vers le jeune homme.

— Ainsi s'achève un épisode marquant de la vie peu banale de votre ancêtre, René III, le Mousquetaire, mon cher René IV, ajouta-t-il, d'un ton bourru. Sans le savoir, continua le vieux sage, j'aurai vécu jusqu'à ce jour pour vous rapporter son histoire. Je peux mourir en paix maintenant. Ma tâche est accomplie.

Un grand silence envahit l'âme du vieillard. Un silence d'éternité. Il leva les yeux vers le totem.

* *

*

Pour souligner la rencontre officielle des seigneurs De-la-Bouteillerie et De-la-Chenaye et pour rendre hommage à ce riche marchand, il y eut banquet chaque jour à la Rivière-Ouelle. Les discussions sur les limites seigneuriales se déroulèrent en toute cordialité. Par ailleurs, le maître des lieux, fier de ses habitants, voulut mettre en évidence leurs divers talents. Des compétitions s'organisèrent. Chaque chef de famille assigné juge. Pour la circonstance, les femmes s'endimanchèrent. La belle Madeleine Blondeau-Verbois revêtit sa robe de droguet. À l'opposé, Mara Sanschagrin, sa plus belle jupe d'*inyienne*. Madeleine, à pas de tortue, en profita pour défiler devant le sieur De-la-Chenaye. Elle arbora son sourire des grands jours. Elle revint plus d'une fois arpenter l'espace au cours de l'après-midi.

— Pour moy, elle le trouve de son goût, cancana Guillemette à son amie Jeanne-Marguerite. L'une comme l'autre se moqua d'elle, se déhancha ou bomba le torse. Une main sur la bouche, les pucelles pouffèrent de rire.

La gente Madeleine avait simplement le goût de mettre ses toilettes en valeur. Cet aspect lui suffisait. Au bout du cinquième tour, son mari en eut ras le bol et s'approcha pour l'escorter par le coude dans une autre direction.

Le surlendemain, les épreuves commenceraient à midi. À cause de la longue marche, René accusait du retard, mais il arriva à quatre heures de l'après-midi, juste à temps pour le concours de « tir au poignet ». Il avait salué le vieux manitou avec courtoisie, mais reprenait la route aussitôt. Il s'enfonça dans le bois, s'écrasa près d'un arbre et s'empressa d'oublier cette invraisemblable histoire sur son ancêtre, fût-il de mémorable réputation. Recroquevillé en boule comme autrefois, il dormit de longues heures d'un sommeil blanc.

— Pourquoi s'attarder à des fabulations quand la vraie vie se joue sur le terrain ? On ne bâtit pas son avenir sur des contes de fées, conclut-il.

* *
*

Lévesque et Dupéré s'opposaient déjà à la cognée.
— *Timber* ! cria Dupéré.
Deux mélèzes de taille moyenne éventrèrent la forêt, l'un en huit coups et l'autre en neuf. Un double exploit où Dupéré sortit victorieux.

Par contre, l'épreuve de l'essouchage s'avéra beaucoup plus longue. Deux souches de même dimension

furent ciblées à quelques centaines de pieds de distance :
l'une située sur la terre de Thiboutot et l'autre sur celle
de Gauvin. Bien asséchées, elles attendaient l'excavation
depuis deux ans. Le moment venu, les paires de bœufs
de Thiboutot et Gauvin furent attelées à leur souche. Les
rênes s'aplatirent sur le dos des bêtes. Les lourds poitrails
s'élancèrent de tout leur poids ; les pattes courtes se rai-
dirent sous la masse. Les unes s'agrippaient à l'avant, les
autres s'évasaient vers l'arrière. Des gauloiseries vinrent
attiser le feu de l'action, les choses sacrées mises à contribution. Baptême ! Sacrement ! Puis, invitant les bêtes à
plus d'efforts, les deux rivaux se mirent à *parler bœuf*.
Les souches refusaient toujours d'obtempérer. Thiboutot, rouge brique, y alla d'un violent coup de fouet sur
l'arrière-train des Gros. *Emmalicés*, les Gros beuglèrent
et la terre s'ouvrit. La souche se lamenta. Un dernier cric
crac laissa apparaître les racines. Le maître, fou de joie,
défonça l'air de son poing. Malgré l'écume, il embrassa le
reintier écumant de son bœuf et s'empressa d'aller tendre
la main à son compère dont la souche venait également
de dire *amen*.

— Ça nous fera juste plus de place pour *sumer*,
ajouta-t-il, pour ne pas trop en remettre.

— Toy, tu as une fichue paire de bœufs !

Hors du ventre de la terre, les souches, coupées à
jamais de leurs racines, traînèrent, désœuvrées, sur le
bord du trou jusqu'au lendemain. Les habitants en groupes avaient vu à se déplacer d'une scène à l'autre encoura-
geant les compétiteurs. Au tout début de la colonisation,

l'inimitié n'avait pas cours. On serrait plutôt les rangs, car on avait trop besoin de l'autre au quotidien.

Invités à se joindre aux jeux, des volontaires parmi les naufragés prirent également part aux épreuves. On allait enfin s'amuser ! S'en souvenait-on, de la dernière fois ?

Pour les enfants, des jeux plus simples avaient été mis en place. La course en sac travailla plus d'un jeunot. Les pieds bien attachés dans des poches de jute, ils attendirent le signal du départ en état de grande excitation. L'objectif ? Se rendre au pieu d'en face, le contourner, et revenir au point d'origine le plus vite possible. Des rires en clochettes tintèrent au loin dans la forêt. Les oiseaux en prirent ombrage et chantèrent encore plus fort. Le petit Lavoye remporta les honneurs.

Quant aux hommes, en général, un concours de « tir au poignet » déclarerait l'homme le plus fort, le premier à aplatir le poing de son adversaire sur la tablette. Plourde et Michaux-Michaux s'inscrivirent dès l'ouverture du concours. Plusieurs marins et soldats firent de même. Tous les mâles du village y participèrent, sans exception. Le seigneur De-la-Bouteillerie fit le partage de deux équipes et sépara les inséparables. Trente-six hommes s'affrontèrent. Les deux hommes forts, Plourde et Michaux-Michaux, sortirent victorieux chacun de leur équipe. La lutte entre les finalistes s'annonça serrée.

On ne s'adressa plus la parole du reste de la journée. La nuit ne fut pas une nuit non plus. Chacun dans son coin de la *tasserie* à Berrubey, on tourna et retourna jusqu'à en chasser toutes les bibittes.

Les deux seigneurs ne manquèrent aucune des épreuves de ces jours de liesse. Ils traînèrent de l'arrière afin de mieux parlementer, mais rien n'échappa à leur regard.

— Je remarque qu'il y a deux imposants gaillards parmi les naufragés, ajouta le visiteur. Je me suis laissé dire que Mère Langlois m'en destinait un comme domestique. Êtes-vous au courant?

— Non, pas vraiment. Vous savez, dans chacun de ces débarquements, naufrage ou pas, il y a toujours du flou...

— Ces gaillards se démarquent vraiment des autres. Même les soldats et les marins n'ont pas l'air de faire le poids.

— Personnellement, j'ai la conviction qu'ils pourraient rendre de grands services à notre petite communauté. Comme vous le savez, mon cher ami, la Rivière-Ouelle va en prospérant. Les besoins d'un plus grand manoir se font sentir. J'avais pensé offrir à mes censitaires, en guise de chapelle, le petit manoir où j'habite en ce moment. Les pères jésuites commencent à en avoir assez de leurs autels à pattes pliantes. Ils ont hâte de pouvoir abriter leurs offices religieux. Je lorgne du côté de ces deux jeunes gens depuis leur apparition sur la berge. En particulier, le plus grand des deux. Plourde, qu'il se nomme, m'a-t-on dit. Comme ils ne sont pas encore affectés directement aux récoltes, ils pourraient me monter mon nouveau manoir durant l'été. Une grosse bouchée, mais possible.

De-la-Bouteillerie s'arrêta, réfléchit. Homme au grand cœur, il ajouta :

— Je suis bon joueur, mon cher Charles, à vous le vainqueur du concours de clôture des jeux. À vous l'honneur de donner le signal du départ.

Le lendemain, Plourde et Michaux, en vainqueurs de chaque équipe de « tir au poignet », s'opposèrent dans une épreuve finale.

Devant une souche, les deux jeunes gens mirent un genou au sol. Ils prirent tout leur temps. L'assise du coude sur la bûche s'avéra primordiale. L'un contre l'autre, à la verticale, les avant-bras se crochetèrent. Deux paumes épaisses s'engluèrent avec la plus grande précision, s'empourprèrent. Les pouces s'entrecroisèrent, s'écrasèrent. De leur pince d'acier, les quatre doigts empoignèrent le dos de la main adverse. Deux bêtes féroces à l'affût se vrillaient du regard. Attendant le coup du signal, les ongles blanchirent. L'insigne visiteur goûta chaque instant, chaque vibration, chaque pulsation. Cinq heures de l'après-midi. De-la-Chenaye étira le bras vers le ciel. Pan! résonna le pistolet nacré. Les poignets se verrouillèrent. En jeu... Une force brute, prête à exploser, à envoyer au tapis le poignet de l'autre. Une résistance de matamores. Ne pas céder un pouce à l'autre, ne jamais céder. Non! Lui faire mordre la poussière à la surface de cette souche.

— T'aurai en trente secondes, fanfaronna Michaux-Michaux entre ses canines.

— C'est ce qu'on va voir, Ti-cul!

Pas ça! Michaux-Michaux sentit la moutarde lui monter au nez, celle de toute son existence. Plourde connaissait son point faible. Il l'avait piqué au vif. Ce fichu demi-pouce en moins, son comparse ne l'avait jamais digéré.

Comme en un tour de manivelle, la puissance enfla les biceps. Les dos s'arquèrent, les nerfs du cou sortirent de leur cage. Avant que Michaux n'ait eu le temps de se ressaisir, René lui déverrouilla légèrement le poignet. Un petit angle, un grand danger.

— Peux pas voir ça, déclara une fille à marier, ne sachant trop lequel des deux hommes lui plaisait le plus.

Elle choisit de regarder le sol.

— Moy non plus, lui répondit sa voisine, la main sur les yeux.

Bien malgré lui, l'avant-bras de Michaux-Michaux descendit peu à peu vers la tablette.

— Vont me faire mourir, ces deux-là, souffla Dame Levasseur.

La tension envahit toute l'assistance. On ne respirait plus. Un pouce. Les traits tirés jusqu'aux oreilles, un effort suprême de Michaux-Michaux pour renverser la charge. Plutôt son poignet se taqua à la tablette comme un aimant. Plourde remporta la victoire.

— Bravo les gars !

Un tonnerre d'applaudissements vint saluer cette partie de bras forts. Michaux-Michaux rebondissait déjà sur ses pieds pour écraser de tout son poids son adversaire. Ses bras en échasses sur les épaules du vainqueur, il le maintint un genou cloué au sol. Ses yeux en furie déversèrent leur bile sur la figure de son ami. Qu'il le lui renfoncerait, le tableau, à ce Plourde !

— C'est assez, les gars, intervint le juge. Serrez-vous la main maintenant.

Michaux-Michaux tourna du talon et s'éclipsa.

La ruse de Plourde, tout comme sa force impressionnante, avaient fait sourciller le maître De-la-Chenaye.

— Venez me voir à la première heure demain, avant mon départ.

La clôture des jeux et le crépuscule apportèrent l'accalmie. Les deux adversaires réintégrèrent chacun leur coin du fenil. La nuit ne fut d'aucun repos. L'un après l'autre, ils firent décamper, pour la deuxième fois, toutes les bestioles de la *tasserie*.

Avant le lever du jour, Plourde s'envola vers la berge. Il y attendrait le maître De-la-Chenaye. Tout en sympathie, le visiteur prenait plaisir à déjeuner longuement. Le soleil attirait déjà la chaude masse d'humidité flottante vers le ciel lorsqu'enfin le *sauveur* entreprit le dernier bout menant au littoral. Le seigneur De-la-Bouteillerie l'accompagna pour saluer son départ.

— Au revoir et bonne route, mon ami, dit-il, avant de retourner à son quotidien.

CHAPITRE 13

Kamoura-squaw

À LA LISIÈRE de la pinède, René attendit le meilleur moment pour entrer en scène. Avant que les deux Hurons ne tirent la chaloupe à l'eau, il s'avança vers l'insatiable marchand.

— Monsieur Plourde, vous voilà donc !

L'homme se redressa. Cette marque de considération l'avait pincé au creux des reins.

— Voilà la deuxième fois que le littoral de ce beau fleuve nous rassemble.

Plourde ne sut pas sur quel pied danser. Il n'avait toujours pas la certitude d'être embauché par le sieur, mais il acquiesça de la tête.

— Voici, reprit le maître. Vous m'aviez été assigné comme domestique par Mère Langlois. Soit. En y réfléchissant bien, j'ai fait le choix de vous confier d'autres tâches. Allez chercher vos effets. Nous vous attendrons.

René ne sut pas davantage quoi répondre. Des effets, il n'en avait plus aucun.

— Reviens de suite.

Il partit à grands pas. Certes, il ne possédait plus rien, mais il y avait toujours, dans la *tasserie* ou ailleurs, son Michaux-Michaux. Il s'informait en passant.

Un *non* succéda à l'autre. Une dizaine de réponses plus tard, il comprit qu'il ne le reverrait pas. Déçu, il reprit la direction de la chaloupe où l'attendait l'homme en voie de changer sa vie. Mais, sur le nouvel échiquier de ce destin, un chevalier manquerait à l'appel.

De-la-Chenaye, à qui rien n'échappait, lui demanda :

— Vous avez revu votre ami ?

— Non, répondit-il, évasif.

Comme pour se consoler, il leva les yeux vers sa montagne. Ce relief aussi lui réserverait des surprises plus tard. À sa sortie de l'épave, la vue de ce pic secouait déjà son être. Ce matin, plus de brumes indigo autour. Absorbées par un plafond céleste clair à s'y mirer. Tel un changement de cap.

Le maître donna le signal du départ.

— En route vers Kamouraska, mes fidèles serviteurs.

Kamouraska ! René tomba des nues.

— Pas Kamouraska ? Ka-mou-ras-ka !

Du velours à son oreille qui l'avait plongé en extase à la signature de son contrat avec Marguerite Langlois. Son X le plus beau apposé au bas de la feuille. Sa pensée errait déjà sur les rives des promesses de cette inconnue. D'abord, il se vit près de l'eau en train de se choisir un caillou plat, de se redresser et, en une gaillarde motion, réussir une enfilade parfaite de petits bonds sur la surface liquide. Plourde s'amusa. De la veine, ce matin. On pagayait même en direction de sa montagne.

Le soleil du Nouveau Monde continuait de répandre sa tiédeur. Une bonté pour des épaules au fond d'un canot. Les rames entrèrent et sortirent de l'eau au rythme des chants à piloter des coureurs de bois de l'époque.

Nous irons sur l'eau
Nous irons nous promener...

Cette douceur enveloppante incita au silence. De-la-Chenaye ne mit pas long à découvrir toute l'intensité intérieure de sa nouvelle recrue. Quelle avait été l'existence de cet homme pour produire ce calibre à part ?

— Plourde, qu'est-ce que vous aimez dans la vie ?

Le jeune homme le regarda, hébété.

Qui s'inquiétait de savoir ce qu'il aimait dans la vie ?

Il se gratta l'oreille, il devait avoir mal entendu. Jamais de toute son existence, on ne lui avait posé cette question. Comme il ne répondit pas, De-la-Chenaye ajouta :

— On m'a dit que vous aviez des affinités avec le monde de la forêt ? Paraît-il que vous alliez y faire votre tour chaque matin ? Par ici, vous savez, avec ou sans raison, une personne seule n'ose s'y aventurer.

René agrandit les yeux au fur et à mesure des commentaires. Bien sûr qu'il la connaissait la forêt. Il y était né. Il continua cependant de se taire. Comment résumer, en trois mots, les rebondissements de la longue et tumultueuse histoire de sa famille, du premier à lui-même, le dernier ? Le sieur l'examina. Pour le mettre davantage en goût, il renchérit :

— Vous voyez, juste ici, on est à peu près à la limite du domaine de seigneur De-la-Bouteillerie.

René se retourna vivement pour voir les bornes.

— C'est quoi le point de repère ?

— Mon intuition et des remarques de La-Bouteillerie. Mais, Le Rouge, mon arpenteur, saura vous le confirmer à un fil près. Fiez-vous à moy.

— …

— Grosso modo, c'est à partir d'ici que la France m'accordera une autre partie de ces terres qui longent le fleuve. Maintenant, j'aurais besoin d'une personne responsable. Une personne capable d'évaluer toutes les richesses de ce nouveau fief, et de m'en faire rapport. Un prospecteur, quoi. Mon choix s'est porté sur vous.

— Hein, s'esclaffa Plourde, renversé comme en face d'une mine de pierres précieuses.

Devant cette charpente d'homme qui le dépassait de dix pouces, le sieur n'hésita pas une seconde à lui mettre entre les mains cette tâche exigeante.

— Je veux que ces terres soient marchées de long en large, évaluées, piochées, au pied près, s'il le faut. Que contiennent-elles en bois debout, comme on dit dans cette région ? Noter leurs reliefs. Les cours d'eau. La végétation des sous-bois, les essences de bois. Trouver le meilleur emplacement pour le moulin banal. Quels sont les animaux que ces forêts abritent ? Et une foule d'autres choses que je verrai à vous préciser plus tard. Aussi, j'ai ouï-dire que dans la mère patrie la grande richesse de la Nouvelle-France est à l'ordre du jour. Les paysans poussent de plus en plus fort pour devenir concessionnaires dans cette partie du Bas-du-Fleuve. Je ne veux pas qu'on me déloge.

Plourde but les paroles du futur seigneur des lieux. Par contre, il en redoutait le carcan. René n'oubliait pas le goulot d'étranglement de l'ancienne France. Incertain, il ajoutait :

— Moy, je voudrais avant tout être libre, après mes trois années de service.

— Ne voyez-vous pas que je vous offre des arpents de liberté, mon cher, l'interrompit le sieur comme s'il s'adressait à un égal.

Sans s'occuper de la réplique du seigneur, il continuait :

— Libre de cultiver ma nouvelle terre à ma guise. Suis avant tout un laboureur, comme...

— Vous en avez le caractère, Monsieur Plourde. Et du caractère, en plus ! C'est ce que j'aime en vous. Acceptez ce nouveau travail et faites-moy confiance. Je saurai vous récompenser le temps venu.

Marguerite Langlois eut-elle raison de le faire embaucher comme domestique, de le mettre en rapport aussi étroit avec son maître ? René réfléchit. De-la-Chenaye crut bon ne rien ajouter de plus pour l'instant. Les Hurons souquèrent ferme. Le disque d'or s'éclatait sur l'eau, tout comme dans la tête de René. Le jeune homme s'apprivoisa. L'idée de devenir prospecteur avant d'avoir accès à sa propre terre ne lui déplaisait pas. Au contraire, il adorait se perdre dans les bois. Cependant, la peur de se faire prendre à un jeu qui, telle une faveur, le garderait captif, freina son élan.

— J'ajouterai que, tout en faisant votre travail, vous pourriez vous prévaloir d'un premier choix, celui de votre future terre.

Sa terre ! De-la-Chenaye venait de marquer un point. René lui jeta un œil intense. Le sieur soutint son regard. Cette offre ne s'avérait pas un guet-apens.

À naviguer dans le sens du courant, on débarqua, à la fin de la journée, sur les berges de Kamouraska. Comme la montagne semblait le regarder de haut maintenant. Peu importait.

« Bientôt, tu m'auras dans les jambes. »

*   *
*

Avant de mettre en place le campement pour passer la nuit, les Hurons préparèrent un festin digne de deux seigneurs. Une bonne bouteille de vin français servirait à conclure le marché entre le sieur De-la-Chenaye et le colon René Plourde. On discuta longuement des points de ce nouveau contrat. Ce lien entre ces deux hommes allait durer sept ans.

L'orée du bois continua de lancer ses invitations au mystère. Vers minuit, Plourde s'y faufila. Au pied d'un érable, il s'endormit. Le lendemain, le seigneur De-la-Chenaye reprit la route vers l'est. Son deuxième pied-à-terre, la Rivière-du-Loup. Quant à lui, le nouveau prospecteur, au centre d'une jolie clairière, ébauchait depuis les petites heures son plan d'action.

Il se dit que, pour avoir une meilleure idée de la longueur du fief, il devrait d'abord arpenter son littoral d'un bout à l'autre. Anses et baies, à noter ; coquilles, poissons, à caser dans une mémoire sans faille.

— Dans cette enclave, on viendra souvent pêcher, prédit-il.

Une fois ces cinq à six milles longés, Plourde s'engagerait dans les profondeurs du bois. Là, il y découvrirait ours, loutres, castors, pins centenaires, autres inconnus. Autant de peaux à chasser et de poteaux à mâture à vendre en France, à prix d'or. Une seule peau échangée à un Sauvage contre de la camelote valait un sol cinquante en Nouvelle-France, mais sur le marché du vieux pays, elle atteignait plus de cent dix sols. De quoi enrichir marchand ou seigneur à vue d'œil.

Les années s'écoulèrent et Plourde revint souvent marcher sur la grève. Il aimait à refaire les cent pas en bordure d'un site aux arbres clairsemés. Tout à côté, l'eau grise chuintait.

— Jamais vu ce canot d'écorce.

Son œil passa en revue le paysage. Seize heures au cadran solaire. Un relent de fumée titilla ses narines. Il en chercha l'origine. Non, le feu ne courait pas dans cette ramure. Quelque mille pieds plus loin, il avisa entre les arbres le piémont des Appalaches.

— Du nouveau.

Une demi-douzaine de wigwams se blottissaient en contrebas d'une pente dont la forme ressemblait à une naïade assoupie au bord de l'eau. Ces familles s'éloignaient de la grande tribu pendant la belle saison. Elles allaient où bon leur semblait vivre de la chasse et de la pêche, car tous ces bois regorgeaient de gibier et le fleuve, de poissons.

Traversant cette petite agglomération, une jeune femme, rondeur apparente au ventre, s'affairait à la préparation du repas du soir. Au bout de chaque bras, un seau d'eau.

René fut saisi par la splendeur de cette peau cuivrée. Épaisse, soyeuse. Ses bras lumineux encadraient son torse et dégageaient une attirante sensualité. Elle, à son tour, s'étonna d'apercevoir un visage pâle dans les parages, sans l'accoutrement des trappeurs, ni une robe noire.

— Tiens donc !

René s'avança dans sa direction, lentement, pour ne pas l'effaroucher. Mais elle se précipita vers une tente, entrouvrit les rabats et y pénétra. Le chef en sortit. Les deux hommes se toisèrent.

— Tu veux quoi ?

Heureux de constater qu'il utilisait des mots de sa langue, René inclina la tête devant le Sauvage. Les paroles du père Berrubey lui revinrent en mémoire.

— Un Huron.

Il se souvint que les dangereux Iroquois s'en tenaient à l'anglais.

D'un coup, le maître des lieux se tambourina la poitrine comme s'il jouait du *chichikoué* :

— Grand chef Sioui te salue ! Hollandais ?

— Non, Français. Naufragé, il y a plusieurs années.

Depuis ce naufrage sur la côte, il demeurait une référence pour tous.

— Trappeur ?

— Non, prospecteur.

— Post …, et il laissa tomber.

Comment aurait-il pu comprendre ? Aucun prospecteur n'avait jamais foulé la région de Kamouraska. Sa supériorité l'empêcha de faire le tour de la question.

— Ton nom ?

— René Plourde.

— Pl… Comment ? Pelourde ? Pelourde, tâcha-t-il de mémoriser.

Pour enchaîner dans la suite des civilités, il appela Sheetaboh.

La jeune femme apparut dans l'ouverture de la tente et vint prendre place à côté de lui.

— Ma fille, dit-il, avec satisfaction.

René s'inclina encore plus bas.

Un sourire de blancheur éclaira la peau foncée de Sheetaboh. René lui rendit son sourire, en moins spectaculaire. Par contre, toute la profondeur de l'azur sembla se déverser dans ses yeux. Deux saphirs qui sauraient faire de l'œil à n'importe quelle Sheetaboh.

Le chef observa l'échange de leurs regards. Il comprit que Pelourde ne dormirait pas seul cette nuit-là. De plus, comme le père de l'enfant porté par la jeune sauvagesse avait perdu la vie au combat, elle avait le devoir imminent de se trouver un nouveau *frère* pour la protéger. Un frère, un amant la nuit venue, une fois sur deux. Pelourde ferait l'affaire.

Près de son tipi, le chef fit signe à Plourde de s'asseoir en face de lui. Sheetaboh s'approcha bientôt avec le calumet de paix. On se l'échangea dans la bonne entente. Les volutes de fumée se fondirent aux arômes du feu au centre de la place où une queue de castor achevait de rôtir.

La nuit vint. Tout bonnement, Sheetaboh invita le jeune homme à partager sa couche dans sa tente. René ne se fit pas prier. Les gestes ne se firent pas attendre. Une étreinte à n'en plus finir. Puis, sous un ciel pivelé d'étoiles, leurs peaux nues rejoignirent l'eau du fleuve. Entrelacements, arabesques, fuite, retour avec un désir accru de se couler l'un contre l'autre, l'un sous l'autre, l'un dans l'autre. Leur avidité n'eut de cesse qu'aux dernières heures de la nuit. Une goutte de bonheur dans chaque pore de la peau, on remontait fermer l'œil sous la toile. Enfin…

Vers huit heures du matin, le jour reprit ses droits dans le wigwam de la belle Sauvagesse. Trente minutes plus tard, René orientait ses pas encore plus à l'est pour prospecter de nouveaux arpents. Dans une lune, il réapparaîtrait. Le temps d'une nuit, lumineuse comme le jour et de nouveau le départ. Ses doigts se répandaient en tendresse entre les épaules de son oiseau du paradis. Sheetaboh, comme paupière d'oiseau.

La fin de l'été ramena le prospecteur vers le campement huron. De très loin, il entendit les alléluias d'un nourrisson en bonne santé. L'enfant de Sheetaboh et de son ancien compagnon trépassé. Ému devant l'image de la jeune mère et de son petit sur son dos, il s'avança par-derrière et, à pas de loup, vint se presser contre elle. Ses grandes ailes les enveloppèrent, elle et son petit. Leurs hanches se gommèrent. Étreinte de désir, la mère pivota et, face à face, son corps d'amante s'englua à lui de toutes ses fibres. L'ébène de sa chevelure se mélangea aux poils de sa poitrine châtaine. Tenu au chaud par cette volupté, le petit dormit comme un loir. Un pas résonna près d'eux. Le chef Sioui, accompagné d'un nouveau « visage pâle », en robe noire cette fois, avait une demande à lui faire.

— Bien le bonjour, mon père, dit René, surpris.

— Vous êtes établi depuis longtemps dans cette région, s'enquit le prêtre.

— Près de sept ans.

— Vous êtes trappeur ? Aucun Blanc ne possède encore de terres dans ce coin à ma connaissance.

— Non, prospecteur. Pour le sieur De-la-Chenaye.

— Le sieur n'est pas propriétaire de ces lieux, à ce que je sache.

— Pas encore, mais il va le devenir. Le *Roy* devrait lui accorder ce fief sous peu.

— Étrange. J'ai vu le sieur en montant par ici, mais il ne m'en a pas glissé mot.

René décida de mettre le prêtre au courant.

— À ce qu'il paraît, Sa Majesté Louis XIV lui devrait cette nouvelle faveur en retour des pelleteries qu'il fait parvenir en France depuis des années. Le *Roy* s'est offert une fameuse cape en zibeline. La plus belle fourrure de toutes les cargaisons, de toute l'Europe.

Sheetaboh à l'écoute de tout ce charabia sollicita d'un regard en coulisse les yeux de René. Était-elle toujours, elle, sa beauté à lui ? Elle sentit le besoin de s'en assurer, car son absence avait trop duré. René comprit sa demande et enfonça son regard dans le sien, puis le laissa descendre jusqu'à la naissance de la poitrine où le lait abondait. Sheetaboh creusa les reins. Le regard du jeune homme s'attarda. Le désir, toujours à la porte, se coula en lui de la tête aux pieds. Il lui retourna un fiévreux regard de consentement.

Pendant ce temps, le missionnaire en profitait pour parler baptême avec le chef. En un territoire aussi vaste, ses visites s'espaçaient parfois sur des années. Même s'il ne comprenait pas la portée du geste, le nouveau grand-père, friand de symboles comme tous les siens, accepta de bonne grâce. Ces rituels ne pouvaient qu'honorer la présence de ce petit-fils dont la naissance avait enrichi la tribu. Fait établi, les sauvages adulent leurs rejetons. Par ailleurs, ces robes noires ne détenaient-elles pas des pouvoirs magiques inconnus des siens ? Rien de trop bon pour sa progéniture.

Au cours de son entretien avec le missionnaire, le chef saisit l'impératif de tenir Pelourde à distance de sa Sheetaboh s'il voulait procéder à sa demande. Requête d'abord insolite aux yeux du prospecteur. Sioui se diri-gea vers le point central du village d'écorce. Le mission-naire et René le suivirent. Cette nouvelle trinité s'assit en tailleur et continua la conversation où elle l'avait laissée pendant que Sheetaboh s'apprêtait à nourrir son petit. Alors que le bébé déglutissait de satisfaction, les narines du prospecteur frémirent. Il huma le geste derrière le mur de peau.

— Tu veux être parrain de notre petit, Pelourde ? lança d'une frappe le maître Sioui.

René se redressa de surprise.

— Voyons donc ! En si peu de temps ?

Comme la présence de Sheetaboh continuait de l'envoûter, il hésita.

— Non ? ajouta Sioui.

— Non... non... Si... si..., je veux dire, inspirant comme s'il manquait d'air.

— À des lieues de ce genre de choses, n'est-ce pas mon fils, ajouta laconiquement le prêtre.

René plissa les yeux. Son regard accota celui du prêtre.

La cérémonie eut lieu après la tétée. Sheetaboh, exultante, céda à René son enfant comme s'il en eût été le père. Le parrain-père le souleva, tel un bien précieux. Le petit être reçut le sacrement du baptême au-dessus d'une souche improvisée en fonds baptismaux.

*   *

*

Le lendemain, avant de repartir pour des mois encore, le prospecteur décida de faire un tour sur sa montagne. Dans son au revoir, Sheetaboh l'avait accompagné jusqu'au piémont.

— Bonne place pour parler aux esprits, là-haut.

— Comment ça parler aux esprits ! Parle pas aux esprits, moy.

— Tous parlent aux esprits, un jour ou l'autre.

René n'en supporterait pas davantage. La discussion s'arrêta net, et il entreprit de gravir la montagne. De là-haut, ces milles de boisés lui coupèrent le souffle, chaque fois comme la première fois. Des dizaines d'essences de bois, frissonnant contre les Laurentides, d'un côté, et les

Appalaches, de l'autre, s'étalaient le long de cette grande vallée. Tout au fond s'écoulait le fleuve géant. Une sublime abondance dans toutes les nuances de vert festonnait le long des rivages. De part et d'autre, de sombres résineux dépassaient. Au-dessus de cette forêt boréale, le ciel ne se lassait pas d'être infini.

Dès sa première escalade, le jeune homme éprouva la sensation de s'être rapproché des siens.

— Que dirait mon fier ancêtre, René III, devant cette splendeur ?

Porté par la flamme de son homonyme, il éleva la voix et la laissa s'ébattre pour la première fois. Entre ciel et terre, s'entendre parler prit des allures solennelles. Comme son intrépide aïeul avant lui, il revendiqua, pour sa lignée, son dû.

— Je réclame cette vallée en compensation de l'injustice faite au premier de mes aïeux, René I de Plour.

Tel un jeu. Mais était-ce vraiment un jeu ? Cette mémoire ne s'était pas effacée, même sept générations plus tard. La mémoire de toute ascendance ne s'efface jamais. Il suffit de gratter un peu. Comme son arrière-grand-père avant lui, il n'abandonnerait pas le vénérable doyen de ses pères, l'Ancien. Il s'amusa à donner la réplique au Mousquetaire, lui aussi trépassé depuis longtemps.

Oui, trépassé dans les forêts de Kamouraska, dans la première partie de ce dix-septième siècle. Mais il l'ignorait.

— Oh ! s'il avait su...

René se parlerait désormais à haute voix sur la montagne. Il venait d'entrer en scène à tout jamais dans sa propre vie. Il ne souhaitait la présence de personne à ses côtés, pas même celle de Sheetaboh. Quand il prospectait dans les environs, il passait y faire un tour. Seul là-haut, il discourait avec son intrépide ancêtre, comme s'il eût été en sa présence.

Un jour, à peine assis sur un cran de roc, il sentit le Mousquetaire s'approcher dans son dos. Il se leva et descendit prendre place à un degré inférieur, en face du trône de roche. Aujourd'hui, son ancêtre allait lui parler d'avenir, sérieusement. Il en eut la certitude. Yeux bleus pour yeux bleus, le jeune homme et son fantôme s'entretinrent avec toute l'importance du monde. René voulut faire un retour sur leur précédent dialogue.

— Oh ! il y a bien un petit bout de cette vallée pour moy tout seul, qu'en pensez-vous, grand-père ?

— Davantage, Petit.

— Vous pensez vraiment ?

— Je ne le pense pas, je le sais. Toute cette vallée…

— …

— Souviens-toy encore de la Plourderie, souviens-toy de ses terres à perte de vue conquises par notre valeureux aïeul, René de Plour, le premier de notre nom, de notre lignage. Au quinzième siècle, ce territoire acquis pour sa descendance s'avérait toute sa fierté. Il t'aura fallu un glissement de terrain et la disparition totale de sa sépulture pour que ta mémoire s'entrouvre et que tes ancêtres revivent en toy.

— En tout cas, c'est moins facile que vous pensez. Il y a, en bas, les seigneurs De-la-Bouteillerie et De-la-Chenaye qui veulent leur grosse part du gâteau.

— Je le sais. Mais, les choses étranges ne sont-elles pas monnaie courante dans ce nouveau monde ?

— ...

— Laisse-moy te dire tout de même. Pour un petit manant, tu t'en tires déjà bien.

Une bouffée de reconnaissance empourpra le visage du « petit » René IV. Un peu plus et il allait mettre la main sur l'avant-bras du Mousquetaire. Mais les yeux azur de l'apparition se mirent à grisonner, et se diluèrent dans le firmament.

Plourde revint sur terre.

— Assez de rêvasserie, grand flandrin.

Il sauta debout et dévala la pente abrupte. À la vitesse de ses sabots, des images de la forêt d'Archigny et de ses luttes avec les brigands dont il sortait toujours vainqueur défilèrent devant lui. Il se prit à voir grand, à rêver à de vastes étendues de terre, comme celles de ses ancêtres, mais de ce côté-ci de l'océan, en un monde tout neuf. Avant, il lui faudrait prendre du galon à partir des fils de trame de son quotidien. Cette réalité, il la connaîtrait pour un temps.

— Je le défoncerai, ce sort. Qu'on se le tienne pour dit.

Le voyant surgir à grands pas, Sheetaboh vint à sa rencontre.

— Toy, sur ta montagne, comme l'aigle au sommet du totem. Tu vas finir par t'envoler là-haut, un jour.

Elle se répandit entre ses deux bras avec tout le feu de son soleil intérieur. René l'enveloppa de ses grandes ailes, appuya son front pâle sur le sommet de sa chevelure de jais.

— Viens toy, à moy toute seule, grand aigle aux yeux bleus.

Le lendemain, René s'envola pour une expédition des plus longues. Lorsqu'il revint au site d'étape, il trouva le campement levé, mais aperçut le châle de sa brune autour d'un saule. Il flaira un mauvais présage. Halte-là, fatalité, ne t'avise surtout pas !

— Tiens, toy !

Rouges, ces griffées du destin sur chaque biceps et la perte d'un bonheur exquis. Pendant que l'amoureux resserrait ses grandes ailes le long de son corps, le jeune homme s'enfonça une fois de plus. Lui, René, le quatrième de ce nom, livré à lui-même trop jeune dans la vie.

L'esseulé vécut d'interminables jours d'affaissement. Il promena sa peine d'un tronc d'arbre à l'autre qu'il entourait de ses bras orphelins. Des nuages d'automne, venus pour rester, déplacèrent leur lourdeur au-dessus de sa tête.

Un soir, il plut abondamment. Une pluie comme au cimetière, autrefois. Celle qui arrêtait sa décision de partir en Nouvelle-France, qui le forçait même. Il se leva, courut vers le fleuve et fit voler ses vêtements pouilleux. Une fois dans l'eau, il s'aspergea comme au début de la création, lava son corps pour la première fois depuis… et rafraîchit son esprit. Son travail de prospecteur refit surface et eut raison de son abattement. Il replongea tête première dans l'action. Avec autant d'intensité qu'il mettait à faire toute chose.

— Faut bien en revenir, un jour, si on veut survivre.

Le reste de sa vie en dépendait. Le jeune prétendant ne laissa plus rien transparaître de la perte de Sheetaboh.

*   *
*

Au mois de mai 1692, le sieur se représenta dans la baie de Kamouraska pour la septième année consécutive. En plus de tenir la bonne nouvelle, il avait intérêt à mieux connaître le sous-sol de son futur domaine, car il souhaitait faire du marchandage avec un célèbre explorateur de passage dans la région. Richard Alençon s'acheminait vers la cote de Beaupré pour expédier une énorme cargaison en France.

— Je vous charge de le recevoir à ma place avec tous les égards dus à ses exploits. Il connaît l'enclave de Kamouraska pour y avoir séjourné lors d'un précédent voyage. Cet arrêt lui permet de se reposer et de prendre le temps d'évaluer ses nombreuses prises. Comme je serai au Madouaskak où, paraît-il, il y a des pins de cent pieds qui feraient d'excellents mâts aux voiliers de Sa Majesté. Si je pouvais concocter une petite affaire de ce côté-là aussi.

René n'en revint pas de l'envergure de son patron.

— Il a pas peur de voir grand, lui.

Un appétit sans limites.

Lui, le grand René, il se sentit minuscule, tout à coup, inapte à la tâche.

— Pensez-vous que…

— Je voudrais que vous me fassiez un compte rendu de la visite d'Alençon. Tout ce qu'attraperont votre œil et votre oreille, je veux le savoir.

— Tout un contrat, balbutia le petit prospecteur.

Le passage de cet explorateur subjugua Plourde. Puissance et assurance lui sortaient par les pores de peau.

— Jamais vu ça chez un paysan, jamais de ma vie. Du culot comme le Mousquetaire, mais lui, il est pas de la noblesse.

René III, il ne l'avait pourtant jamais vu, de ses yeux vu, mais son esprit resta collé à lui.

— Mon ancêtre, c'est mon ancêtre, tout de même.

Le courage du paysan reprit du lest.

— Mais parlez-moy encore de la terre ? renchérit le sieur qui ne voulait rien perdre.

— Compost ou fine terre brune, un peu partout. Des milliards de feuilles et d'aiguilles qui pourrissent au pied des arbres année après année, c'est du meilleur.

En d'autres circonstances, René allait même jusqu'à ouvrir le sol à l'automne et y plonger un bras jusqu'au coude pour sentir la chaleur de cette terre. Envoûtante, comme humaine, bonne avant l'hiver. Toujours cette expérience le rendait heureux. Ragaillardi, comme neuf, il se sentait prêt à battre la campagne, à livrer bataille aux grands espaces.

Le jour du compte rendu arriva. La convoitise dans l'œil, De-la-Chenaye s'informa dès un pied à terre.

— Il transportait quoi, dites-moy.

— Aux environs de mille livres de peaux par canot, pour une soixantaine de canots.

— Vitement, cela représente au-delà de cinquante mille livres de pelleteries. Donc, pas loin d'un million de livres sur le marché français.

Cette somme d'argent tenait de la fabulation pour René.

— Un million de francs en un seul voyage, répéta-t-il sans y croire.

— Apportez le rhum, lança le maître.

— À la nôtre !

Ils avalèrent d'un trait.

— Mais qu'est-ce que j'aperçois là-bas ? Est-ce les murs d'une habitation ?

— ...

— Auriez-vous décidé de l'emplacement de votre future concession ?

— C'est l'endroit qui a décidé pour moy.

— Vous y avez des attaches solides, on dirait.

René demeura muet, incapable d'oublier cette petite squaw. Une petite squaw comme une prémonition, du vif-argent dans sa vie.

— J'aurai donc vu la première habitation de mon fief en son bâti. Un toit de vingt pieds sur vingt abritant mon premier habitant. Cela me remplit de fierté, Monsieur Plourde.

— Plutôt dix sur dix...

— Comment ? Manqueriez-vous d'énergie à l'ouvrage maintenant que vos papiers sont bel et bien en route, blagua-t-il, et la bonne nouvelle enfin révélée.

— C'est ainsi, trancha le prospecteur.

Son regard traça une longue courbe avant de s'arrêter au châle entourant les épaules de l'arbre. La sensation des bras de Sheetaboh refit surface autour de sa poitrine. Toute chaude, tout miel !

— Nous aurons l'occasion d'en reparler, ajouta le sieur qui avait eu vent du désarroi de son homme de confiance. D'ailleurs, je suis en route pour l'Isle Saint-Laurent au large de Kébek où l'attestation officielle de mon fief est parvenu il y a huit jours, ajouta-t-il, pas peu fier de sa bonne nouvelle. Bien entendu, en passant par la Rivière-Ouelle, j'irai saluer mon bon ami, Des-Champs. Dès que j'aurai les papiers en main, vous viendrez me voir à Kébek. Non, j'enverrai des amis hurons vous quérir, ou mieux, je passerai vous prendre.

— Ne vous déplaise, Monsieur De-la-Chenaye, ces milles, je les ferai à pied. À pied toujours, comme je le fais depuis sept ans, le freinait René dont l'audace prenait du pic.

— Par terre ou par eau. À votre guise !

Avant de quitter les lieux, les guides hurons obtinrent l'autorisation du sieur De-la-Chenaye de soulever le voile sur la disparition du petit clan. René blêmit. L'aïeule du clan s'était trop éloignée du campement et subissait l'attaque d'une horde de bêtes affamées. Les loups n'avaient pas fini leurs dernières bouchées d'elle que, par dizaines, ils se dardaient sur les siens venus lui porter secours. L'amoureux avait détourné la tête, le cœur en charpie. Ses yeux horrifiés refusèrent de voir la scène.

185

Sheetaboh ! À présent, elle ne se trouvait plus là pour lui refléter son image d'oiseau rare, ni l'image de leur amour. Un amour si rare que le leur, articulé en couches successives au gré de ses retours d'expédition. Un totem d'amour. Au sommet de ce totem, lui, René, un faucon bleu en délire.

Le récit terminé, les pagayeurs se hâtèrent vers l'embarcation. Un soleil sans respect pour la souffrance parada son vermillon autour de dix-sept heures. Le sieur, debout dans le canot, rappela de la main son futur concessionnaire. René avança sans précipitation.

— N'oubliez pas. Dès votre arrivée à Kébek, nous nous rendrons au bureau du notaire Chambalon. Dans tout contrat qui se respecte, il faut des papiers qui se respectent. Des papiers en bonne et due forme.

Le maître se mit en frais de s'asseoir dans la barque comme sur un trône.

— Et vous voilà devenu concessionnaire d'un lot de six arpents de front sur dix de profondeur, égrena-t-il, attendant l'éclat dans l'œil de René.

L'éclat ne vint plus. Fini le quémandage ! L'assurance de cette nouvelle possession remontait dans son épine dorsale comme une sève. Il se redressa de fierté. Le trône tanguait devant lui. Les deux surent que l'entretien était clos. Pendant que du bout des rames, les Hurons tâchaient d'orienter la barque vers la Rivière-du-Loup, le sieur lança :

— Prenez quelques jours de repos. Vous avez ma permission.

René, déjà en marche, ne se retourna pas.

— Je sais ce que j'ai à faire, pensa-t-il.

À pas pesants, il remontait la légère pente de la grève. En lui s'éleva un souffle diffus. Autour de lui, du neuf bourdonnait. Une idée vague comme une brume sortit du sol. Une vapeur qui n'appartenait à personne, sinon à qui la réclamerait. Ses entrailles la réclamèrent.

— Je connais cette région cent fois mieux que le seigneur lui-même. Ça fait sept ans que je la passe au peigne fin. Un tout petit peu de cette seigneurie doit bien m'appartenir à moy aussi. Tudieu ! Qu'est-ce qui me prend ?

Il se hâta d'envoyer promener cette illumination d'un geste de la main. Comme pour une mouche.

Le prospecteur se pressa vers sa cabane en construction. Il l'avait commencée, il l'achèverait. En passant près du saule, il ralentit, laissa glisser ses doigts sur la peau du châle. Oh ! des doux arpèges entre les épaules de Sheetaboh avant chaque départ, il se souvint. Il crut la sentir frissonner. Puis il s'échappa vers d'autres épinettes à abattre. Un immense besoin de se défouler, d'épancher son cœur. La cognée l'aiderait. Sous les coups, ses muscles se gonflèrent et se dégonflèrent.

— Tiens toy, han ! han ! han ! han !... le fer de quatre livres entailla sans pitié les troncs. Pourtant, les arbres ne se trouvaient pas en cause. Bien au contraire. Mais ils continuèrent de tomber comme des feuilles sous l'envol de la hache. À la fin, sa bouche écuma.

La sueur pleuvait des pointes de sa crinière. À bout de souffle, l'homme s'arrêta plié en deux, ventila sourdement, comme par le fond d'un tonneau. Appuyé sur le manchon de sa hache, sa respiration finit par ralentir. Il se redressa. L'effet de sa coupe sur l'arpent boisé lui plut.

— C'est mieux… ça ajoure.

Il se demanda s'il ne faudrait pas dégager cette zone jusqu'à l'eau. Avoir une vue parfaite sur le fleuve.

— Plus tard… Suffit pour le moment.

Sans le savoir, René n'achèverait ici qu'un pied-à-terre assis au bas d'une douce montagne, un havre plein des effluves résineux du souvenir.

Le lendemain, René s'appliqua à monter le dernier mur de la petite cabane. De l'abattis des jours précédents, il détailla huit épinettes de neuf pouces d'épaisseur.

— Juste ce qu'il me faut.

Bientôt, la hache s'enfonça dans le bois juteux. Des bouts de dix pieds se détachèrent des troncs. Des gouttelettes de sueur aspergèrent les alentours. Il épongea son visage du revers de sa manche. Et vlan ! un coup final où le fer s'engonça dans le bout le plus épais. Il empoigna le manchon relevé, souleva le tronc et, le corps arrondi comme un arc, il le traîna au bord de l'emplacement. Un-deux-trois-quatre-cinq-six-sept-huit fois de file. Entre chaque billot, il s'arrêtait un moment, soulevait sa calotte pour se rafraîchir la tête et s'éponger avec sa manche. La dernière bille halée, une souche se fit invitante. Il s'y assit, ouvrit sa gourde et renversa la tête. L'eau se mêlait à la sueur de sa chemise et le rafraîchissait.

— Il est quelle heure, là ?

Le soleil pétillait autour de la treizième heure. Il sortit sa galette et l'avala en deux bouchées. Une dernière rasade d'eau aidait à l'engouffrer. Il se coucha en chien de fusil près du billot numéro un, y appuya la tête, sa calotte en boudin sous l'oreille. Sa respiration s'alourdit. Les mouches vinrent prendre son pouls à plusieurs reprises. Il avait perdu connaissance. Une vingtaine de minutes plus tard, il rebondissait sur ses deux jambes comme un homme neuf, comme le premier des Adam.

L'élévation du quatrième mur continua. Pendant une journée et demie, les billots vinrent se jucher l'un sur l'autre. Le bout le plus petit sur le bout le plus gros, toujours. Une cheville en bois assise à chaque coin les maintenait dans leur position. Ce travail de menuiserie progressait. Les quatre murs atteignaient le même niveau.

— Pas la peine de calfeutrer pour le moment.

Du même coup, trois billots se détachaient du mur et lui raflaient la jambe. Il s'éloigna à cloche-pied. Culotte déchirée, peau en bouillie et cheville en marmelade.

— Pourquoi c'est que j'y ai pas vu avant ? Le savais qu'elle était trop petite, celle-là. *Tudieu* ! Quand on veut aller trop vite.

Il dut s'arrêter. Ses orteils engourdis tournaient au violet. Bientôt, une aubergine à la place du pied.

— Me voilà pris pour le reste de la journée.

Avant de s'étendre pour la nuit, il clopina jusqu'au bord du fleuve et y baigna son pied pendant une bonne heure. L'enflure diminua. Le lendemain, il remit avec peine sa chaussure, et il lui fallut deux longs jours pour réparer sa mésaventure.

La charpente du toit prit place le plus simplement. Sur des murs opposés, deux billes debout se faisaient face. Elles serviraient de piliers à la bille transversale du haut qui s'emboutait dans des encoches en gueules de poisson. La charpente du pignon se trouvait achevée. René la tapissa de larges bandes d'écorce de bouleau.

— Ça fera pour le moment.

L'homme s'éloignerait un temps. Il opta pour la Rivière-Ouelle.

— L'épave !

Qu'en reste-t-il ? La mer avait-elle tout apporté ? Revoir le bourg chaleureux, ses habitants. Et la famille Berrubey ?

— Une vraie famille, une famille complète que celle-là.

Cette réflexion lui fit du bien. Ce foyer lui avait offert le gîte après le naufrage. À lui-même et à Michaux-Michaux. Plus grand que nature, son ami ressurgissait dans sa mémoire. L'enchantement se lisait dans sa voix.

— Michaux-Michaux ! reprit-il, comme une ritournelle.

Au crépuscule, il pénétra dans sa cabane où il déposa quelques branches d'épinette par terre. Il s'étendit sur ce grabat et sombra dans le sommeil. Sheetaboh vint encore se lover dans ses bras pour la nuit et il la posséda comme jamais auparavant.

Les premiers rayons de soleil titillaient ses paupières entre les billes. Il ouvrit les yeux.

— Que c'est bas !

Il sauta debout. L'angle du pignon lui rasa la tignasse.

— Eusèbe !

Sans moyen aucun, ce frêle paysan accueillait autrefois le jeune enfant dans sa minuscule demeure et en avait fait son fils pour la vie. La reconnaissance lui gonfla le cœur. Il sortit prendre l'air. Il se penchait bien bas afin d'éviter l'encoignure, mais se dépliait trop vite et s'écorchait. Comme chez son père adoptif.

— Quand ce n'est pas le front, c'est les plumes du chignon, philosophait le vieil homme, tout en l'exhortant à la prudence.

Aujourd'hui comme hier, quelques cheveux suspendus à la poutre se trémoussèrent dans le souffle de la porte.

CHAPITRE 14

Sur la hanche de sa mère

R ENÉ RAPAILLA son maigre butin avant de dire au revoir à sa cabane sommaire. Oui, il prendrait congé. Du saule, Sheetaboh lui fit de grands signes. Un dernier détour où il contempla le châle. Ses doigts l'effleurèrent. Un tendre do-sol-mi-do à la chute des reins avant de se mettre en route pour la Rivière-Ouelle, à l'ouest. Huit heures.

En ligne droite, une quinzaine de milles le séparait du village.

— Une journée de marche, c'est tout.

Il se ravisa. Il passerait plutôt le long de la côte, longerait tous ses caps et ses baies.

— J'ai tout mon temps, pour une fois.

Voilà l'importance d'un simple bout de papier. Un contrat. Même à l'état de promesse, il changeait toute son existence.

Avec ses vingt-cinq milles à elle seule, la baie de Kamouraska lui ouvrit grand ses bras. Une enclave connue par cœur à présent. Un territoire d'importance pour la future seigneurie de Monsieur De-la-Chenaye, à cause de l'abondance du poisson. De son prisme d'octobre, l'automne embrasait les deux rives. Le pourpre, le jaune safran, le grenat, le rouille, l'oranger teignaient les feuillus et vibraient à fendre l'âme, comme du sang neuf

193

dans ses veines. Cet éclat lui redonnait toute sa liberté, celle dont il avait redouté la perte en s'engageant comme prospecteur pour le sieur De-la-Chenaye.

Les jours raccourcissaient à vue d'œil. Dès seize heures, René s'arrêta. Un tison solaire tomba du ciel et embrasa le fleuve avant de s'éteindre dans l'eau.

— Ça va partir à bouillir, se dit le spectateur au regard suspendu à la descente vertigineuse. Embraye, mon vieux… sinon tu vas aller à la pêche dans le noir.

René, à l'affût de harengs, sauta d'une pierre à l'autre pour s'éloigner du rivage. Une demi-heure plus tard, brindilles et bois de grève entrecroisés, un bivouac flambait. René s'accroupit près de la flamme, tendit un rameau ployant sous les poissons embrochés.

— Rien qu'un petit feu sans âme à côté de celui du ciel.

Le petit feu sans âme saisit les beaux poissons. Leur peau se cristallisa, pétilla, lui lança des effluves de *mange-moi*. René dévora et s'étendit sous le baldaquin d'un saule.

— La forêt d'Archigny… à cinq ans… Sheetaboh…

Le lendemain matin, le soleil ne fit pas son apparition. Ciel et terre noyés par la pluie. Les feuilles, piteuses, pendirent en grappes. Le marcheur n'allait pas traîner.

Pendant quatre jours, il mangea peu et dormit encore moins. Cap-au-Diable, un cran de roc après l'autre, et une dernière langue de terre avant d'atteindre la Pointe-aux-Iroquois aux abords de la Rivière-Ouelle. Il reconnut ces environs, où cent fois il allait, venait, sept ans plus tôt, dans l'attente de son employeur, le sieur De-la-Chenaye.

Derrière la pinède qui grugeait toujours la grève, les premières cabanes. Tout à coup, une odeur de bois brûlé lui chatouilla les narines.

— Ohé! Berrubey, lança-t-il, comme s'il apercevait déjà son ancien protecteur.

— C'est qui cet énergumène qui appelle mon père? dit Jeanne-Marguerite, une adolescente en train d'alimenter en fagots un feu commun avec sa copine.

— Connais pas la voix, rétorqua Guillemette Levasseur. Sûrement un étranger. Peut pas savoir que…

— Un étranger! On n'en a pas vu ici depuis le fameux naufrage. Même pas un trappeur de passage.

— Damien Berrubey, appela encore Plourde. Montre-toy. Je sais que tu es pas loin.

— Voyons lui, il le fait exprès, dit sa grande fille.

Les deux pucelles s'avancèrent avec prudence au-delà de la pinède et tirèrent le menton pour voir qui venait.

René les aperçut et ralentit. Non, il ne voyait pas un habitant au retour de son travail, mais bien deux belles jeunes filles, en âge de se marier.

— Si vous cherchez mon père, adressez-vous aux cieux.

— *Tudieu*! Pardonnez ma méprise, damoiselle. Baissant la tête, il enleva sa calotte et la porta à sa poitrine en guise de respect.

— Ça fait quatre ans qu'il est passé de l'autre bord. Dieu ait son âme, s'adoucit Jeanne-Marguerite.

Même si elle le scruta en vitesse, son regard intense transperça les paupières baissées. Des yeux noirs comme Sheetaboh, s'émut l'homme.

— Mais, vous êtes la petite sur la hanche… *Tudieu!*

Jeanne-Marguerite devint plus réservée. À son tour, elle courba le front.

L'image de la petite sur la hanche de sa mère venant dans l'eau au secours des naufragés s'attarda. La même envie de la prendre dans ses bras. Ce regard qui l'avait rendu heureux.

L'eau, l'épave, le fleuve ! Voilier démoli, marqué d'une pierre blanche dans sa mémoire. Tout comme le mousquetaire au cimetière de Poitiers.

— Le courant aura emporté l'épave, constata-t-il, déçu.

— Oui, et non, reprirent, de concert, les deux jeunes filles.

Leurs jupes voletèrent en direction d'un immense poteau allongé sur les deux tiers de la partie dégagée devant le petit bourg.

René suivit des yeux le bruit du chiffon.

— Pas possible, pas le grand mât. Pas ce grand mât.

Son souvenir s'attarda.

— Un bon cent pieds, en effet.

La scène du naufrage, avec tout son branle-bas, refit surface, et la petite sur la hanche de sa mère.

— C'est donc vous, ça, là ! Comme vous avez grandi, damoiselle.

Beaucoup plus poliment, Jeanne-Marguerite enchaîna :

— Venez donc saluer, ma mère. Elle serait enchantée d'avoir du nouveau…

— Permettez, mesm'zelles. Une dernière petite question avant. La cabane d'un dénommé Michaux-Michaux, c'est par où ?

— Michaux-Michaux, comme vous dites, connais pas.

— Ni moy, rétorqua la petite Lévesque.

— Dans le naufrage autrefois, comme moy, ajouta René, forçant les souvenirs.

— Peut-être que si... se ravisa Jeanne-Marguerite.

La tête inclinée, elle fouilla sa mémoire de toute petite fille.

— Aussi grand que vous, l'évalua-t-elle timidement de la tête au pied.

Elle ressentit toute l'urgence dans sa question. Tout à coup, elle aurait voulu lui donner la réponse qu'il souhaitait.

— Presquement. Une ligne en moins, tout au plus.

Plourde redevint pensif. Cette ligne lui aura coûté bien cher. Sans nouvelles de son seul ami depuis sept ans, à cause de cette maudite ligne.

— Venez plutôt parler à ma mère. Elle vous renseignera, elle. Elle n'oublie jamais rien, ma mère.

Guillemette retourna au feu.

— De la soupe froide, pouah !

René suivit Jeanne-Marguerite entre les souches. Des années laborieuses l'avaient joliment redressé et élargi, ce lacet de route. La jeune fille poussa la porte grinçante. D'un geste gracieux, elle invita le voyageur à pénétrer dans la cabane.

— Maman, de la visite rare qui cherche quelqu'un en plus.

René se pencha bien bas. Sa tête n'allait pas s'accrocher à l'encadrement. Pas ici. Une fois l'homme redressé à sa pleine hauteur, Jeanne Savonet s'écria.

— Bonté divine, de la grande visite, pensez-vous ! Si ce n'est pas Monsieur Plourde ! Comment allez-vous, René ?

— Pas si mal. Et vous, Dame Jeanne ?

— Oh ! vous savez, dans la Nouvelle-France, ça va comme c'est mené…

Ils se firent la bise comme autrefois dans le vieux pays. Trois fois plutôt qu'une ou que deux.

— Venez vous asseoir.

Ouf ! cette visite la remuait. Deux enjambées et le visiteur rejoignit le banc le long du mur, assis en face de son hôtesse. Jeanne-Marguerite, un peu en retrait, se tint dignement debout non loin de la chaise où prenait place sa mère. Elle avait des manières quand elle voulait, la belle Marguerite. Avec une mère qui portait, jadis, le titre de fille du Roy, comment faire autrement ? Sortie tout droit d'un orphelinat, Jeanne Savonet avait reçu en France une solide éducation. Elle se devait de transmettre son savoir à son unique fille. Jeanne-Marguerite se trouva la seule enfant du coin à savoir lire. Réservée et silencieuse, elle observa la scène avec attention. Non sans un brin de malice, elle se dit que ces chaleureuses effusions ressemblaient plutôt à de la famille.

— Quel bon vent vous amène par ici. Mais parlez-moy d'abord de vous.

En trois phrases, René lui résuma sept ans de vie. Il se sentait en confiance, mais il se mourait d'envie de s'entretenir de Michaux-Michaux

— Oh! une vie de solitaire que vous avez menée, mon cher.

— J'y étais habitué. Mais, auriez-vous des nouvelles de mon ami, Michaux-Michaux? J'ai hâte de piquer une bonne jasette avec lui.

— Mais, mon pauvre René, Michaux-Michaux a quitté la Rivière-Ouelle depuis belle lurette.

— Comment!

Plié en deux sur son siège, l'ami fixa le plancher. Si Michaux-Michaux ne se trouvait plus là, pas la peine de s'attarder. Plus rien ne le retenait à la Rivière-Ouelle. Il repartirait sur-le-champ, s'enfoncerait dans le bois, seul, pour l'hiver… pour la vie.

Dame Jeanne continua l'histoire engagée sans trop savoir pourquoi. Pour remettre un peu d'aplomb dans ce naufrage intérieur, voilà.

— Il est parti un mois, jour pour jour, après votre départ avec le sieur De-la-Chenaye. Un canot courrier l'a embarqué. Heureusement pour nous, Michaux-Michaux avait eu le temps de monter la solide charpente du deuxième manoir. Michaux-Michaux débarqua à l'Isle Saint-Laurent.

L'ami René, lui, sembla ne plus pouvoir se remettre sur ses jambes. Ses genoux n'obéissaient pas. Du mal à bondir sur ses pieds. On ne le reverrait plus.

— Merci pour votre hospitalité, ma bonne Dame, ajouta-t-il, la voix éteinte. Adieu Mamz'elle.

Les deux femmes sursautèrent.

— Vous n'allez pas partir sans souper, cher ami.

René leur jeta un coup d'œil déchirant. Lui ? L'ami de quelqu'un ? Mais non, l'ami de personne.

— Marguerite, va vite chercher la soupe. C'est rien qu'une soupe de d'vant d' porte, comme on dit. Mais vous allez voir, quand c'est chaud, ça vous réchauffe les os et le cœur avec. Mieux que rien, vous ne pensez pas, mon cher René.

Un grand éclat de rire, pour la forme.

Jeanne-Marguerite entra bientôt avec la marmite rouge. Les deux femmes fixèrent le maigre repas. Une vingtaine de gourganes et une poignée de grenailles pour épaissir ; tout ce que renfermait le garde-manger, ce soir-là. Elles regrettèrent la fin de la saison des coques et des moules.

Une fois debout, René chercha le meilleur moyen de prendre congé de ces braves gens et de cette demeure familiale, un rappel de son manque.

— Ça ne va pas du tout, pensa Jeanne-Marguerite.

Elle eut tôt fait de servir à chacun une écuelle de la chaudronnée bouillante. L'accompagnait, un quignon de pain bis. Un frugal repas avalé en un clin d'œil. Ce soir-là, la famille mangea sans son chef au bout de la table. Une autre sorte d'urgence avait eu cours ; les deux Jeanne le saisirent bien. François Miville, le troisième mari de Jeanne Savonet, avait passé la journée au palissage d'un champ voisin.

Après la mort de son premier mari Soucy, Jeanne Savonet avait pris Damien Berrubey pour époux. Une fille naquit de cette union, sa Jeanne-Marguerite. En 1688, le père de cette enfant unique décéda à son tour. Entra dans la vie de Jeanne Savonet, son troisième mari François Miville. Il la prit pour épouse avec ses quatre enfants Soucy et sa fille Berrubey.

Une fois la soupe avalée, le jeune homme se leva. Dame Jeanne et sa fille bondirent de leur siège. Jeanne prit le bras de René :

— Vous savez, ma *tasserie* fait souvent l'affaire des visiteurs. Pourquoi n'iriez-vous pas vous étendre dans le foin en attendant le petit jour ?

René leva les yeux. Le regard de Jeanne-Marguerite toujours aussi intense ne le lâchait pas. Il y lut de la compassion.

Après de longs moments d'hésitation, il accepta. Le seuil de la porte enjambé, il disparut, tête basse, dans la brunante. Des souvenirs cuisants le pinçaient à chaque pas. Il se revit avec Michaux-Michaux au bord de la souche, prêts à régler leur blessure d'amitié à coups de poing. N'eût été du vieux Deschênes pour rasseoir les esprits, les choses auraient certes dépassé les bornes.

Il leva la clenche, poussa un des deux battants, avança, puis recula.

— Ah ! non, *tudieu*, pas là-haut, pas ce soir.

En ouvrant la porte, l'image de Michaux-Michaux couché dans un coin de la *tasserie* avait surgi sous ses yeux. Lui, dans le coin opposé, la face au mur.

Il referma aussitôt. Immobile, il laissa l'émotion se déposer. Il coucherait du côté des animaux. Dans l'étable, la vie battait humblement. Un pan de clair de lune pénétra avec lui. Il y distingua une série de dos alignés. Des bêtes à cornes, au repos, amarrées lâchement à une cloison par une corde autour du cou. Leur panse, striée de cordons veineux, se soulevait et s'abaissait avec ampleur. De leurs grands yeux ovales, les vaches les plus près de l'entrée l'observèrent sans malice. L'odeur lourde et fétide des lieux étourdit ses poumons nourris de grand air depuis sept ans.

Près du mur transversal, une ouverture menait à la grange de l'intérieur. Il s'y enfila. Dans un enclos, au pied de la *tasserie*, un verrat, une truie et sa récente portée de gorets qui la piétinaient et tétaient. À côté, une dizaine de moutons s'agglutinaient. Il irait s'adosser à leur enclos pour la nuit. À peine assis contre les planches, il cessa de respirer. Du fenil, une ombre descendit l'échelle.

— Michaux-Michaux. *Tudieu* !

Même si ses membres se figeaient, son pouls s'accéléra. Soudain, le noir avala l'ombre en marche. Un frottement chuinta.

— Le vent qui pousse un battant.

En colère contre lui-même, il s'apostropha :

— Espèce de grand fou, lâche donc ces enfantillages ! Es-tu en train de perdre la boule ? Au moins six ans que Michaux-Michaux est parti d'ici.

— S'il était revenu comme toy ? insista une petite voix. Si c'était lui qui descendait du fenil ?

Plus sûr de rien, le grand fou ! Plourde replaça ses longs membres sur la paille.

Une brebis alertée par sa présence s'approcha de la palissade, renifla et mâchouilla sa couette entre les planches, et, de sa langue, lui gratifia le cou d'une longue caresse humide. René frissonna, s'essuya du revers de la manche, enfonça le bout de sa couette dans son pourpoint, et tâcha de se raisonner au sujet de Michaux-Michaux. Il s'endormit pour ouvrir les yeux juste avant l'aube. Pendant qu'il se préparait à partir, il vit une deuxième ombre passer.

— Si c'est toy, Michaux, parle ou je te défonce le fantôme. Mon poing en plein sur le museau, si tu vois ce que je veux dire.

Un même bruissement à l'ouverture du tambour.

Une autre porte bâillait avec force du côté de l'étable. François Miville entrait, puis emplissait de sa personne le passage donnant sur la grange.

— Bien l'bonjour, l'ami... François Miville. Jeanne m'a rapporté ta visite. Tu allais déjà partir, à ce que je vois.

— Merci pour l'hospitalité, François.

— Dis donc, t'as pas entendu du bruit cette nuit.

— ... heu..., hésita René.

— Jeanne m'a dit qu'elle avait vu passer des ombres près de la cabane tard dans la nuit.

— C'est queee... enchaîna René, confus.

— On sait jamais avec les Iroquois. Faut quasiment se surveiller vingt-quatre heures sur vingt-quatre.

— Pas les Iroquois ! s'avoua le plus grand mortifié de la terre.

Il se serait battu.

— Avant-hier, toute la poudre à canon à Levasseur a été volée en pleine nuit. M'est avis que c'est ces *écornifleux-*

là. Je l'avais averti, aussi, de pas laisser ça dans la grange. Facile à trouver dans des cornes de vaches. En tout cas, moy, ma poudre à canon, je la garderais pas dans le foin de la *tasserie* pour tout l'or au monde.

René Plourde dut s'avouer qu'il ne s'agissait pas du tout du fantôme de Michaux-Michaux.

— Faudrait que tu passes au manoir avant de partir. Le seigneur De-la-Bouteillerie veut te voir. Hier soir, il avait déjà eu vent que le grand Plourde du naufrage se promenait dans les parages. C'est pas croyable comme les nouvelles courent vite par icitte. Ça doit être la petite Levasseur encore, ça. Les ragots, c'est son fort. C'est elle qui était avec ma fille au bord de l'eau, hier.

— Je sais c'est qui, l'arrêta aussitôt René.

— M'est avis qu'elle a l'œil sur toy. Elle a l'œil sur tout le monde, celle-là. Même nous autres, les hommes mariés, on est dans sa mire, se bidonna-t-il.

Le temps de saisir son baluchon et Plourde mit les pieds dans la nature. À l'horizon, le nouveau jour traçait sa barre de lumière avec une saisissante précision. La scène l'immobilisa.

— C'est comme si la journée, peut-être même le monde, se construisait à l'horizontale, couche sur couche, s'étonnait-il toujours.

Il s'enfonça à travers les arbres en direction du domaine du seigneur. Sa tête par vingt fois se retourna pour goûter au spectacle des pointillés de lumière entre les troncs. Une demi-heure plus tard, il atteignit la cour des manoirs. D'un côté, la plus ancienne demeure, minuscule, anodine avec ses rondins calfeutrés de mousse mêlée de boue, réservée désormais à la fabrique pour les services du culte.

Plus haut, le grand manoir s'imposait. Monté en poutres équarries à la hache, il reposait sur la solide fondation de Damien Berrubey. Quant à l'ouvrier de la charpente, René préféra ne pas se souvenir de lui. Entre les poutres des murs, de longs rubans de filasse de lin passés au caustique couraient. Un calfeutrage des plus réussis ! Stries blanchâtres qui donnaient du poli à l'habitation. Le manoir y gagnait en apparence. Enjolivé à cause du froid ? Se pouvait-il ? L'hiver ne transportait donc pas que du malaise.

— Joli pas pour rire !

La porte s'ouvrit devant lui sans qu'il eût à lever le petit doigt.

— On vous attendait, Monsieur… Plourde ? je crois, dit un nouveau domestique.

Ils traversèrent la grande pièce de réception. Des flammes emplissaient déjà la cheminée centrale. À droite, une ouverture donnait sur une pièce plus intime. Le seigneur De-la-Bouteillerie s'y pointa, la main tendue vers l'invité.

— Monsieur Plourde, un plaisir que de vous revoir.

René, sur ses gardes, marmonna d'un signe de la tête, quelques salutations.

Deux bancs bordaient une table en long disposée au centre de la pièce exiguë où le seigneur mangeait au quotidien. Le petit déjeuner du jour déjà sur le meuble.

— Je serais surpris que vous ayez déjà mangé. Voulez-vous vous joindre à moy.

— Si vous voulez, ajouta-t-il, dans une attente réservée.

À quoi donc rimait cette invitation ?

Ce matin-là, René découvrit les fèves au lard et les œufs baveux. La galette de sarrasin accompagnait parfaitement ce plat. Des mets encore inconnus du prospecteur habitué dans la nature à la manière des Sauvages.

Une dernière goutte de piquette de cormes pour se rincer le palais et Jean-Baptiste-des-Champs entreprenait de lui parler de la croissance de la Rivière-Ouelle. Le bourg prospérait.

— Nos chantiers s'agrandissent. Le bois ne manque pas, sourit-il. Et ils regorgent de richesses. Vous le savez mieux que personne. N'est-ce pas, mon cher Plourde ?

— Comme vous dites.

René se demandait où il voulait en venir, celui-là. Pour l'engagé en passe de devenir concessionnaire, il ne faudrait en aucune façon tenter de lui ravir sa liberté.

— Si Sa majesté pouvait voir cela de ses propres yeux.

— Elle aurait pas survécu à la moitié de la traversée, Sa Majesté.

Plourde se racla la gorge pour dissiper l'audace de sa réplique. Devant lui ne se tenait-il pas un protégé du roi ?

— En effet. La colonisation est une affaire de gens durs au mal. Qui mieux que les paysans de la vieille France pour le savoir, n'est-ce pas ?

René sourcilla. Depuis combien de temps n'avait-il pas passé en revue son état d'ancien serf du système

féodal ? Ce Poitou natal et ses terres de brandes si difficiles à mettre en culture. L'éternelle taille au roi ; les
redevances aux petits seigneurs de plus en plus voraces ;
l'intendant à cheval qui leur poussait dans le dos, parfois jusqu'à l'épuisement. Les tonneaux de son fouet au-
dessus de leurs corps penchés sur la terre.

Fin observateur, le maître des lieux ajouta :

— Tout respire le neuf par ici. Bien différent du vieux
pays, ne trouvez-vous pas, Monsieur Plourde.

— C'est certain…

— Nous n'étions qu'une dizaine de personnes au
tout début en 1673. Nous voilà rendus à treize familles,
imaginez ! Je suis très fier de mon village et de mes habitants, Monsieur Plourde.

René continua de se creuser la tête. À quoi voulait-il
en venir ?

— Mon propre domaine prend sans cesse de l'ampleur. Vous ne saviez peut-être pas, mais deux chevaux
vont me parvenir de Normandie sous peu, deux jeunes
percherons. Superbes, paraît-il. Ils m'arriveront par l'Isle
Saint-Laurent. Un écuyer me les amènera. Un homme
qui a du savoir-faire, qui connaît les grands froids et qui
saura doser leur galop en apprentissage. Cette personne
continuera de prendre soin des chevaux ici même, à la
seigneurie.

— Tiens, quelqu'un de la noblesse, se dit René.

Ce titre d'écuyer s'employait pour l'aristocratie seulement. Par contre, il savait qu'un noble venant de la mère
patrie et qui connaissait les grands froids, « ça courait
pas les rues ». Quelque chose ne collait pas à la réalité.

— Vous savez, cette personne partira d'ici même pour aller les quérir, se ravisa le seigneur.

Les deux hommes se dévisagèrent. Jean-Baptiste-des-Champs brisa l'inquiétant silence.

— J'ai pensé que cet écuyer, mon adjoint, serait vous, Monsieur Plourde. Si vous acceptez, bien entendu.

René demeura interloqué. Rien à y comprendre.

— Jean-Baptiste-des-Champs était-il tombé sur la tête ? pensa secrètement René.

À vrai dire, il n'y voyait plus clair. Tout ce qu'il souhaitait avoir en propre dans ce bas monde s'appelait une terre. Une terre à défricher, à cultiver, à chérir. Cesserait-on jamais de lui proposer tout autre chose ? Oh ! le sort n'avait pas voulu lui faire l'honneur, en fière recrue de Sa Majesté, d'un débarquement sans bavure sur les côtes de la Nouvelle-France. Soit ! Au lieu, il y était abouti en malheureux naufragé, soit encore. Sa vie serait-elle un naufrage perpétuel ? Au début, on l'avait entraîné dans un travail de prospection. Il avait accompli sa tâche avec beaucoup d'ardeur parce qu'il aimait la forêt. Après sept ans d'attente, on voulait le faire écuyer, sans véritable raison. Et ma terre, donc ! Cette terre qu'il transportait dans son cœur, jour après jour. Ses sillons, comme ses tripes.

Enfin, il sauta debout, le verbe délié :

— Monte dans le nord, cet hiver, pour trapper. Reviendrai vendre mes pelleteries, au doux temps. Un petit coussin pour acheter mes premières semences, vous comprendrez, Monsieur. Ma nouvelle concession, c'est pour bientôt. Le sieur De-la-Chenaye est parti chercher les papiers, vous êtes pas sans le savoir.

À son tour, le seigneur Jean-Baptiste-des-Champs demeura bouche bée. Il n'en revenait pas du refus de Plourde. À son avis, cette offre en or rendait hommage à sa valeur d'homme, écuyer ou non. Comme le sieur De-la-Chenaye avant lui, quant à la prospection. Du lointain dans l'œil, René fixa résolument la sortie.

Les deux hommes marchèrent vers la porte centrale. Plus un seul mot ne s'échangea. La porte se referma sur le plus muet des silences.

Décidé, Plourde mit le cap sur les pays d'en haut. De longs pas rageurs martelaient le sol. *Tudieu*! On n'arrêterait donc jamais de se mettre en travers de ses projets. Plus il se hâtait, plus son esprit s'embrouillait. Un autre ordre des choses défila sous son nez. Il s'y refusait absolument! Ses chevaux imaginaires rebondirent une nouvelle fois dans son esprit. Il porta les mains à ses tempes, comme au cimetière autrefois. Tout à coup, une illumination traversa son esprit.

— L'Isle Saint-Laurent! Michaux-Michaux, c'est bien là qu'il se trouve!

Il venait de quitter Kamouraska en partie pour le revoir, pour faire la paix avec lui.

— Non, Sheetaboh, non... Pas toy, en plus. La tête va m'éclater. Va-t-en, je t'en prie. Laisse-moy tranquille.

Plourde avait ralenti. Les sangs échauffés, il enleva sa calotte. Malgré lui, son regard se porta plus haut. Toujours ce pic rocheux qui lui défonçait les yeux. Son ancêtre se portait à son secours. Le Mousquetaire l'aborda avec une extrême douceur :

— Calme-toy, Petit.

— Petit ! Vous m'avez pas vu la charpente, donc ? Auriez-vous la vue qùi baisse ?

— Calme-toy, que je te dis.

— Calme-toy, calme-toy, reprit-il, excédé.

— Tu ne vois donc pas que les choses s'arrangent pour toy.

— Comment ça, les choses s'arrangent ? Ça va de plus en plus mal. Jusqu'à l'ordre des choses qui s'amuse à changer de place.

— Mais non, réfléchis un peu…

— J'en ai plein les bottes de la réflexion. Ça fait sept ans que je marche et que je réfléchis. Vous devez bien le savoir. Vous n'arrêtez pas de me talonner depuis le début. Traversé de l'autre bord de l'océan pour avoir la paix.

— C'est donc de l'ancien ordre que tu veux encore ? Nononon !

L'ancêtre redevint invisible.

René s'arrêta net. Son esprit se tut. Son corps se fit pierre. Une heure passée debout à être… un arbre parmi les arbres, droit, grand, fier. Un homme parmi les hommes, droit, grand, fier. Ses pas rebroussèrent chemin.

Le seigneur De-la-Bouteillerie se tenait toujours immobile derrière le carreau. Il avait regardé l'homme partir puis disparaître dans le grand bois, mais il allait revenir.

— Trop de flair celui-là, pour ne pas accepter cette offre.

René n'eut pas le temps de soulever le heurtoir que la porte s'ouvrait grand devant lui.

— Je vous attendais, Monsieur Plourde.

*　*

*

Depuis le passage du beau Plourde, la fière Jeanne-Marguerite avait perdu son entrain. Elle se réveilla le matin de son départ avec le sentiment d'avoir cordé du bois la nuit durant. Tous les muscles endoloris, la jeune fille, à force d'avoir résisté à une émotion nouvelle qui cognait à sa porte depuis hier. Un indéfinissable va-et-vient sur la route de son sang embrouillait son esprit, nuisait à sa respiration. Comme en après-midi, elle s'appliqua la bouche grande ouverte à inspirer en profondeur, sa mère lui suggéra :

— Va donc prendre l'air, ma grande. J'espère que tu ne me couves pas une autre attaque de poumons, toy.

Jeanne-Marguerite sortit s'asseoir sur le grand mât couché sur la grève. Son souffle s'apaisa petit à petit.

Pendant ce temps, Jean-Baptiste-des-Champs et René Plourde toisaient le domaine De-la-Bouteillerie. Le nouvel écuyer aurait plus à faire que d'aller quérir les chevaux à l'Isle. Au fur et à mesure, il avait consigné dans sa mémoire son nouveau travail d'intendance. En même temps, il cherchait à mettre de l'ordre dans son esprit. Cul par-dessus tête, une autre fois.

— En attendant que De-la-Chenaye retourne à Kébek avec son acte d'accréditation, résuma-t-il, et que je finisse par aller signer mon propre contrat de concessionnaire.

De nouveau, la seule allusion à sa terre le fit s'extasier. Une terre à moy ! Ma terre à Ka-mou-ras-ka ! Son contrat, que sa propre main signerait, au bas, de son prénom auquel le notaire ajouterait le patronyme de Plourde. Enfin !

René exulta. L'échéance approchait. Comme une banderole déployée à longueur d'horizon, ce contrat lui apparut avec ces nombreux mots dont les plus longues franges se trouvaient encore inconnues de lui. Ces quelques termes arrachés, à force d'examen, aux murs de la grange à dîme, puis au bon vouloir de Mère Langlois durant la traversée, il les conservait en lui comme un trésor. Il se revit tracer les lettres sur ses cuisses, les enfonçant creux dans sa chair. Parfois, son index les reprit jusqu'à la douleur. Les premiers balbutiements de l'instruction, laissés à bord d'un impossible naufrage.

Avec ses lettres et ses mots imaginés, le futur contrat raviva son goût pour la lecture. Oh ! le suave. Des bulles éclatèrent sous sa langue. Pleines de syllabes. Il ferait part au seigneur de son désir.

— La saison morte se prêterait bien à ça, songea-t-il.

Jean-Baptiste-des-Champs avait la fibre protectrice. Il avait toujours aimé ses sujets et ne demandait pas mieux que de leur apporter son aide en tout temps. Il lui conseilla la petite Berrubey, chez Miville.

— Elle se débrouille bien avec les choses de l'esprit.

René sursauta.

— Bien sûr ! la petite Berrubey. Oui, oui.

L'homme réfléchit un court moment et manifesta un désir impatient de se rendre chez la famille Miville avant la fin de l'après-midi.

— Attendez, voyons, elle ne disparaîtra pas la petite, vous savez.

— Les filles ont comme des ailes parfois, si vous voyez ce que je veux dire.

— Ah ! la jeunesse. Mais avant, venez plutôt par ici. L'habitant Levasseur a déposé quelques sacs de grains en redevance dans le grenier. J'aimerais que vous les lui retourniez. Je sais qu'il en aura besoin. L'hiver pourrait être dur pour lui. Ses récoltes n'ont pas été bonnes. Son problème : mauvaise irrigation. Mais avant, passez au moulin pour les faire moudre. Et puis j'y pense, occupez-vous d'aller les lui remettre en personne, une fois la mouture terminée, ça lui évitera une perte de temps. Et vous, ça vous rincera l'œil, comme on dit par ici. Joliment bien tournée sa Guillemette.

Jean-Baptiste-des-Champs y alla d'une œillade virile.

— Une fort jolie jeune femme.

— Je sais.

— Ah ! vous aviez remarqué ? ironisa-t-il.

— À peu près autant que vous.

En fin d'après-midi, Plourde entreprit d'apporter la belle poche de sarrasin chez le meunier. À pas lourds, il tourna dans le sentier de terre battue et marcha vers la grève. Comme la veille, les mêmes jeunes filles s'affairaient autour du maigre repas du soir. Voir au feu, une de leurs responsabilités quotidiennes. Guillemette flaira l'approche de René avant Jeanne-Marguerite.

— On va manquer de branchage, prétexta-t-elle.

Elle se hâta vers le bois. En bordure de la route trônait une grosse souche qui résistait encore au déracinement. Elle y déposa savamment une partie de son fessier, se cambra, croisa les jambes. À l'époque, toute cheville à la vue parlait de nudité. De profil, elle affecta d'admirer le paysage.

Le champ de vision de René s'emplit bientôt des charmes apparents de cette statue. Il sourcilla, ralentit, et l'air bruit à travers ses narines.

— Beau brin de femme!

En attente, Guillemette détourna la tête au bon moment.

— Ahhh! Vous?

Ses yeux de fille en quête de mari cherchèrent ceux du solide gaillard. Pour rien, elle se mit à rigoler. En descendant de la souche, elle trébucha. D'une main, *le bon parti* s'empressa de l'attraper par le coude. Instable, il frôla son corsage. À son tour, le sac de grains glissa de ses épaules et s'éventra sur la route. Guillemette ricanait de plus en plus fort, une main sur la bouche. Pendant que les palmes de René accroupi s'efforçaient de balayer et de mettre en tas le bon, la Minette papillonnait tout autour. Ses jupes voletèrent, ses plis lui taquinèrent la joue, rirent avec elle presque. Deux bras virils eurent toute la misère du monde à se retenir de l'attraper par les jambes. Oh! qu'il l'aurait fait basculer sous lui.

— M'en vas chercher un autre sac.

— Hé ! la Minette, où est-ce que tu es rendue, pour l'amour du ciel ! s'exaspéra Jeanne-Marguerite. Il y en a plein de fagots par ici.

— J'arrive, se marrait-elle toujours.

Au même moment, elle vit apparaître sur le sentier élargi sa copine qui se déhanchait comme une catin, les bras vides.

— Tu as caché les branchages où, sous tes jupes ?

— Les fagots, ils étaient encore dans les arbres.

— On ne se gêne pas pour ne pas faire sa part.

— Aurait fallu que je coupe les arbres avant… Me vois-tu la hache à la main ?

— Puis qu'est-ce qui te prend de ricaner comme ça ? As-tu rencontré Saint-Tourlourou ?

— Non, mais le beau Plourde par exemple.

— Quoi ! explosa Jeanne-Marguerite.

La Minette écarquilla les yeux d'étonnement.

— Bas les pattes, ajouta la Jeannette, les lèvres serrées.

— Comment ça, bas les pattes ? Pas plus à toy qu'à moy, celui-là.

Jeanne-Marguerite ravala sa salive. Continuer dans cette veine correspondait à mettre de l'huile sur le feu. Dans leurs scénarios de belles au bois dormant, la Minette jurait mettre la main sur son galant avant sa compagne. Pas aussi délurée que la Minette, la Jeannette, mais ô combien plus mystérieuse !

— On verra bien, ajouta-t-elle pour elle-même. Cette guerre des nerfs dura le temps de la cuisson.

Pourtant, l'aventure ne saurait tarder pour l'une comme pour l'autre.

Les filles de la Nouvelle-France se trouvaient, en somme, promises avant d'être conçues. Déjà, il y eut sept garçons pour une fille dans ce pays. En ce moment même toutefois, il fallait attendre de nouveaux arrivants. Tous ces garçons nés en Nouvelle-France, à part les plus vieux des demi-frères Soucy de Jeanne-Marguerite, ne se trouvaient pas en âge de prendre femme. Par ailleurs, si la Minette avait choisi de jeter son dévolu sur le « beau nouveau », les chances de Jeanne-Marguerite de la devancer se trouvaient presque nulles. Dans son for intérieur, elle pensait avoir une corde de plus à son arc.

— Je sais lire, moy...

Pendant ce temps, René redescendait la route avec une deuxième poche ventrue à la mouture au point, cette fois, pour Levasseur.

— Le père Levasseur ne doit pas connaître l'histoire de ce sac de farine, lui fit promettre Jean-Baptiste-des-Champs.

Lorsqu'il traversa la grève pour se rendre au foyer Levasseur, le feu se mourait et les jeunes filles apportèrent leur marmite de soupe dans leur foyer respectif.

Malgré les avances de Guillemette dont le doigt n'arrêtait pas de tournicoter le lacet de son corsage, René ne s'attarda pas chez les Levasseur.

— Prenez donc le temps de vous asseoir, dit la mère Levasseur capable de reconnaître un bon parti.

— Une autre fois, merci.

Une demi-heure plus tard, Plourde cogna chez les Miville.

Quelques poignées de main sur le seuil de la porte et on l'invita à prendre place sur le banc commun. Personne n'osa engager la conversation. René avait perdu le pourquoi de sa visite. Tout à coup, il aperçut des lettres écrites sur les murs de la cabane.

— C'est ma Jeanne, renchérit la mère. Dans ses heures de loisir…

Les noms des membres de la famille gravés en descendant. Un nom par rondin. Le chef de famille, François Miville, la mère, Jeanne Savonet : d'un premier mariage, ses garçons Soucy, Pierre, Tancrède, Ernest et René ; d'un deuxième mariage, Jeanne-Marguerite Berrubey, elle-même, la seule et unique, et Justin, le petit dernier Miville. Tous semblaient bien fiers de cette démarche. Comme une pièce de collection au mur. Une feuille ouverte sur un héritage.

— Elle écrit bien, ma Jeanne. Vous trouvez pas ?

— Heu… oui… heu… Justement… venais vous demander, Mam'zelle, si vous auriez pas une minute pour m'apprendre à lire et à écrire. J'avais commencé, mais…

Jeanne-Marguerite battit à nouveau des poumons. Sa toux retenue par ses mains sur sa bouche, son regard anxieux alla de sa mère à René.

— Bien sûr qu'elle va vous apprendre, hein, Jeanne ?

— Si, dit-elle, en mode mineur.

Se retournant vers le mur, elle toussa un bon coup.

— Ma petite, je veux dire, ma grande a comme une fluxion de poitrine de ce temps-ci, mais ça va vite passer, n'est-ce pas, ma grande.

— Si, si.

— On vous fera signe aussitôt que Marguerite ira mieux.

— Bonsoir à tous et merci, Mam'zelle. Il porta la main à sa calotte.

Les frères de Jeanne-Marguerite se payèrent sa tête durant tout le reste de la soirée.

— Pour moy, c'est pas juste lire qui veut, lui, dit Tancrède.

— Pas juste poser ses mains sur la petite écorce sous la plume, renchérit Pierre de son rire gras.

— Les gars, vous avez pas honte. Laissez votre sœur tranquille.

— Comme ça, ça se pourrait qu'on aille aux noces bientôt, hein, la Marguerite, dit le frérot, René.

— Elle aura juste à rajouter un 2 sur le rondin à côté de son nom, en remettait Ernest.

— Les gars, ça suffit, vos niaiseries. Vas me fâcher. Miville, fais-les taire !

— Tenez, espèce de grands veaux, allez donc faire un tour dehors voir si les bâtiments sont ben fermés, sévit le père Miville, se gaussant en lui-même.

— Tiens, elle s'est même arrêtée de tousser, qu'on dirait, reprit Ernest.

*   *

*

Le beau René revenu dans son sillage, Jeanne-Marguerite ne manqua plus d'air. Sa toux cessa. Le lendemain, après le repas du soir, René se présenta pour sa première leçon. Un silence parfait s'installa dans la maisonnée. Les enfants, du plus petit au plus grand, prirent place sur le banc le long du mur. Le père et la mère, droits comme des piquets sur leur chaise respective. Tous les yeux rivés sur la nouvelle enseignante, debout, et son élève, assis à la grande table devant une lisière d'écorce et un stylet. La jeune fille procéda comme une vraie maîtresse d'école.

— Écrivez-moy un mot que vous connaissez déjà.

René inspira profondément. Il prit le stylet, déposa sa paume sur le bord de l'écorce, mais dut comme autrefois retourner à sa cuisse. Il voulut écrire son prénom, mais cet exercice remontait à trop longtemps. Dès qu'il posa l'index sur sa chair, l'influx nerveux se précipita à son secours. Le tracé de la lettre revint tout seul. Vivement, sa main remonta à la feuille de bois pour la graver. Jeanne-Marguerite ouvrit de grands yeux surpris. En même temps qu'elle admirait ce fort désir d'apprendre, le même qui, tel un jeu, la poussait à mettre en pratique son savoir sur les rondins du mur, un désir d'un tout autre ordre montait en elle.

— Quel sans-gêne je fais, se dit-elle, à la vue de ces cuisses comme deux troncs d'arbre sous les jambières.

Elle détourna les yeux. Non, pas aussi délurée que la Minette, la Jeannette. Cependant, elle ne lâcherait pas volontiers sa proie.

À la fin de la première heure, l'apprenti eut l'impression d'avoir croqué dans une pomme bien mûre. Il refit à la course le trajet vers ses quartiers. Boum ! Boum ! claquaient ses socques sur la terre durcie. Boum ! Boum ! De même son cœur contre la paroi de sa poitrine. Ainsi s'actualisait le nouvel ordre des choses. René le distinguait maintenant. Il entra dans sa tanière. En deux pas, ses jambes avalèrent les huit marches menant au grenier. À bout de souffle, ses mains cherchèrent appui contre le mur. Deux grandes marguerites surgirent de ses dix doigts ouverts. Voilà, il le tenait à pleines mains son avenir ! Il s'endormit la tête sous le tableau des deux marguerites apparues au mur comme sous un ciel de lit.

René apprit à lire et à écrire en un temps record. Après ses longues heures passées aux travaux du domaine et le repas du soir terminé, il s'appliquait par déduction à l'écriture de mots nouveaux. Il se les relisait tout fort. Chaque nouvelle répétition ? Un éclair de joie. Jeanne-Marguerite reconnut que son « élève » devançait toujours ses explications et qu'il ne lui restait plus rien à lui enseigner.

Un beau matin, l'existence prit le tournant rêvé. Des Hurons s'arrêtèrent sur la grève pour s'enquérir de René Pelourde à Jeanne-Marguerite affairée à remplir une cuve d'eau. Bientôt, ils cognèrent à la porte du manoir.

— *Kwey* ! Pour Pelourde… De-la-Chenaye…

Plourde parcourut le message sans aide. La fierté inscrite tout au long de son corps. D'ici une quinzaine, il devait se rendre à Kébek chez le notaire Chambalon. Les papiers des nouveaux concessionnaires s'y trouvaient.

Une fois mis au fait de la présence de Plourde à Kébek, De-la-Chenaye se présenta chez le notaire. Il salua son ancien prospecteur et prit connaissance de la lettre accréditive, dûment signée par le siège royal. Ainsi, au nom du roi de France, le seigneur De-la-Chenaye louait au colon censitaire René Plourde, un lot de sa seigneurie pour la somme symbolique de six sols de cens par année.

— Un beau morceau de terre à léguer dignement, une fois devenu propriétaire, en héritage à la fin de mes jours, exulta le nouveau concessionnaire, plus droit que droit. Imaginez, six arpents de front sur trente de profondeur, à défricher et à cultiver.

Quant aux autres petites redevances, à livrer à la maison du seigneur par le censitaire lui-même, on pouvait toujours les régler avec de la volaille, petite monnaie d'échange à l'époque. Un chapon vif, par exemple, valait en soi une livre. Même si une autre rente annuelle de vingt livres s'ajoutait pour l'usage de cette terre, Plourde considérait bien peu ces apports à la vie d'une seigneurie en comparaison des exigences de la mère patrie, car on finissait par finir, un jour. René déduisit : à vingt sols la livre… Il leva un œil vers la montagne. Son ancêtre ne viendrait plus lui remettre sous le nez son ignorance en calcul. Une fois ses redevances acquittées, le nouveau colon devenait libre de pratiquer la chasse à la grandeur de son territoire, et de pêcher à sa guise sur le fleuve en face.

En ce dix-septième siècle finissant, le village de la Rivière-Ouelle bourdonnait d'activités. Plourde, cavalier seul depuis toujours, s'attachait à ce genre de vie trépidante. Il y avait aussi Jeanne-Marguerite, et ce nouveau sentiment qui le taraudait. L'homme se sentit écartelé. Sa terre, il la désirait à tout prix. Et Jeanne-Marguerite alors? À bref délai, il allait tenter sa chance, l'entretenir sérieusement de demain. D'un avenir à Kamouraska?

L'après-midi où il reçut la missive du nouveau seigneur de Kamouraska, Jean-Baptiste-des-Champs-de-la-Bouteillerie l'avisa de l'arrivée des chevaux à l'Isle Saint-Laurent. Michaux-Michaux refit surface dans sa mémoire.

— Certain de le revoir là-bas, le vieux poteau!

La veille de son départ, René rendit visite à Jeanne-Marguerite. Au crépuscule, elle prenait l'air seule, installée sur le mât. Bien emmitouflée, elle admirait la trace du soleil sur le fleuve. Il s'assit un peu à l'écart pour sonder ses sentiments. Il crut avoir une solide chance auprès de la jeune fille.

Le lendemain, une voiture d'eau, René à son bord, entreprit de remonter, pour la dernière fois de l'année, le courant vers Kébek. Elle mettrait deux fois plus de temps à parcourir cette distance à cause du frasil et de l'eau salée qui se transformait peu à peu en eau douce. On dut faire beaucoup de portage à cause des amoncellements de glace.

Chez le notaire Chambalon, dans la basse-ville, les affaires furent les affaires. Iota pour iota, Plourde reformula tout, s'assura avoir bien compris. Lorsque vint le moment d'apposer son nom, le nouveau concessionnaire prenant la plume des mains de l'homme de loi signa René Plourde, fions à l'appui.

— Du nouveau, là! remarqua le sieur De-la-Chenaye. Vous n'avez pas perdu votre temps, à ce que je vois, mon cher Plourde.

Le seigneur Charles-Aubert-de-la-Chenaye soussigna. Le notaire ajouta, seigneurie de Kamouraska, et se leva. La séance de signatures tirait à sa fin. La pièce de théâtre de l'ancien manant fermait ses volets. Avant que les politesses d'usage ne s'engagent entre le bureaucrate et le seigneur, le notaire invita René Plourde à attendre dehors.

— Une dernière question, se permit d'ajouter le nouveau concessionnaire. Vous pouvez me dire qui a le lot à côté de moy?

— Pierre Michaux, père et fils à l'ouest, et encore personne à l'est, ajouta De-la-Chenaye.

— *Tudieu*!

— Ne quittez pas avant que je vienne, l'interrompit son nouveau seigneur. Nous reparlerons de tout cela dans un instant.

Le notaire, rigide dans son habit aussi noir que son collet et ses poignets empesés éclataient de blanc, leva le nez sur cette désinvolture d'un sujet envers son seigneur.

René mit les pieds dehors.

— Y en a pas dix sortes, des Michaux, par ici.

Ravi, il songea que Michaux-Michaux et lui demeureraient voisins de champ toute leur vie.

— Vrai de vrai! Comme dans le Poitou.

Le passage de l'air dans ses poumons fit grand bruit.

Cette terre concédée à Kamouraska concrétisait pour René Plourde la raison de sa venue en Nouvelle-France. Le lot de terre figurant au numéro quarante-huit sur le contrat s'avérait bien le même où il avait monté sa première cabane à la saison précédente.

— De-la-Chenaye, on peut s'y fier.

Youou ! Un appel de la main le sortit de sa rêverie.

— Êtes-vous trop orgueilleux maintenant pour vous joindre à nous, monsieur le nouveau concessionnaire ?

— *Tudieu* ! Arrêtez-moy ça ! sourit René.

Une franche poignée de main.

— En tout cas, toutes mes félicitations, dit le valet. Concessionnaire, déjà. Vous en avez de la chance !

— Déjà ! c'est pas le bon mot, dans mon cas. Ça fait sept ans que j'attends pour ma part du gâteau. Disons que c'est pas trop, renchérit René bombant le torse.

Une demi-heure plus tard, Charles-Aubert-de-la-Chenaye, dans ses atours de richissime seigneur, fit son apparition. Tant d'éclats contre les murs gris des bâtiments et la terre autour appelaient le silence. Le seigneur prit les devants et invita Plourde à se joindre à son pas. Même s'il demeurait au pied de la Côte de la montagne, aujourd'hui sa voiture se trouvait garée plus haut. Les brigands venus des abords du fleuve ne se gênaient plus. Avec sa suite, il entreprit de gravir à pied la colline.

— Comme ça, mon cher Plourde, en plus de savoir compter comme pas un, vous avez développé l'écriture.

— La prospection, ça mène à tout, non ? batifola l'homme dont l'assurance, suite à sa première signature officielle, avait quintuplé en une heure.

— La prospection ou la demoiselle Berrubey ?

René accusa la surprise.

— Les potins, par ici, ça coule d'un bourg à l'autre comme l'eau du fleuve.

— Vous avez bien parlé des Michaux, tantôt ? s'empressa de vérifier Plourde.

— Oui, ils sont concessionnaires depuis l'an passé. Si j'ai bien saisi, ils en seraient à leur troisième déménagement. D'ailleurs, je crois que le fils Michaux ne suit pas son père. Il est demeuré à l'Isle Saint-Laurent.

Le rapport de la Dame Jeanne se trouvait confirmé.

— Vous comprendrez que tout ce va-et-vient retarde le défrichement. Sans assiduité et sans colon, pas d'avancement.

Le seigneur aborda le vif du sujet.

— J'ai une requête urgente à vous faire.

René parut peu disposé aux faveurs. Pas tout de suite dans sa nouvelle vie. Un moment pour respirer, n'en déplaise.

— Je sais que la Rivière-Ouelle exerce beaucoup d'attraits sur vous de ce temps-ci, ajouta-t-il, en se raclant la gorge de sous-entendus. Et que vous avez gagné toute la confiance de ce cher Des-Champs.

— Pas couru après, c'est lui qui est venu me chercher.

— Oh ! je connais votre indépendance. Mais voici, il faudrait que vous reveniez à Kamouraska immédiatement. Votre terre vous y attend, ajouta-t-il.

— Et moy surtout, pensa-t-il.

— Pas à la seconde près, si c'est ce que vous voulez dire, même si j'en rêve depuis toujours de ma terre.
Comme vous êtes au courant de tout, vous devez savoir
que je suis venu chercher des chevaux pour le seigneur
Des-Champs. Des bêtes saines qui requièrent beaucoup
d'attention dans ce climat-ci.

Sa pensée bifurqua vers Michaux-Michaux. Celui-là,
il avait bien l'intention de le retrouver avant de sortir de
l'Isle avec les chevaux. Et vers Jeanne-Marguerite qui…

— Dans une quinzaine, disons, le temps de complé-
ter ce que vous avez à faire, je passerai vous prendre.

— Ououaiais…

Dans son esprit, l'image de sa merveilleuse Jeanne-
Marguerite prit la place d'honneur. Elle se tint comme
une statue en plein centre de sa nouvelle terre.

— Laissez-moy vous expliquer, continua le seigneur,
au fait de l'éloignement de René. J'ai besoin d'une personne énergique pour entreprendre de main ferme le
défrichement. Donner le coup de barre, comme on dit,
par ici.

— Ça peut bien attendre encore un peu, non ? Ça
fait sept ans que j'attends, moy.

— Non, ce serait hier que ce ne serait pas trop tôt.
Vous seriez comme mon intendant, en plus.

Un autre qui se cherche un intendant.

— Les intendants, ça jamais été mon fort. Rien qu'à
penser à celui du Poitou…

— Mais vous, René, vous n'auriez pas besoin de
fouet, lui lança le sieur. Vous entraînez naturellement à

votre suite. On n'a qu'à vous regarder travailler. Je vous connais depuis assez longtemps pour le savoir.

— Demandez donc au premier qui a eu sa terre.

— Là n'est pas la question. Je constate que votre ardeur au travail serait la meilleure bastonnade, si j'ose dire. Et je vous le redis. Je prends l'ardeur où je la trouve.

— …

— Écoutez-moy encore. Mes nombreuses occupations m'appellent souvent ailleurs, vous le savez bien. Je ne peux être tout le temps présent au lieu-dit de Kamouraska. Non vraiment, René, vous me devez bien cela.

— Vous dois quelque chose, moy ?

— Non, pas vraiment. Disons que je vous ai toujours traité avec beaucoup d'égards.

— Disons aussi que j'ai beaucoup travaillé.

René se tut. Il avait conscience de tenir tête au seigneur. Serait-ce la récente signature du contrat, la grande responsable ? Il en avait parcouru du chemin, l'ancien manant.

— Voyez-vous, continua le sieur, les deux concessions de l'année 1694 sont à peine amorcées, et mes nouveaux concessionnaires de 95 n'habitent même pas tous sur leur terre. Il semble qu'on préfère élire domicile ailleurs qu'à Kamouraska, même si on y possède une terre. Quels besoins d'un manoir et d'un moulin banal si personne ne s'établit dans cette région ?

René gardait le silence. Comment pourrait-il, dès demain, se mettre à labourer à la Rivière-Ouelle une terre assise à Kamouraska ?

— Et mes absences seront de plus en plus longues. Avec vous sur mes terres, je ne serais pas inquiet de leur développement.

— Suis qu'un seul homme, si vous voyez ce que je veux dire !

— J'ai l'impression que rien ne vous est impossible, Monsieur Plourde.

— *Tudieu* ! vous y allez pas avec le dos de la cuiller. Vous savez d'où je viens, pourtant.

— Oui, mais ce n'est pas à cela que je pense. Je me demande toujours qui vous êtes, René ? Comme une longue histoire que je n'arrive pas à élucider.

*   *

*

Au même instant, le pic rocheux de Kamouraska, sans conteste invisible de Kébek, s'imposa à sa vue comme s'il avait été à quinze cents pieds. Planté en équerre au bout de l'aiguille, le Mousquetaire convoitait le vaste plateau, les bras entrecroisés sur son genou. Il observait en lieu et place de son rejeton. René reculait d'un pas comme si le sieur avait réussi à percer sa réflexion, comme s'il venait de refuser son projet.

De la fascination pour cette montagne de son ancêtre surgissaient des moments charnières de sa vie. Une première fois, cet arrière-grand-père des plus cavaliers avait fait allusion à un rôle possible pour son « petit », dans cette vallée. Il l'avait vu à la tête d'un grand territoire. Un frisson avait parcouru l'échine du tout petit manant devenu « petit » seigneur.

— Allons donc !

Puis une deuxième fois où son imposant travail de prospecteur l'avait poussé à se dire qu'il le connaissait par cœur, ce territoire. Et que si c'était ainsi, il possédait presque autant *d'ayant causes* — sa Marguerite l'avait bien instruit — que le seigneur lui-même. Des droits de fait, comme disait encore la loi. Dans l'extravagance de sa pensée, de vertes vagues roulèrent devant lui, teignirent en plus pâle ou en plus foncé cette courtepointe d'hectares.

— Je saurais vous l'arpenter, un bandeau sur les yeux, se posa en défi l'ancien arpenteur.

René n'allait pas se perdre en confidences. Pas en ce moment.

Insidieuse toujours, l'ancienne peur séculaire remontait à la surface. La gorge serrée, il se demandait ce qui arriverait s'il n'acceptait pas bientôt la proposition du seigneur.

— Peut-il me retirer ma terre de Kamouraska ?

D'autre part, n'être qu'un pion absent de sa terre, il n'y pensait même pas. René tenait tout simplement à bien remplir son propre contrat avec la vie.

— Voici ce que je vous propose. Conduisez prudemment vos chevaux à la Rivière-Ouelle, et je passe vous prendre en descendant vers la Rivière-du-Loup. Que dites-vous de cette proposition ?

— Je dis... je dis... qu'il faut que j'y pense encore.

— Je vous confierai en plus, mon cher Plourde, qu'une foule de choses retiennent mon attention plus à l'est, maintenant. Après celle du Madouaskak, je lorgne une seigneurie du côté de l'Acadie. Mais, n'en parlez à personne. Pas encore.

— *Tudieu* ! Vous n'y allez pas de main morte ! Rien ne pourra donc jamais vous arrêter !

— Tout comme vous, René. Mais, pensez à mon projet. Au revoir, Monsieur Plourde, dit-il, en montant dans son fiacre.

— Comment ça, tout comme moy !

René quitta le grand patron, rempli d'ardeur, mais l'esprit sens dessus dessous. Ce nouveau statut et ces nouvelles propositions de ci, de ça, comme une ture-lure. Concessionnaire, homme libre, Jeanne-Marguerite, Michaux-Michaux, De-la-Bouteillerie, les pur-sang à conduire à bon port, sa propre terre encore vierge à Kamouraska, De-la-Chenaye et son nez fin, ses requêtes et ses sous-entendus. En ce moment, il lui faudrait s'attacher à quelque poteau pour ne pas y perdre sa logique. Enfin, il se dit qu'une fois rapproché de la montagne de son ancêtre, il y verrait plus clair. Dans son esprit en quête de réponse, une lente certitude se fraya un chemin.

— De-la-Chenaye, c'était bien l'homme à suivre, pour l'instant.

Aussitôt, la physionomie de Jeanne-Marguerite bondit comme un empêchement. Se passer de sa présence ?

— Nenni !

Comme son ancêtre le lui avait suggéré, il refit ses calculs, la calotte à la main, l'envie de s'arracher tous les poils du chignon.

— Faut que je lui parle en arrivant, se dit-il. Ça prendra vingt-quatre heures, quarante-huit, s'il le faut, mais j'arriverai à la convaincre de...

Il freina son allure. L'abrupte colline l'aspirait dans sa descente. À l'embarcadère, la voiture d'eau l'attendit pour la deuxième étape du voyage. Cap sur l'Isle Saint-Laurent ! Michaux-Michaux réintégra l'avant-plan de son esprit.

— À nous deux, mon vieux ! Sait-il que nos terres sont encore voisines, comme dans le Poitou ?

Il avala sa salive. Des plages de bonheur lui remontèrent à la gorge. Tout juste accosté, sa première question concerna Michaux-Michaux. Où se trouvait son habitation ? Il possédait une terre une couple de milles plus loin, lui répondit-on.

— Je le savais, se réjouit-il, assuré comme jamais de le revoir.

Une question d'heures avant que la paix ne soit enfin rétablie entre ces deux amis d'enfance. Il l'inviterait même à agir comme témoin dans l'éventualité de son union avec... Les fringants percherons, eux, se languissaient sûrement dans la cale.

— Ils sauront bien attendre quelques heures de plus.

Permission de vingt-quatre heures accordée par le capitaine. Michaux-Michaux ne représentait plus rien d'une lubie.

Deux heures plus tard, Plourde se présenta à la chaumière de Michaux-Michaux. Le fer de l'anneau retentit sur la porte. Encore... et encore... L'amitié s'impatientait :

— Bon sang ! Michaux, ouvre-moy, c'est Plourde.

Il cogna encore, secoua une porte verrouillée.

— Dis-moy pas que ça fait sept ans que tu fais ta tête de cochon, toy ?

— Vient tout juste de partir pour Ville Marie, lui cria de son champ l'habitant voisin. Est…, continua ce dernier.

Furieux de se casser le nez contre cette *tudieu* de porte, Plourde n'entendit pas la fin : Michaux était malade.

— S'il vient juste de quitter la maison, j'aurai peut-être le temps de le rattraper avant qu'il sorte de l'Isle.

Il cavala par le sentier battu au bord de la grève. Comme autrefois sur la route de La Rochelle, il crut entendre une plainte. Il s'immobilisa. Fou d'espoir, il lança :

— Michaux, c'est toy ?

Ses yeux hagards fouillèrent les environs. Sa tête, telle une girouette, tournoyait sur son axe. Les râlements venaient par les trois cent soixante degrés. Plourde bondissait en direction de chaque gémissement. Soudain, le vent se tut. De même, les plaintes de Michaux-Michaux… Une rafale franc nord contre-attaqua et poussa à l'avant-scène les premiers flocons de l'hiver, la terre blanchie en une demi-heure. Apparue comme par un coup de dé, la neige cessa comme par un autre coup de dé.

— *Tudieu* ! ce Michaux-Michaux m'a rendu fou.

Ses godasses furieuses martelèrent le sol. En route vers le port. À tout jamais vers le port. La neige fondait à mesure sous les pas de sa colère.

— Va au diable, j'en ai assez de toy, Michaux à la merde, cria-t-il, les poings en l'air. Va au diable que je te dis. La dernière fois que je te coure après, tu m'entends.

Ses bras en flammes finirent par s'abaisser, par se mettre au pas. Au rythme d'une marche déchaînée, mais d'un effort suprême pour changer d'allure.

Plourde n'attendit pas le lendemain pour faire sortir les percherons de la cale. Les nouveaux venus se rebiffèrent et renâclèrent au contact de l'air froid et sec de la Nouvelle-France. L'homme incliné vers l'arrière tint court la bride.

Avec la plus grande attention, le maître guida à l'écart les jeunes chevaux. Un érable tout près attendait le nœud de leurs rênes. Le reste de la journée s'écoula à faire connaissance avec les nouvelles bêtes. Un tête-à-tête à trois. L'inconnu tendit la main vers la tête de l'animal. Il voulut la laisser glisser le long du chanfrein, mais la bête nerveuse repoussa durement le geste amical. L'arrière-train piétina à hue.

— Tout doux !

La main lente reprit sa descente. Une dizaine de caresses plus tard, les naseaux s'écartèrent. Humant une appétissante odeur, ils vinrent se déposer dans le fond de cette main, mais se glissaient bien vite dans l'autre où un peu d'avoine les y attendait. D'une tape affectueuse au flanc, l'écuyer signifia à l'animal qu'ils étaient du même bord.

— Viens, belle bête, viens que je te passe la brosse.

Le soigneur, avec méthode et patience, passa et repassa l'étrille sur les flancs. Laissé sans soin dans la

cale depuis des mois, le poil cacao reprit du lustre. Ah ! si
cette créature qui se hérissait de plaisir avait su parler.

— Fais voir ta crinière ?

L'animal hocha du collier. À la fin, cent coups d'étrille
avaient affranchi les deux superbes toisons noires. René
se recula pour mieux voir. Comme des jeunes squaws
au vent. Lui-même, léger comme une plume, se sentit
emporté. Il reprit l'étrille et le long poil de la queue reçut
sa part d'entretien. Aérée par la paille de fer, elle se mit à
battre l'air du temps.

— Tu manquerais pas un peu de retenue, toy, ma
mignonne. Oublie pas. Demain, faudra endurer ta selle.
Avec ses sacs d'avoine de chaque côté, et cahin-caha à
chaque pas. Et tout le nécessaire du voyage. Mais, tu as
l'habitude.

La pouliche hennit, piétina, comme si elle avait
compris.

Demain et le jour suivant, il les enfourcherait ces
braves chevaux, chacun leur tour. La Rivière-Ouelle ne
se trouvait pas à la porte.

— Ça va nous prendre au moins trois jours, leur
lança-t-il de vive voix.

Deux ébrouements en guise de réponse. Ces bêtes
auraient-elles hâte de s'engager sous la main de leur nouveau guide ?

Le retour se passa sans anicroche. Oh ! la vue de ce
paysage unique. Plourde s'y noya. Son âme flotta ailleurs.
Dénudés par l'hiver naissant, les feuillus cédèrent la place
aux conifères et à leurs cimes tendues vers le ciel. Tout en

jaugeant de son œil de prospecteur la campagne voisine, il rêvassa à ses leçons, et à sa Marguerite dénudée.

Dans sa mansarde, Jeanne-Marguerite bâillait et bâillait, sous le coup d'un ennui mortel. Cette quinzaine de l'absence de René lui parut in-ter-mi-na-ble. Sans l'adrénaline de sa présence, elle tombait endormie n'importe où. Sa mère la rappela à l'ordre.

— Ben voyons, toy ! Vas-tu trépasser d'endormitoire *asteure* ?

D'une main, la jeune fille repoussa sa mandibule vers le haut et l'y retint. La seule façon de ligoter son bâillement. Sous tant efforts, ses yeux larmoyaient.

Une fois à destination, les chevaux débarrassés des sédiments de la route, à nouveau toilettés et bien au chaud dans l'écurie, reçurent la visite du grand écuyer du domaine. Jean-Baptiste-des-Champs-de-la-Bouteillerie époustouflé par la beauté de ces bêtes, en bon Normand, s'exclama :

— Queu j'val !

— De pures merveilles, continua le second.

René n'osa venir chez Jeanne-Marguerite au soir de son retour. Des impatiences dans les jambes, toutefois, il ne put s'empêcher d'aller faire un tour autour. Un mille, rien là, même sur la pointe des bottes.

— Pourvu qu'on me prenne pas pour un Sauvage en train de chaparder.

Ici sa mémoire se tint sur ses gardes. Non, elle n'irait pas patauger dans la suite... Ah ! cette humiliante histoire de la grange. Sa méprise autour du méchant fantôme de Michaux-Michaux des mois passés. Amour-propre obligeait. *Ordilleux* comme pas deux, le René.

Revenu sous ses combles, il s'étendit sur sa paillasse comme sur des siècles d'épaisseur. Des points d'interrogation à la grandeur de l'esprit. D'un côté, sa merveilleuse terre, de l'autre, sa merveilleuse Jeanne-Marguerite. Trop éloignée l'une de l'autre. S'il allait suivre la voie tracée par ses ancêtres, il lui faudrait s'ouvrir au seigneur De-la-Chenaye. Dans le magma de sa cervelle, dans son creuset, grand comme une seigneurie, bouillonnaient terre, terrain, territoire, telle la suite d'un long refrain. Complainte ou plainte ? Impossible d'aller plus à fond. Il n'en avait ni le courage ni le savoir-faire.

— Ça se passait autrefois dans le vieux pays. Le sieur d'ici n'avait rien à voir là-dedans.

Et ce fichu ancêtre qui ne le lâchait pas ! Du haut de son pic, il ne cessait de lui faire voir des lieues enviables tout autour. René pataugeait dans la pire des impasses. Par ailleurs, s'il adoptait la courbure de son sentiment, il demanderait la main de Jeanne-Marguerite à cet instant même, et à la Rivière-Ouelle pour toujours.

Le lendemain et son heure d'écriture ne vinrent pas assez vite. René partit avant l'heure. De son côté, Jeanne-Marguerite avait ressenti le besoin de respirer le frais avant la leçon. Elle s'adossa à un arbre au fond de la talle de trembles près de la chaumière. Il eut le bonheur de l'apercevoir le premier. Oh ! lui toucher, lui faire part de sa grande demande. Ce moment intime, seul à seul avec elle, il en avait tant rêvé.

Sans faire de bruit, il l'approcha par derrière l'arbre. Ses bras embrassèrent le tronc et vinrent se nouer autour de la poitrine de Jeanne-Marguerite. La Belle ne pensa pas à l'Iroquois et n'eut pas peur.

— René, souffla-t-elle sans se retourner.

En même temps qu'il cherchait à se défaire du corps de l'arbre, sa Jeanne-Marguerite pivota vers lui. Il déposa son grand corps tout contre le sien et attendit. Sa réponse vint, avec retenue d'abord. Puis, dans un moment d'abandon, elle lui ouvrit son être, et tous ses pores de peau. Leurs regards amoureux se pénétrèrent infiniment. Même si la nature s'endormait tôt en début d'hiver, on célébra la fin de ce jour mémorable, telle l'aube de l'humanité. Bientôt, il fallut se séparer, permettre aux vibrations de s'adoucir, prendre ses distances. Après, avec aplomb, entrouvrir l'un à la suite de l'autre la porte de la chaumière, et feindre la surprise de la rencontre.

— Tiens, c'est-y pas un revenant, dit le père Miville.

— Un revenant qui est pas revenu à dos d'âne non plus, s'empêtra le commissionnaire qui cherchait à se donner de la contenance.

— Ils sont pas beaux *pantoute*, je crois ben !

— Non, et lents comme des tortues au froid, s'éclata-t-il d'un rire forcé.

Le père Miville l'appuya d'un Ha ! Ha ! aussi généreux. À grands gestes, ils se serrèrent la main. On aurait dit une volée d'ensemencement.

René chercha les yeux de Jeanne-Marguerite. Elle se tenait tapie dans un coin, les bras croisés sur la poitrine. La mère intervint :

— Marguerite, occupe-toy donc de ton protégé.

Mon pro-té-gé ! Elle faillit s'étouffer, pouffer de rire au visage de sa mère. Comme la Minette quand elle était surexcitée.

— Et moy qui vient tout juste de sortir de sa côte, s'attendrissait-elle.

Ses bras déjà croisés s'étirèrent jusque dans son dos, comme si elle s'enlaçait elle-même.

— Prenez place, fit-elle d'un signe de la main.

Une leçon des plus silencieuses se déroula. À regret, la mère se demanda si elle assistait à la fin de leurs rencontres. L'absence les aurait-elle rendus étrangers l'un à l'autre ? Loin des yeux, loin du cœur... Pourtant, sa fille avait un bon parti en main.

— La voie libre, cette petite garce de Guillemette va se pointer, ça sera pas long.

Chacun assis sur sa chaise dans chacun son coin, le père et la mère tiraient leur dernière pipe du jour. Les garçons, côte à côte sur le banc au mur, avaient baissé le ton sous l'œil autoritaire des parents. Une petite demi-heure tout au plus à se donner des chiquenaudes ou à jouer à la main chaude. À qui frapperait l'autre main le plus fort ! Ce jeu de garçons consistait pour les adversaires à se claquer sur les phalanges sans laisser sortir le moindre son. Ou l'art de recevoir des coups durs comme le fer sans broncher. On mesurait ainsi sa résistance à la douleur, à l'instar des Peaux-Rouges. De l'un à l'autre et à la douzaine, les coups pleuvaient. De plus en plus douloureux. Que le plus traître frappe le plus fort ! Les jointures rougirent, se vinèrent. À la moindre grimace, au moindre gémissement, l'adversaire passerait pour une *fumelle*.

Pendant que cette chorégraphie sauvage s'activait dans son dos, René écrivit avec précision. Jeanne-Marguerite fit semblant de le corriger, mais ajouta des mots à ses mots. Une déclaration d'amour s'écrivit sur le plus joli morceau d'écorce au monde. Au bas de la feuille, les deux avaient gravé en lettres moulées, OUI-OUI, et soussignés des noms de René et Jeanne-Marguerite.

Dès que René se leva, un ressort propulsa tout le monde debout. La minute suivante s'éternisa. René mit enfin un genou par terre et s'adressa au chef de famille :

— Voulez-vous m'accorder la main de votre fille ?

— Bonté divine ! J'aurais pas cru, explosa la mère.

Le père Miville répondit par un grand signe de tête entendu. Pas dupe son petit sourire ! Ils les avaient aperçus à travers la talle de trembles. Il chercha du regard l'approbation de sa femme. La mère Jeanne, à demi pâmée, se sentit heureuse et inquiète à la fois.

— La trouve ben jeune, ma fille. Seulement quatorze ans et demi, vous savez. Elle ne s'est pas encore bâti une grosse santé, ma Marguerite. Je ne sais pas ce que son père, Damien, penserait de ça.

— Maman, implora la jeune fille.

René ne savait plus comment formuler le reste de son message. Trop enflammé par le corps de sa douce tout à l'heure pour lui laisser entrevoir, avant les autres et avant le grand jour, une séparation probable. Il n'osait aborder le sujet épineux, mais surveillait sa Marguerite du coin de l'œil. La fiancée eut la sagesse de ne pas faire d'esclandre même si elle ne comprenait pas l'attitude de son fiancé.

— Prenez le temps d'y penser, Dame Jeanne. Reviendrai vous voir demain soir.

Le lendemain avant-midi, Jeanne-Marguerite s'esquiva, et, oubliant le danger des Iroquois, courut à toutes jambes rejoindre son amoureux à travers bois. À l'écurie, elle lui sauta dans les ailes sans prendre son souffle.

— T'es pas venue seule ? Petite folle !

Elle lui posa les doigts sur la bouche. Il les mordilla.

— René, je te suivrai partout. Amène-moy où tu iras.

— Ah ! toy, ma petite sorcière qui devine tout…

Ils se dégustèrent des mains, parlant peu.

— Maman va me chercher, dit-elle, soudain.

Elle détala comme une gazelle. Il la suivit de loin pour la secourir en cas de danger. Près de sa demeure, la jeune amoureuse zébrait la talle de trembles plus vite que l'éclair. René reprit le chemin du manoir.

Tôt après le repas du soir, René se retrouva chez les Miville. On l'attendait.

— Vous savez…

Alors René expliqua qu'il voulait amener Jeanne-Marguerite vivre à Kamouraska. Un non ferme de la part de Dame Jeanne le musela. La pauvre mère ne pouvait pas s'imaginer vivre et mourir loin de sa seule fille. Pour elle, cette distance hors d'atteinte de sa Marguerite unique était pire que la mort. Il n'en était pas question. Elle resserrera son étau. Ne s'agissait-il pas de son bien ? Par contre, s'il voulait bien attendre, la dot serait bonne.

Un beau lot, tout boisé, au sud de la Rivière-Ouelle. Un lot de trois arpents sur quarante.

— Maman, tu ne comprends pas.

— Je comprends trop.

Elle s'adressa à René.

— J'ai rien contre vous, René, mais attendez au moins qu'elle ait dix-sept ans.

Impuissant contre l'obstination du destin, René quitta la chaumière.

Le lendemain, on venait l'avertir que le seigneur De-la-Chenaye passerait bientôt le prendre pour l'amener à Kamouraska. Plourde allait-il accéder à sa demande? Sur-le-champ?

Les amoureux se revirent avant le dîner. On échangeait les plus belles promesses d'éternité.

— Crains pas, ma toute Belle, je reviendrai te chercher le jour même de ton dix-septième anniversaire. Et tu auras la plus chaude des demeures, je te le promets. Grande et bien calfeutrée.

CHAPITRE 15

Retour à Kamouraska

L A DESCENTE du fleuve vers Kamouraska charma les canoteurs. Rien à voir avec la remontée vers Kébek au moment de la signature. Ce voyage avec De-la-Chenaye s'avéra déterminant pour l'avenir de René Plourde. Le temps frisquet garda les esprits bien éveillés.

Sans préambule, le seigneur dit :

— Vous vous souvenez de notre conversation sur le développement de la colonie à la sortie du bureau du notaire.

— C'est pas vous qui m'avez dit déjà que j'avais une mémoire terrible.

— …

Se rappelant la requête du seigneur au sujet du retard du déboisement, René ajouta :

— Ferai mon gros possible, mais, à ma façon, si ça vous dérange pas trop.

— N'ai jamais eu à regretter votre façon de faire.

— La terre et moy, on est du même bord, ça c'est certain.

Durant les deux dernières semaines, le sieur avait longuement réfléchi à la personne de René Plourde. Autre chose le motivait. Ce censitaire piquait sa curiosité. Indépendant, capable de se suffire à lui-même, et surtout, inlassable travailleur.

— Avec une si bonne mémoire, vous devez vous souvenir de la suite de notre conversation.

— Heu…, grommela René, dont l'enfance l'avait rendu peu enclin à la confidence.

— On m'a dit que vous habitiez seul dans le Poitou.

René hésita avant de répondre, mais accepta de soulever un coin du voile. Il lui fallait se montrer digne de la confiance manifeste du seigneur.

— Pas toujours. Eusèbe m'avait fait de la place dans sa maisonnette.

— Donc, vous étiez orphelin.

— Oui et non, mes parents étaient disparus.

— Comment, disparus ? s'étonna le sieur.

— À cause du Roy. Il aimait pas beaucoup ma famille.

La confusion gagna l'esprit du maître.

— Quel rapport entre votre famille et le Roy ? Me semble que ça ne va pas ensemble.

— Plus que vous pensez…

— Alors, j'en perds mon latin. Vous disiez donc ?

— Je disais rien du tout… c'est vous qui creusez.

— Pardonnez-moy, mais j'ai la manie de vouloir tout comprendre. Expliquez-moy, je vous prie.

Une quinzaine de minutes comme une heure. René n'ouvrit pas la bouche. Il suivait le mouvement des avirons. La régularité des gestes, comme un *respir*, une virgule à la surface de l'eau lui communiquait de l'assurance.

— Ce que je vas vous dire, vous ne le croirez pas.

— Je n'ai jamais douté de vous.

— Un siècle passé, mon nom, c'était pas mon nom.

— Que me dites-vous là ? René, un patronyme reste toujours un patronyme.

.Le censitaire hésita avant de livrer l'incroyable suite.

— Expliquez-moy, avant que je me prenne pour un ignare.

— Un quoi ?

Ce mot-là, Jeanne-Marguerite ne le lui avait pas enseigné. Un oubli, assurément.

— Ignare, c'est-à-dire, ignorant.

— Ça ! c'était pas le cas de mon ancêtre non plus, Monsieur.

— Vous mettez la fin avant le commencement, René.

— C'est parce que ça commence loin en *tudieu* !

— Cessez de tourner autour du pot, que je reprenne mes sens.

— Eh ! bien... heu... eh ! bien... Pour tout vous dire, le *de* à la fin de mon nom était placé devant. Comme vous, ajouta-t-il, en baissant la tête.

— Ai-je bien entendu ? Comme moy, disiez-vous ? Alors, vous vous appeliez *de* quelque chose ?...

— *De* quelqu'un, oui... de Plour. Mon ancêtre s'appelait René I de Plour. Comme le Mousquetaire de la montagne au fond. Lui, c'est René III.

Oups ! En avait-il trop dit ? Le sieur connaissait-il l'existence de la montagne de son ancêtre ? Allait-il passer pour timbré ?

— Dieu du ciel ! Vous me racontez des histoires, n'est-ce pas ?

— Oui, mon histoire.

— Je me disais aussi… qu'il y avait quelque chose de pas ordinaire chez vous.

— Qu'est-ce qui lui est arrivé à votre ancêtre ? Celui qui n'était pas ignare, j'imagine.

— Eh ! bien, pas ignare, comme vous dites, et gonflé aussi. Il a juste réclamé le dû de sa famille au *Roy*. Son héritage avait été dilapidé par le *Roy* lui-même. Pour remplir les coffres du grand royaume de France.

— Non, mais vous me faites marcher. On dirait un conte de fées, votre histoire, avec son royaume et ses coffres.

Froissé par cette remarque, René se tut. De-la-Chenaye s'en mordit les lèvres.

— Pardonnez-moy cette remarque, c'est l'étonnement. Continuez, je vous prie.

Le regard de René revenait au jeu des rames dans la puissance du courant. Cette fois, comme des échasses qui avanceraient sous la poussée de l'eau.

— Il y est allé un peu fort dans la manière de faire sa demande. Grand effronté, lui laissa savoir le *Roy*. Alors, il l'a jeté en dehors de la cour. Pour le déshonorer jusqu'au bout, il a voulu lui enlever une partie de son nom… La particule, comme dirait mam'zelle Berrubey.

— Quelle histoire !

— Mais mon ancêtre n'était pas du genre à se laisser faire ! Le *Roy* n'avait jamais réussi à lui faire fermer le clapet. Comme il n'avait jamais eu le dessus sur lui, il s'en tenait loin. Pouvait bien lui enlever sa fortune, mais pouvait rien faire contre sa ruse. Pour narguer le *Roy*, mon ancêtre a donc pris la décision de coller la particule à la fin de son nom. Depuis que je sais dessiner des lettres, je pense à cet ancêtre chaque fois que j'écris Plour-de.

— C'est toute une histoire, votre histoire, monsieur René le quatrième, je suppose… de Plour…

Un contingent de fourmis savantes dans les jambes, le seigneur sauta debout. Le canot tangua dangereusement. Les yeux des rameurs lui firent signe de se rasseoir.

— Arrêtez-vous un peu qu'on se dégourdisse, dit le sieur De-la Chenaye.

— L'Anse aux Iroquois, juste en face. Danger possible !

— N'empêche, gagnez le rivage.

Les pieds sur le ferme, le seigneur De-la-Chenaye arpenta la grève de long en large, comme pour mieux absorber. Nerveux, les Hurons tournoyèrent autour du canot, balayèrent du regard la lisière du bois. Le sieur imprudent s'approcha un peu trop et avança légèrement la tête entre les arbres. Une fraction de seconde plus tard, il disparut. Happé de l'intérieur comme par un courant d'air. Des mains aussi vives que l'éclair. C'était à prévoir. René, assis à l'écart, n'avait rien vu. Il se sentait mal à l'aise. Comment interpréter cette forte réaction de la part du seigneur ?

— Aurais dû me taire ?

Il fixa le courant tranquille du fleuve. Il lui sembla comme un modèle à suivre.

Un cri retentit. Disparu, le seigneur. Volatilisé. Comme mes parents…

Les trois hommes accoururent en direction du cri fatal. Ils ne virent personne. Ils s'enfoncèrent dans le bois. Rien encore. Se déployèrent en éventail pour mieux chercher. Le temps pressait. Le noble personnage risquait un scalp ; ou, tout au mieux, la perte de son index droit. Après l'avoir épluché de ses soieries et lui avoir soustrait son bijou de pistolet, il va de soi. René et les Hurons ratissèrent les alentours pendant des heures. Toujours rien, que le bruit des feuilles, et un silence inquiétant. Une faible plainte, tout à coup. L'oreille tendue, René avança. Non loin, une chausse-trappe l'attendait. Son corps s'y enfila d'un trait. Il aboutit sur son maître dénudé, vert pâle au fond du trou.

— Monseigneur !

Sans tarder, un des Iroquois lui aboutit sur le dos. Pris en étau dans la cave, les deux ennemis se tamponnèrent comme des béliers. Dans cette circonstance, il fallut à *l'objet* piétiné reprendre ses sens ou rendre l'âme. Non, le sieur ne vivrait pas de ses rentes s'il restait au fond de ce trou. Pour se protéger, il se croisa les bras au-dessus de la tête. Le Sauvage y trébucha. Un violent coup d'avant-bras vint percuter le chignon en déséquilibre. Plourde n'avait pas hésité. Le Sauvage s'étala sur la poitrine du seigneur. À l'instant même, au bord du gouffre, une flèche visa René en plein cœur. Un deuxième Iroquois apportait du renfort. Les Hurons, alertés par les éclats de voix, accoururent. Avant que la flèche n'atteigne René par-derrière, l'Iroquois bascula sur le dos, pris à la gorge par un frère huron. La flèche décochée pénétra la cime du hêtre en face.

Loin l'un de l'autre, on ligota aux arbres les deux adversaires, et déguerpit au plus vite avant que la horde des Iroquois ne leur tombe dessus. Les Hurons détalèrent, les jambes aux fesses, pour remettre la barque à l'eau pendant que Plourde, le sieur décomposé sur ses épaules, suivait leur trace d'un pas alourdi. Il déposa son maître sans blessure apparente au fond du canot. Mortifié, le noble personnage s'y enroula comme une malheureuse feuille d'automne.

— Sauvage… comme nous… Pelourde. Mets la plume dans tes cheveux. Vite.

En même temps qu'ils cherchaient à brouiller les pistes, les deux guides pagayèrent à tour de bras vers le large. Se mettre hors de portée des flèches. Paf ! résonna le pistolet à crosse de nacre. En provenance du littoral, il avait manqué la cible… L'aurait manquée, de toute façon, puisque le corps de René faisait écran à celui de son maître. Un des Hurons lui céda sa couverture portée aux hanches. Même recouvert, le sieur n'arrêtait pas de claquer des dents. Il n'ajouta mot du reste du voyage. On ne mangea plus, ne dormit plus. Le Seigneur restait prostré au fond du canot.

En réponse au mauvais sort, Kamouraska la jolie déploya bientôt ses charmes.

— Ta petite montagne Pelourde, annonça le Huron à la proue. Et la petite cabane pas loin, résuma l'autre.

Seul, le nouveau concessionnaire mit bientôt le pied sur le rivage. Il se retourna, salua de la main son seigneur en transit vers la Rivière-du-Loup. Se redressant enfin, Monsieur De-la-Chenaye annonça :

— Monsieur Plourde, je n'oublierai jamais que vous m'avez sauvé la vie. Adieu !

Le canot avait à peine accosté que le courant l'emportait déjà vers la Rivière-du-Loup. Incité à la réflexion par la cascade des sombres événements et par le parfum d'anciens souvenirs, René regarda s'éloigner le canot d'écorce et ses trois occupants. Cette fragile petite chose, ballottée par la puissance extrême du fleuve, poursuivait sa route, malgré tout. Bientôt, lui-même naviguerait à travers la forêt et la terre. À coups de hache et de faucille, il irait son chemin. Avant que la nuit n'envahisse la contrée, il se dirigea vers son cabanon au pied de la montagne. Toujours l'image de cette sirène assoupie dont la queue pointait vers l'est. La montagne à Pelourde, comme la désignait le compère Huron. Le souvenir de Sheetaboh se tint éloigné. Son châle n'entourait plus le bouleau. René poussa la basse porte d'entrée. Comme la dernière fois, le montant supérieur s'orna de cheveux châtains. Le sommeil de l'oubli prit vite possession de sa personne.

Le lendemain, sa vie d'homme libre commencerait vraiment. Son aviron, une hache. L'un après l'autre, il coucherait les arbres sur le sol, tracerait ainsi la voie de son avenir. Avant de se mettre à la cognée, l'homme entreprit d'aller faire connaissance avec les trois ou quatre colons déjà en poste sur leur concession. Infiniment seuls, ils traînassaient encore devant l'immensité de la charge. Il se réserva pour la fin une visite chère à son cœur. Cet homme, comme un père, l'avait toujours ému.

— Salut, le Père. Comment allez-vous ?

— René !

— Michaux-Michaux est où de ce temps-ci ? Manqué ma chance de le voir à l'Isle. On m'a dit qu'il était parti se faire soigner.

— Ça me surprend. Il est fait fort, mon garçon. T'inquiète pas, y retontira ben un jour ou l'autre.

Le coq chanta ; la cognée de Plourde s'éclata. Les coups ne s'arrêtèrent que le soir venu. Ainsi jour après jour, semaine après semaine. La poignée de concessionnaires se sentit emportée par cette ardeur. On vint le voir à tour de rôle, constater le fruit d'un travail incessant. On comptait, pour lui, ses arbres abattus.

— Sacreyé, Plourde, tu vas t'étriper si tu continues comme ça.

— Il y a pire, vous vous souvenez pas du Poitou, donc.

— Justement, on est plus dans le Poitou, prends ton temps un peu.

— ...

— Il doit y avoir de la petite Berrubey là-dessous...

Mais, après avoir vu ce qu'il venait de voir, le colon retournait chez lui un peu plus de cœur à l'ouvrage. Si Plourde y arrivait, pourquoi pas lui ? Les jours suivants, l'écho de la cognée doublait, puis triplait. De-la-Chenaye avait vu juste. Avec du cœur au ventre, la colonisation avancerait plus vite. Évidemment, ses profits personnels grimperaient en conséquence.

Une fois par semaine cependant, les arbres se taisaient. Le dimanche, Plourde se perdait ailleurs dans la forêt. Comme autrefois, il arpentait le territoire. Lorsqu'un colon n'avait pas réclamé sa terre, il prenait sur lui d'en *plaquer* ses arbres aux quatre coins. Ce geste donnait un droit de propriété. Après leur avoir enlevé ce morceau d'écorce, il éprouvait une folle envie d'y graver ses propres initiales. En avait-il le droit ? Non, pas de son ressort. Après un moment, il ne pouvait plus résister et apposait sa griffe sur la chair de l'arbre. En lettres minuscules, mais comme une réelle appropriation. Il chercha des raisons de se justifier.

— Au cas où le sieur lui demanderait des renseignements précis un de ces quatre matins.

Par contre, s'il ne lui en parlait pas, lui-même n'ouvrirait pas la bouche. Mais ce goût de jouissance d'un bien demeurait sous sa langue. Une impression de plus en plus forte avec le temps, avec le travail. Dans un autre ordre d'idées, il se demanda bien ce qui le poussait à faire une telle chose. Comme si ce geste faisait encore partie de son ancienne tâche, s'expliqua-t-il.

La première année, René sua sang et eau à bûcheronner sans relâche. L'abattis s'éleva comme un monument. La clairière autour de sa petite cabane avait pris assez d'ampleur pour y construire son chantier de ferme avec plusieurs dépendances. Il ne ferait pas petitement. En premier lieu, il se mettrait à l'élévation d'une chaumière plus grande pour sa dulcinée. Les coups résonneraient dans la mélodie du jour. Lorsque les arbres de Kamouraska la jolie reverdirent pour la deuxième fois, le déboisement de son lot atteignit le quart de sa surface. Cela lui donnait le droit de passer de concessionnaire à propriétaire. Il y aurait donc de nouvelles lettres de change à signer. Un triomphe ! Le pauvre paysan en lui n'avait jamais été convié à pareille fête de l'abondance. Une fois le terrain assaini, il pourrait labourer entre les souches et y déposer les précieuses semences amassées depuis sept ans : celles qui ne pourrissaient jamais. Et les nouvelles, les plus fragiles, à l'image de ma Belle. Ensuite, il irait la cueillir, sa douce Belle, au carillon de sa dix-septième année.

Une mauvaise nouvelle ne tarda pas à lui pilonner le cœur. La santé de Jeanne-Marguerite n'était pas reluisante. La mère Jeanne redouta toujours de voir partir sa fille pour Kamouraska dans cet état.

Mis au supplice, René remonta vers la Rivière-Ouelle en vingt-quatre heures au lieu de cinq jours. Il traversa le grand bois en ligne droite, comme à vol d'oiseau. Au besoin, il croquait, tout en marchant, une éternelle galette. Se reposait, ou non. Parfois, une dizaine de minutes où il s'essuyait à répétition le front sur sa manche. Haletant, il se présenta à la porte de sa fiancée. La mère poule, oubliant la courtoisie et les bons usages, le reçut avec froideur.

— Faut attendre, Monsieur Plourde. Ma fille se repose.

Malgré sa fièvre de la revoir, il l'attendrait bien toute sa vie, sa Jeanne-Marguerite.

— J'vas aller faire quelques pas sur la grève, faites-moy signe.

Il s'assit plutôt sur le mât longeant la côte. Il fixa le fleuve, mais ne vit pas ses eaux descendre vers l'océan. Dans son remous intérieur, il tournoya, son aguichante Marguerite entre les bras. Elle le séduisit ; il l'embrassa.

— René !

Le jeune amoureux perdit toute pesanteur. Il vire-
volta, bondit par-dessus l'arbre couché, mais s'étala de
tout son long face contre terre. La pointe de son lourd
sabot avait heurté le mât. Jeanne-Marguerite se précipita
vers lui. Lentement, René leva sa figure ensablée. Les
amants se dévisagèrent et leur rire fusa comme jamais
auparavant. Un bras allongé attrapa les jupes de Jeanne-
Marguerite. Ils allaient s'enrouler dans le sable quand la
mère Jeanne demanda à voir son René de plus près.

Quatre mains, à petites tapes, délogèrent le sable
du pantalon et de la chemise. Les fringants amoureux
pénétrèrent dans la cabane comme deux rayons de soleil.
La Dame Jeanne avait redécouvert son sens de l'accueil.
Par contre, l'état général de sa fille fut passé au crible.
La mère crut bon mettre du miel sur ses exigences. Une
bonne dot, mais les nouveaux époux devraient s'établir
sur un lot de la terre Berrubey à la Rivière-Ouelle.

— Que dites-vous de mon offre, mon... gendre ?

Une déroute non prise en compte par le futur gendre.
Écartelé entre sa terre sise à Kamouraska, sa promise à
la Rivière-Ouelle et la dernière requête du sieur De-la-
Chenaye. Et lui, l'ancien laboureur du Poitou à l'écoute
de la voix de l'honneur seulement. Inviolable ! une parole
donnée. Le nouveau concessionnaire éprouva du ressentiment envers son maître. Cette espèce de folle confiance
placée en lui.

— Aveugle, tenait-il pour certain. Il croit que je peux
tout faire, celui-là... S'il me voyait en ce moment...

254

Il songea encore à ces grandes envolées du sieur à son sujet.

— Vous prêchez par l'exemple, Plourde.

— Je prêche rien du tout. Je travaille, avait-il répondu, pour lui remettre les pieds sur terre.

— Je sais, je sais. Vous êtes comme un courant qui entraîne.

Toujours Plourde dont l'isolement se révélait grand, autrefois, demeurait bien placé pour comprendre la valeur de la confiance impartie.

Pendant qu'il réfléchissait, il n'avait pas quitté Jeanne-Marguerite des yeux. Son silence pourrait l'affoler. La patronne reformula lentement son offre… À prendre ou à laisser, cette fois.

— Un beau lot de trois arpents sur quarante, au *su* de la rivière, renchérit le père Miville. Couvert de frênes, d'érables, de trembles et de conifères. De la ben bonne terre tout partout.

— Finalement, qu'en dites-vous, René ?

L'amoureux perdit de la contenance. D'un regard éperdu, il fixa le plancher. Il releva à peine la tête et, démuni, ajouta :

— Heu… je dis que… je dis que… c'était pas dans mes plans.

Mauvaise fortune ! Que faire ? Il avait bel et bien donné sa parole à De-la-Chenaye, mais pas question qu'il abandonne sa Marguerite.

Une bête à dix pattes, ce contrat ! Comment s'y prendre ? Le désert dans sa tête.

— Je vous donnerai ma réponse demain, soupira-t-il bruyamment.

Il se remit debout et demanda la permission d'aller prendre l'air avec Jeanne-Marguerite, avant de partir. La mère ressentit un malaise. Si ce bon parti allait dire adieu à sa fille. Son intransigeance aurait-elle empêché une si belle union ?

— La *tasserie* est toujours là, s'adoucit l'autorité. Comme la mère éprouvait une peur folle de perdre sa fille, ses lèvres muettes articulèrent malgré elle :

— Tarde pas trop, Marguerite !

Dehors, au milieu des arbres, René et Jeanne-Marguerite se jurèrent fidélité, advienne que pourra. Un tremble à témoin, ils venaient de sceller leurs épousailles.

— Je trouverai, avait-il dit à sa Belle avant de la quitter.

La grange lui ouvrit à nouveau ses battants. Comme la dernière fois, il s'adossa au parc des moutons. Une bête vint aussitôt lui refaire la bise entre deux planches. Il releva son encolure pour y passer la nuit, tout en tâchant d'y voir clair.

Sa terre à Kamouraska, siège de tant d'espoir. Une précieuse acquisition pour toute la vie, lui semblait-il. Tant de projets s'effondraient. S'il y avait quelque chose d'immuable dans ce bas monde, n'était-ce pas une terre ? Elle n'avait pas encore connu ses premières semences que, déjà, elle devenait objet de tractations. *Tudieu* ! Ne resterait-elle qu'une voie d'accès ? Ce foutu ordre des choses qui passait son temps à changer de place, aussi. Au faîte du pic, le Mousquetaire sentinelle, furieux de voir son rejeton tergiverser de la sorte, se dessina plus pointu que jamais.

— Réveille-toy, Petit. Tu ne sais plus compter, donc. Un plus un, ça fait deux, non ? Alors, ça t'en ferait deux, que je sache, des terres : celle de Kamouraska et celle de la Rivière-Ouelle. Tu me déçois. Te faudrait vraiment réapprendre à compter. Sur tes doigts, puisqu'il le faut…

— Ouais…

— Qu'est-ce que ce radotage ? Ce cancanage de ouais-ouais ? D'abord, ouais, ça n'existe pas, c'est oui, ou c'est non…

— Ouais… oui…

— Un de Plour, c'est fait pour voir grand. Ce n'est pas ce que tu as toujours voulu ? Voir grand dans la vie, sortir de ta condition de manant et acquérir une terre que tu léguerais à ta descendance ? Comme nos aïeux, avant nous. Et le Sieur qui vantait ta mémoire !

— Mais, entre les deux…

— Commence toujours par le commencement, parbleu !

— Ouais… oui… Mais, que faites-vous d'une parole donnée ?

— Parole donnée… parole donnée ! Il refera ses calculs, ton De-la-Chenaye. Plus futé que tu ne penses, ton commerçant. Comment crois-tu qu'il s'est acquis sa réputation ? Le plus grand négociateur de la Nouvelle-France, avec déjà une centaine de seigneuries à son compte, ai-je entendu dire.

Oui, René reconnaissait au seigneur de Kamouraska un appétit sans bornes. Il devenait avec le temps un modèle en chair et en os pour lui. L'impression d'un possible toujours possible dans ce nouveau pays grandit en lui. Même l'énorme cargaison de Richard Alençon refit surface. Toutes ses fourrures se pavanèrent sous ses yeux. Avec le huitième de l'audace de cet homme, il irait loin. Et jusqu'à son ancêtre juché là-haut en constante observation. Il ne le laisserait pas tranquille tant que…

— Allez, au revoir, Petit. Je t'aime bien.

Quand on se démenait sur cette côte, on possédait une chance égale à l'autre. Encore fallait-il la saisir à temps. Le bout de ses doigts attrapa le moustique en passe de lui voler un morceau d'oreille.

— Le pire, ici, c'est encore les mouches noires…

De pied en cap, De-la-Chenaye se rendait en Acadie. Sa dernière mésaventure avec les Iroquois passait et repassait dans son esprit au rythme de ces longues semaines de canotage et de portage. Grâce à René Plourde, il avait eu la vie sauve. Il songeait que si le sort venait à lui coller les épaules par terre, il pourrait toujours compter sur lui. Un censitaire d'une autre étoffe, quant à cela. Surtout après la révélation de ses origines, de Plour. Qui aurait pu dire? Il n'y a pas une personne en Nouvelle-France qui possède d'aussi incroyables antécédents !

CHAPITRE 16

Les épousailles

A u bout de son tiraillement, René choisit de s'établir à la Rivière-Ouelle. Sortir Jeanne-Marguerite de son milieu s'avérait hors de question. Cette deuxième terre qui, en plus, lui faisait de l'œil. Parce qu'il avait donné le coup d'envoi, l'essartage allait bon train à Kamouraska. Il écrivit, de sa propre main, une longue lettre au seigneur De-la-Chenaye. En plus de lui exposer sa situation, il lui promit de surveiller les progrès des colons à Kamouraska. Une petite visite chaque saison le tiendrait au courant s'il le désirait. La lettre mit des mois à atteindre son destinataire. Comme le lui avait prédit son ancêtre, le sieur refit ses calculs et continua de le garder en haute estime.

— Une bonne fois, tu viendras avec moy, ma belle. Voir du pays, voir ce qui nous appartient là-bas et voir les deux montagnes, l'une devant l'autre. Une petite et une grosse…

— Qu'est-ce que cette histoire de montagne, René ?

Entre-temps, il devrait voir à la noce, consulter les parents de sa douce, l'Église et le maître des lieux, le seigneur De-la-Bouteillerie. Depuis son retour, Marguerite resplendissait de santé. Jour et nuit, de longs fils d'amour s'étiraient de son cœur jusqu'à son bien-aimé.

Le dix-septième anniversaire tant fantasmé approcha. René n'attendrait pas une heure de plus pour l'épouser.

Les trois bans d'usage furent publiés. Aucun empêchement à ce mariage ne fut signalé, comme l'indique l'acte de mariage :

L'an mil seizecen nonentesept ce vingt sizième jour d'aoust après la publication de trois bans de mariage faite le dixhuitième le vingtquatrième & le vingtcinquième d'aoust dans léglise de cette paroisse de Notre dame de liesse, d'entre René Plourde aagé de 32 ans fils de defunct françois Plourde et de défunte Jeanne grémillion les père & mère de la paroisse St Pierre « Eveiché » de Poitier d'une part & Jeanne Marguerite Berrubey aagée de dix cept ans fille de defunct Damien Berrubey et de Jeanne Savonet les père et mère de cette paroisse de NotredamedeLiesse d'autre part & ne s'etant decouver aucun empeichement legitime, Je Prestre Soussigné & Curé de cette Paroisse ay pris leur mutuel & reciproque concentement par parole de present les ay mariez & leur ay donne ensuite la benediction nuptiale selon la forme prescritte par léglise en presence de Jean Aiot & Pierre… père themoins requis qui ont tous declaré avec les themoins cy dessus nommé ne scavoir ecryre ny signer de le interperllez suivant l'ordonnance.

Bernard DeRequeleyne P.C.

Le trousseau de Jeanne-Marguerite se trouvait achevé depuis des lunes. Il renfermait, comme pour toute promise, un robe d'indienne, un bonnet, une coiffe, un *mouchenez* de taffetas, une paire de gants, une paire de bas de coton, une paire de souliers, quatre lacets et un ruban à souliers. Sa mère partagerait le reste de son propre trousseau avec sa fille bien-aimée devenue épouse, à son tour. Entre autres, une partie de la cassette offerte par Sa Majesté au départ de chacune de ses pupilles pour la Nouvelle-France. Un présent où se trouvait toute la quincaillerie nécessaire à une femme de colon, c'est-à-dire cent aiguilles, un peigne, un fil blanc, une paire de ciseaux, un couteau, un millier d'épingles, deux livres en argent.

Quant à la toilette même de la jeune mariée, une tout autre histoire s'inscrirait dans le temps. Il ne serait pas dit que la fille unique de Jeanne Soucy-Berrubey-Miville, l'orgueil de sa vie, se marierait comme tout le monde. Et la dame, bien assise sur ses cinquante ans, avait du panache. N'avait-elle pas été, autrefois, la digne épouse de son digne époux, Damien Berrubey? L'élu même du seigneur Jean-Baptiste-des-Champs-de-la-Bouteillerie, premier maçon à venir l'assister en Nouvelle-France, à la Rivière-Ouelle même. La mère Jeanne voulut voir sa fille marcher à l'autel dans des couleurs hors norme. Elle porterait des couleurs fortes, des couleurs franches, franches comme elle-même.

— Pourquoi toujours du pâle? Au diable la mère patrie et ses strictes ordonnances! Autre pays, autres mœurs.

Dans son jeune temps, la pionnière rêvait d'un orangé remarquable en son genre. Une Sauvagesse lui avait appris comment l'obtenir à partir de l'herbe aux magiciennes.

— Presque du rouge, mais pas du rouge, admirait-elle.

Un feu qui iriserait la prunelle foncée de sa Jeanne-Marguerite, rendrait justice à sa flamme intérieure, car elle la savait très amoureuse. Le devoir de la colonisation ne réservait pas toujours à chacun ce privilège de l'amour. À sa fille, oui.

Son plan prit rapidement forme. La mère Jeanne se mit au montage du métier. Trois jours durant. Une trame composée de fils de lin en majeure partie et de quelques précieux fils de coton. Ces brins rares et très à la mode gaufraient joliment le tissu. Elle tissa jour et nuit. Au soir du septième jour d'un travail constant, elle boitilla, une main sur la hanche, vers sa paillasse. Un solide mal de reins ; le prix de son orgueil.

La mère se mit à ronfler, si fort que le matou ouvrit l'œil. Il s'étira, fit gros dos et, à pas feutrés, sauta sur le métier, une place de choix. Il profita de la surface cotonneuse pour se faire les griffes. Quelques heures plus tard, la tisserande se réveilla. Lorsqu'elle aperçut la chose lovée sur son beau tissu, elle faillit faire une syncope.

— L'animal !

Une formidable taloche le balaya de la couche duveteuse. Le bolide à poils volait dans les airs avant de retomber sur ses pattes, insensible à la claque et au méfait causé. Comme par la plus douce des caresses, l'insolent minauda encore. La maîtresse ne sut retenir son pied. Le

quadrupède y goûta ! La pauvre patronne regretta bientôt ses coups explosifs. Dans le noir, elle s'accusa :

— Bon pour toy , Jeanne Savonet. Tu voulais faire la
fière, hein ! C'est le bon Dieu qui t'a punie. Orgueilleuse !
Va falloir que tu ailles demander pardon à la confesse.
Avant les noces, à part ça, si tu veux que ta fille soit heureuse en mariage.

Sur un bivouac monté par les garçons où bouillait
une bonne platée de racines prises sous des conifères, la
mère Jeanne et sa fille passèrent le tissu à la couleur. Cette
pièce de droguet hors du commun finirait de s'égoutter
sur la clôture. Une demi-heure plus tard, un épais nuage
noir s'éventra sur le champ. On caracola vers la palissade
où l'étoffe dégoulinait de plus belle. À l'abri, et presto !
La chaumine fut inondée d'un ruisseau de teinture. Du
jaune orange partout. Sur le plancher, les murs, les vêtements… Les rondins gravés ne furent pas soustraits aux
taches. Comme à dessein, une moucheture illuminait le
mot René.

Sabots enlevés, une myriade d'orteils jaune orange
avaient laissé leurs traces à la grandeur du plancher.

— Sainte Bénite ! Le bois n'aura jamais le temps de
boire toute la couleur avant les noces.

Quelle honte pour cette maîtresse de maison expéri-
mentée ! Certes, la grande visite remarquerait le dégât.

Enfin, le merveilleux jour des épousailles éclaira le
bas du temps. La promise resplendissait dans sa vêture
flambant neuve. Un corsage en toile blanche s'ajustait à
la taille d'une éclatante jupe longue dont les plis évasés
jetaient mille feux au moindre mouvement. Des nuances

263

passant de l'abricot à l'orange sanguine. Pour soustraire à la vue les imperfections dans le tissu, la mère avait façonné une mare de rosettes blanches cousues, à points cachés, çà et là. En complément au tableau, elle en ajouta aux longs rubans de la coiffe. C'était à ravir l'œil. L'image de la Minette se glissa dans l'esprit de la Jeannette. *Celle qui savait lire* retint un sourire. La mère, à son tour, se garda bien du mouvement d'orgueil. Le bonheur de sa fille passait avant tout.

Quant à René, il se prépara plus sobrement. Comme l'attribution de sa terre se voyait remise de trente-six mois en trente-six mois, il avait fini par se résoudre à sortir de son précieux pécule des sous réservés à l'achat de ses premières semences. Il les employa pour se faire tailler un habit du dimanche. Ces derniers mois, il s'achetait également deux paires de bas et deux caleçons de la même couleur, sous-vêtements indispensables à qui prenait femme dans la colonie. Fierté obligeait !

Jean-Baptiste-des-Champs avait insisté pour que ses beaux percherons, attelés à son cabrouet, fassent partie du cortège de son ancien intendant. Pour conduire sa belle à l'église, c'est pas de refus.

Dès trois heures du matin, René se dirigea vers l'écurie pour parer les chevaux. Il les brossa et leur corda la crinière avec des rubans de cuir. Dans le défilé, l'un tirerait et l'autre suivrait derrière.

— Ah ! bintôt, mes biaux !

À son tour de s'endimancher.

Rutilant, le cabrouet au siège de velours vert émeraude attendait les chevaux. René leur enfila la bride, attela l'impatiente entre les limons, et attacha, par son licou, l'autre derrière. Des pompons rouges insérés aux longues tresses frissonnèrent à la brise. Il sauta dans la petite voiture, et claqua de la langue. Les percherons n'attendirent pas le petit coup sec des *cordeaux*. Le futur époux dut raidir les rênes pour calmer leur trait rapide. Il se savait avant l'heure. Ne fallait-il pas, le jour même de ses noces, allouer plus de temps à sa Marguerite avant la cueillette ? Lorsqu'il arriva vis-à-vis de la demeure du beau-père, il n'avança pas plus loin. Il fit retourner l'attelage et l'orienta en parfaite ligne avec la petite église. Debout près de ses chevaux, il se croisa les bras, écarta virilement les jambes, attendit l'appel.

Les habitants cordés à droite et à gauche de la sortie tâchaient de contenir leur fébrilité. À six heures précises, la porte grinça comme un accord de biniou. Le silence se fit. Le beau-père mit le pied dehors. Suivit la jeune fiancée de dix-sept ans, au teint fleuri sous sa coiffe. Aux lèvres, aux joues et au cœur gonflés par l'émoi. La mémorable jupe, dans son oranger saisissant, auréolait autour de sa taille. Au fin bout de la double haie, son futur époux, dos au fleuve, lui fit face. La lumière, à l'horizon du matin, le découpa parfaitement. De la tête, au torse, à la taille, à l'écart angulaire de ses jambes où, avec aplomb, il sembla se tenir à la surface de l'eau. Éblouie par son bel homme, la promise se mit à trembler. Le claquement de ses genoux s'entendrait bientôt. Elle s'immobilisa un instant sur le pas de la porte où son éclatante toilette mit le feu à l'embrasure. Les *Oh! qu'elle est belle!*

fusèrent de toutes parts… à l'exception de la Minette, l'œil déformé de jalousie.

Les futurs époux ne se quittèrent pas des yeux. Long fil diaphane, leurs regards s'étiraient de l'un à l'autre.

— C'est pas vrai ! Pour moy, tout ça ? considérait l'homme tant de fois dépossédé.

Au bras de son beau-père, la promise descendit la haie d'honneur jusqu'à la grève.

René l'accueillit tout au bout.

— Ma femme, murmura-t-il.

Il tendit la main et orienta sa dulcinée vers le cabrouet. Malgré l'épaisse plate-forme de sa chaussure, un peu de sable s'y infiltra. Elle ne s'en soucia pas. La supportant au coude, René lui facilita le haut marchepied et l'espace étroit jusqu'au centre du siège. Il souleva ensuite sa cheville, enleva sa chaussure, en secoua le sable et la lui remit. La jeune promise ne respirait plus. Une caresse au flanc de la fugueuse, et le défilé s'engagea par la sente. René, trente-deux ans, marcha à côté du carrosse de sa jeune princesse tout en retenant les juvéniles chevaux émoustillés par la parade. Dans les ramures, les oiseaux babillaient. Cet air de gaieté emplit l'atmosphère. Le cortège approchait de l'humble chapelle. La petite cloche soudain se mit à carillonner. Carillonna. Couac, couac ! Les oreilles écorchées, on chercha des yeux. Un couple de corneilles avait suivi la file d'arbre en arbre et entrait dans la ronde.

À l'intérieur, des asters des bois enguirlandaient le lieu du culte. Des verges d'or, dans leurs vases effilés, s'étiraient à chaque coin du petit autel. La messe débuta dans la plus vive émotion. Au moment du prône, le prêtre leur mit les points sur les *i*, à ces jeunes tourtereaux. Dans ce nouveau pays, on avait besoin de bras et de jambes.

— *Ite missa est.*

En appui sur l'autel, l'acte de mariage fut signé. Dans toute sa dignité de seigneur, Monsieur De-la-Bouteillerie s'avançait déjà pour offrir ses félicitations à son intendant-écuyer d'autrefois et à sa jeune dame. Les mariés s'engagèrent dans l'allée. Une vingtaine de pas tout au plus et ils mirent les pieds sur la terre battue. Ceux qui n'avaient pas réussi à trouver place à l'intérieur les attendaient devant la petite chapelle et les applaudirent à tout rompre. Plusieurs accords de biniou annoncèrent l'ouverture des réjouissances. La bonne humeur explosait à gauche et à droite. L'un après l'autre, les invités, c'est-à-dire tout le village, vinrent offrir leurs félicitations au nouveau couple.

— Gêne-toy pas quand tu auras besoin, Jeanne-Marguerite. Tu es vraiment la plus belle, tu sais.

— Penses-tu que tu peux attendre à ce soir, le mâle ?

Les joues de la Jeannette n'eurent pas le loisir de s'empourprer. Elles blêmirent à la vue de la Minette qui, d'un pas lascif, ferma la marche. La femme fatale passa devant le jeune couple, le lacet de son corsage entortillé au bout de son doigt.

Le cortège nuptial s'ébranla, Jeanne-Marguerite et René assis bien en vue sur le siège en velours. À huit heures, la journée s'annonçait chaude. C'était la pleine lune d'août. La réception aurait lieu sur la grève devant la chaumière des beaux-parents.

La marche continua dans le plus joyeux désordre. On rit à gorge déployée. On enterra même le biniou qui s'essoufflait. La vielle à roue de Dupéré se lamentait. De fabrication rudimentaire, elle cherchait la note depuis un bon moment. Mais, à pleins poumons :

Je l'ai vu voler le ruban, le ruban,
Je l'ai vu voler le ruban de la mariée.

Et la bombarde, se relevant d'une éternelle bronchite, reprit à elle seule l'entraînant refrain.

Un mille plus loin, la chaumière rayonna à travers le bosquet de trembles. La voiture des nouveaux mariés s'immobilisa. Autour d'eux, la procession des convives se déploya en éventail sur la plage. La bière d'épinette et le vin de gadelles rouges ne tardèrent pas à couler à flots. Les demi-frères Soucy, Pierre, Tancrède, Ernest et René s'occupèrent du service aux hommes. Les gobelets déposés sur une large planche appuyée sur deux souches s'emplirent à ras bord, et se remplirent. Aux femmes, on offrait de l'eau, le lait sucré en réserve pour la fin du repas.

— Vive les mariés ! s'écria le père Miville.

— Vive les mariés ! répondit la foule, gobelets portés bien haut. Dans un moment de silence, toutes les têtes s'inclinèrent vers l'arrière. Goulûment, on avala un bon coup à la santé du jeune couple.

La Dame Jeanne et des compagnes ne tardèrent pas à se faufiler dans la cuisine. En moins de deux, la table du banquet se retrouva garnie. Comme pour les gobelets, de solides madriers prenaient appui sur des tréteaux à racines. Recouverts avec soin d'une étoffe aux couleurs d'arc-en-ciel, on avait obtenu cette catalogne à partir de teintures en reste. S'étala sous les yeux une table digne de la Dame Jeanne. Pour ouvrir l'appétit, de la soupe aux pois bue à même le gobelet. À gauche, du gibier sauvage en abondance. Tout près, les confits d'accompagnement : bleuets, mûres et framboises. Ce qu'on avait de mieux. À droite, pareil à ceux réservés pour les seigneurs, un couple de chapons, et son indispensable compote aux atocas cuits dans la mélasse. Entre les deux, des miches de pain ovales et de succulentes tartes composée de mélasse toujours, mais épaissie de farine. Pour terminer, des retailles de pâtes, tartinées de corps gras et de sucre, et dorées avant que le four ne perde sa chaleur, retailles dont on s'empiffra même quand on n'avait plus faim et qui rappelèrent l'abondance.

Au pied de cette installation courait une autre catalogne aux teintes sombres donnant un tantinet dans le grand style. Thibourot n'en revenait pas.

— On va se prendre pour Mgr de Laval en personne si ça continue ! V'la-t-y pas qu'on marche sur du drap en pleine nature, *asteure*.

Une fois l'écuelle chargée à ras bord, on atterrit sur le grand mât du naufrage. On invita les nouveaux époux à monter sur le siège du cabrouet. Ce velours, un véritable trône. Même si elle traînassa d'un petit groupe à l'autre, la Minette ne quitta pas René des yeux. Mollement, elle n'arrêtait pas de lécher ses doigts enduits de graisse.

Une fois la tarte à la bise arrivée, Huot Saint-Laurent, le moment propice venu, s'écria :

— Personne ne bouge !

Aux époux, la bouche pleine :

— C'est le temps de s'embrasser.

Quatre lèvres lustrées s'emmiellèrent.

On les applaudit, puis des braves les imitèrent, du bout des lèvres, à peine. Monsieur le curé avait détourné la tête. Il ne prisait pas trop ces pratiques…

Entrez dans la danse,
Faites la révérence.

La *danserie* sauta sur pieds. On ferait une grande ronde pour rassembler jeunes et moins jeunes.

— Main dans la main, cria le meneur. Tournez à droite, tournez à gauche…

Les jeunes jupes pivotèrent, se soulevèrent, tourbillonnèrent pendant que les vieux sabots vissèrent leurs semelles dans le sable, mais pas un regard libidineux n'en perdait un iota.

— En r'foulant… Youou ! En reculant, encore une fois… Youou !

Le boute-en-train rythma du pied, tapa des mains.

— La chaîne des hommes… Et faites tourner votre compagnie !

Si, en cours de route, la danse avait perdu quelques joueurs, le son du rigodon les garda autour à battre des mains. Jusqu'à ce que les cordes, elles-mêmes, perdent de l'entrain. Les doigts s'essoufflèrent.

Un bon moment à se racler les entrailles, puis les instruments rappelèrent les noceurs pour le fameux branle des mariés. Selon la coutume, le plus adroit cherchait à enlever à la jeune épouse un de ses souliers et la mariée passait d'un danseur à l'autre, essuyant quolibets et railleries. René s'opposa à ce jeu. Sa Jeanne-Marguerite ne deviendrait pas objet de ridicule. L'élan se refroidit jusqu'à ce que la bonne humeur prenne un autre tournant où l'on s'amusa davantage. De la sueur, des joues rougies comme des pommes d'amour, et des collets déboutonnés jusqu'au déclin du soleil.

Avant de prendre le sentier du retour à la maison, la litanie des bons vœux pour toute la vie revint en force. Les nouveaux époux dormiraient sous le toit du beau-père François Miville. Ils y demeureraient jusqu'à ce que René achève la construction de sa première cabane.

— Trêve de corvées pour vous, les mariés. Aujourd'hui seulement, blagua la mère Jeanne.

Le couple alla faire une longue promenade sur la grève. Jeanne-Marguerite avait revêtu son seul châle et René son unique justaucorps. Le serein tombait tôt au mois d'août.

— Hé ! René, tu iras jeter un coup d'œil aux animaux avant de rentrer, lui cria Miville, d'une main pendue au cadre de la porte, la hanche appuyée au châssis.

Un sous-entendu qui ne dupa personne en âge de comprendre.

— Remarque que la *tasserie* sent ben bon à cette heure-ci. Pis, elle est bourrée de foin frais presquement jusqu'au toit.

René se retourna, avec un air de dire :

— Ça va, le beau-père, tu repasseras pour les conseils.

Hanche contre hanche, les amoureux marchèrent à petits pas accordés. Ils optèrent d'abord pour la visite aux bâtiments de ferme. René poussa la porte de la grange. Le portrait de Michaux-Michaux réapparut, mais d'une vive tape au mur, René lui colla son fantôme à l'extérieur pour la nuit.

— Tu as pas été foutu de te montrer le bout du nez à mon mariage, reste dehors, le cadavre.

Sa belle avait sursauté.

— Sans importance, Marguerite, viens.

Tout près l'un de l'autre, les nouveaux mariés grimpèrent l'échelle menant vers le toit de la grange. Là-haut, l'odeur chaude et concentrée du fenil se fit tout accueil. Fébrile, la très jeune épouse se pencha, étendit son châle sur le foin. Combien de fois auparavant avait-elle répété ce geste dans sa tête ? René contempla Jeanne-Marguerite, savoura chacun de ses mouvements. Il lui tendit sa veste. Seuls enfin ! Debout, les amoureux s'étreignirent. Leurs genoux fléchirent et ils se laissèrent tomber sur la couche. Dans l'emportement, le corsage de Jeanne-Marguerite valsa de gauche à droite. La chair soupira, soupira longuement, du cœur jusqu'au bout des orteils. La plante du pied se voûta. La cheville trembla. Le courant remonta le long de la jambe, du mollet, du genou raidi. Du galbe de la cuisse, la jupe s'écarta peu à peu, comme des lèvres un sourire malicieux. D'un même

élan, les époux se soudèrent l'un à l'autre et y demeurèrent. Y demeureraient pendant l'éternité.

Lorsqu'ils retournèrent à la cabane, le jour venait de
s'éteindre. Seule, une bougie allumée les attendait sur la
table au centre de la pièce. La famille venait tout juste
de prendre place sur les grabats alignés. On cherchait le
sommeil. Sur la pointe des pieds, les jeunes époux vinrent se coucher au bout du rang. Ils s'enlacèrent comme
des pieuvres. Les bras croisés sous la tête, les garçons
étouffèrent un rire nerveux.

— Bonne nuit, tout le monde, soufflèrent les
parents.

Un profond sommeil apaisa la maisonnée.

Le lendemain, René et Jeanne-Marguerite sautèrent
debout les premiers. Avant de venir ensemble prendre le
pouls de leur nouvelle terre, ils repassèrent par la grange
et le fenil.

— Des écureuils, ces deux-là ! dit le père Miville,
enfin sorti des vapeurs de la nuit. Eux autres, resteront
pas longtemps sous notre toit.

— Pourvu que ma Jeanne-Marguerite prenne pas
froid, bâilla la mère.

CHAPITRE 17

La terre et l'enfant

PREMIER JOUR de leur vie commune. Une terre en bois debout aux multiples essences se tint devant eux comme une présence réelle. Droite, carrée, mystérieuse. Expert en prospection, René l'entrevit clairement. Quatre arbres plaqués aux quatre coins la délimitaient. Dans sa vision intérieure, ils surplombaient les autres, ressortaient comme quatre colonnes.

— On dirait qu'elle fait la fière, dit René comme pour lui-même.

— Qui ? Moy… qui fait la fière ? releva la jeune épouse.

— Taquine, à matin, elle… La forêt que je veux dire, notre forêt. Peut-être bien qu'elle te ressemble au bout du compte.

— Il n'y a rien de plus sûr. Hier encore, elle était à moy toute seule, cette terre. Mais je veux bien partager. Pas trop quand même…

— Ma petite démone ! J'y pense, puisque tu sembles vouloir en garder le plus gros morceau, tu pourrais refaire le petit pont qui nous y amène ?

Pour empêcher sa réponse, l'homme attira à lui sa femme. Encore une fois, sa belle Marguerite se blottit dans ses bras. Tempe contre tempe, ils regardèrent dans la même direction.

— Vois-tu l'écorce de ça, ma femme ?

— Non, moy, je vois rien que toy.

— Voyons donc !

Il la chiffonna un peu.

— Une écorce nette partout que je voulais dire. Une terre parfaite ! Comme toy.

— Trop fin !

La charmante Rivière-Ouelle chantonnait à leurs pieds. Sinueuse, féminine elle aussi. Tout près, un corps mort servait de traverse. Les faucheurs d'Iroquois passaient par là ; par ce pont improvisé que Jeanne-Marguerite devrait refaire selon son nouvel époux. Un mulot dérangé par leur présence leur rasa la bottine. Tant de promesses réjouirent les nouveaux époux. Avec quelle infinie tendresse, ils se sourirent.

— Tu vas décider, ma femme, où tu aimerais avoir notre chaumière.

— ...

— Aurais-tu perdu la langue ?

Elle déposa entrouverte sa bouche peu chaste sur la sienne.

— Pas le temps de penser à ça.

Les mains de René encerclèrent sa taille. Ses doigts, des stigmates dans sa chair.

— Si je peux te donner une idée, reprit le mari.

— Quelle sorte d'idée ?

Il la pressa contre lui avec tellement d'ardeur que...

— Ça prend combien de temps avant de mourir d'asphyxie ?

Il grogna. Il l'aurait dévorée sur les lieux.

— Ouille !

Il avait commencé…

— Pas trop loin de la rivière, se calma-t-il. Les petits pourraient aller nous pêcher du bon hareng tous les jours.

D'un air câlin, la mère en devenir ajouta :

— Tu ne trouverais pas dangereux d'élever des petits trop près de l'eau ?

À cette heure, le danger ne se trouvait pas où l'on pense.

Peu importait ce que le bon père jésuite avait prôné durant la cérémonie religieuse, Jeanne-Marguerite adorait son homme autrement que pour les bienfaits de la colonisation. Depuis des mois, elle n'avait eu de pensée que pour lui. Dans moins d'un an, elle lui donnerait sûrement un marmot.

— Il y en a peut-être déjà un sur le métier, avança-t-elle avec un sourire dévastateur.

Le visage de ses dix-sept ans illumina le paysage. Un beau visage tout neuf, neuf comme ce pays tout neuf. Se tenant par la taille, le couple retournait prendre la bouchée du matin chez les beaux-parents. Ils firent un autre détour par le fenil.

Comme à Kamouraska, René explosait d'ardeur au travail. Il procéderait avec la plus grande circonspection. Cette terre-ci nourrirait ses enfants. Elle devrait produire le plus possible. Et de l'autre à Kamouraska, il pensa qu'elle prendrait toute son importance plus tard au service de ses enfants. Entre-temps, elle demeurait son bien. Il la possédait.

Le déboisement du lot tout neuf allait bon train. Les premières semaines, il avait demandé l'aide de son beau-père et de son beau-frère Tancrède afin d'établir un corridor tout autour de son territoire, pour le découper de la grande forêt.

Un large chemin courait maintenant tout autour de sa terre. Le bûcheron laissa tomber le bûcheronnage et s'attaquait au dégagement du sous-bois. Les fardoches, très peu pour lui ! Sa terre serait propre comme le plancher de sa femme. Il commencerait, de toute évidence, par le débroussaillage du lieu de leur future demeure avec ses dépendances. Pour le moment, une belle grande cabane pour sa Jeanne-Marguerite et une étable. René, sans attendre, se mit à l'effardochage. Il nettoierait en cercle. À grandes poignées, il déracina les vigoureuses repousses au pied des arbres.

— Ça revient moins vite que de les couper.

Le rond s'agrandit autour de lui. Mais lorsque, dégoulinant de sueur, René levait les yeux au loin, les broutilles semblaient augmenter.

— *Tudieu !*

Tudieu ! Illusion d'optique ! Plus le regard porte loin, plus on voit grand, plus le travail augmente. Cette corvée de nettoyage aurait fait dire à Duplessis, son vieux philosophe de voisin :

— Quatre arpents à effardocher, c'est de l'effardochage, ça, monsieur. Surtout si tu veux le faire d'un coup sec.

Au fur et à mesure de son travail, tout conifère pouvant convenir à la construction de sa demeure tombait sous sa hache.

— Faut pas non plus que j'oublie de me fabriquer une échelle pour monter sur le toit.

Il s'encouragea d'une image mentale :

— Vingt pieds de haut avec deux épinettes et des petits rondins pour les échelons.

— Oublie pas d'écorcer au fur et à mesure, le jeune, lui conseillait Duplessis qui, du nord-est, s'avançait à pas de vieux loup. Passé la fin d'août, très difficile de déshabiller un arbre, tu sais. Mais, j'crois ben que t'as déjà un peu d'expérience dans le déshabillage, à présent...

— Voyons le père, vous allez me déconcentrer, là. Mais, vous marquez un point. J'avais presque oublié, pour le bois, s'entend.

Le jeune bûcheron, d'un œil rapide, fit le tour du terrain à la recherche du premier arbre abattu et vint s'attaquer à l'écorçage.

— Tu vas manquer de salive pour me parler, si t'arrêtes pas un peu, ajouta le vieil homme.

— ...

— Salut !

— Pas d'offense, le père ? Ça presse...

— T'as toute la vie, le jeune.

— Ça presse pareil.

— En tout cas, prends mon conseil. Tu ferais ben de pas faire la même chose pendant quatre heures d'affilée, si tu veux pas t'ouvrir le corps. Pis, travaille pas accroupi parce que le monde va se mettre à tourner autour de toy, et ça sera pas long.

Traversant son propre lot déboisé, le cinquantenaire pensait :

— Ah ! la jeunesse, c'est si plein d'ardeur, mais ça sait pas travailler Surtout, ça sait pas s'arrêter quand c'est le temps.

Si le jeune habitant voulait une terre bien débarrassée, il lui faudrait mettre le feu aux copeaux et aux fardoches au fur et à mesure.

— Propre en tout temps, se promit-il. À part ça, que ça jette un beau coup d'œil.

Avec le bois mort et les copeaux, il monta au fur et à mesure des petits feux. Quand, à l'aide d'une longue branche, il soulevait les fagots pour les alimenter en oxygène, il se revit enfant, dans la forêt d'Archigny. Sa bouche grimaça ; il n'aimait pas ce souvenir précis. L'adulte alla fourgonner un autre monticule. La vision le rattrapa. L'enfant était couché au pied d'un arbre, la nuit. Intenable malaise. L'homme se déplia et vint aérer un troisième amas. Pour comble de malheur, pendant que le petit dormait à travers des broussailles, on lui subtilisait ses parents. Brûlure au cœur ! René bondit sur ses pieds et respira longuement. Sa poitrine abaissée, il reprit, minutieux, le ratissage des plus petites fardoches. Tout ce qui traînait encore passerait par les flammes, y compris son propre chagrin. Plus le moindre bout de bois ne viendrait embourber sa vie, ni l'enlaidir. Sous-bois rasé, pas de maraudage possible. Pas de vols, pas de grands vols. Qui a-t-il de pire qu'un rapt de parents ? Le grand mal dans une vie d'enfant. Dans sa vie. René se promit d'être toujours là pour ses petits. Il les protégerait sans relâche contre l'abominable, dût-il mourir à cent vingt ans. La pensée de sa marmaille à venir, tel un baume sur sa souffrance, fit naître en lui des sentiments plus heureux.

— Jeanne-Marguerite, murmura-t-il.

Un jour, un peu avant midi.

— Vous êtes bien le gendre de François Miville, lui lança un voyageur de commerce en s'approchant.

Il lui tendit une main, et de l'autre une *Feuille de chou.*

— Quelques conseils pour les nouveaux agriculteurs. De Kébek. Enchanté.

— ... de même, répondit Plourde.

René prit la feuille et se vit offrir un onguent antiseptique pour le pis des vaches à lait en plus des graines de semences qui ne dataient pas. René accepta l'onguent, mais il avait déjà les graines nécessaires.

— Ça sera pas pour tout de suite, mais repassez au printemps.

Le nouvel agriculteur tourna le dos et rentra manger, la feuille à la main. Tout haut, il fit la lecture de ces informations de base. Jeanne-Marguerite écouta sans broncher.

« Quel homme », pensa-t-elle.

— « Le feu, les cendres et la potasse des cendres adoucissent la terre quand elle est acide. »

Toute terre neuve l'était. Le vieux Duplessis, vif aux conseils, lui aurait dit que le premier hersage replacerait tout. Ses pensées filèrent à la cadence de ses gestes rapides. Le nouvel époux calcula qu'avant la Toussaint, il serait prêt à faire appel aux voisins. Pour une corvée, comme on disait. En peu de temps, la charpente et les murs de son chantier s'élèveraient. Personne ne lui refuserait ce coup de main, une fois les récoltes engrangées. Les coutumes de ce pays obligeaient.

L'ambitieux Plourde planifia. Il lui arrivait de dépasser l'heure des repas. La première fois, la nouvelle épouse, midi révolu, dit à sa mère.

— J'vas lui porter un petit quelque chose, Maman.

— Il veut sans bon sang, celui-là !

D'un pas rapide, Jeanne-Marguerite marchait vers la forêt et la traverse branlante. De loin, elle aperçut René à travers les arbres.

— Houhou !

Malgré sa hâte d'arriver jusqu'à lui, elle dut ralentir, prendre garde au goûter. Les fardoches au niveau de la taille, René lui décrocha un de ses plus beaux sourires. Ses yeux lui parlaient de ciel si bleu. À une branche élevée, il suspendit au-dessus d'une petite flamme la cantine remplie d'eau. Du thé noir, du thé bouilli, du thé fort. En attendant le thé qui goûtait, ils s'assirent cuisse contre cuisse sur une épinette avoisinante.

— Bon en *tudieu* ! dégusta le jeune époux, mais pas aussi bon que toy !

Les genoux du milieu se comprimaient, à n'en plus faire qu'un. Une articulation hybride qui rougit puis blanchit sous la pression.

De jour en jour, René éclaircissait son premier arpent de terre. Il poussait jusqu'à la brunante, mais avec méthode.

— Toujours le dernier à revenir du champ, celui-là, s'impatienta la mère Jeanne souhaitant le voir rentrer en même temps que Miville.

— Vous êtes pas contente, Maman, d'avoir un gendre vaillant.

— Ça retarde le souper. Puis, tu sauras, ma fille, que mon Miville, aussi, est vaillant.

— Prenez-le pas comme ça, Maman. C'est pas ce que je voulais dire, vous le savez bien.

Le deux novembre, après la cérémonie religieuse du jour des Morts, tous les habitants du coin prirent la direction de chez Miville où ils prêteraient main-forte au gendre Plourde. René se disait que la vie, elle-même, prendrait ses ébats sur son chantier en construction.

— On leur prouvera à nos défunts à quel point la vie est forte. On lui montrera à ce destin ce que la vie peut faire et que, malgré ce qu'on en pense, la vie reste la plus forte.

Comment ce jeune époux osait-il braver la mort ? Sur le toit, le gaillard sifflota, fit résonner le bois à coups de masse tandis qu'au bas des murs, Dancosse et son jeune fils s'occupaient du calfeutrage.

— Mon gars, tu vois le tas de mousse de roche là-bas ? Va m'en chercher une brassée.

— Pas toute sèche, lui cria Nicolas.

- - Apporte celle du dessus.

Le garçonnet revint avec un mulon de mousse de sa grosseur. Des petits tas s'épinglèrent au feutre de son habit.

— Tu vas me boucher tous les trous, un après l'autre.

— Les petits petits aussi ?

— Surtout les petits, mon garçon. C'est par les petits trous que la mort entre.

René redressa la tête, son maillet paralysé dans les airs. Qui donc parlait de mort en cet instant ? Non, la vie battait trop fort en ce lieu pour parler de sommeil éternel. Le bras de l'homme qui avec bonheur commençait à peupler sa solitude s'écrasa lentement sur l'insouciante cheville de bois.

— Vérifier les petits trous avant chaque hiver, ça sera pas de trop. Faudra pas que j'oublie.

Il continuait de voir à la bonne marche des travaux.

Cette pensée le tracassa toute la journée.

— On ne joue pas avec la mort.

Il se répéta qu'il devrait faire preuve d'une extrême vigilance. N'allait-il pas donner des enfants Plourde à la Nouvelle-France ? Il ne voulut pas inquiéter sa Marguerite. Seulement…

— Hé l'ancêtre, hors de ma vue. Veux pas vous voir la face aujourd'hui.

René se refusa également de faire part à sa femme de cette autre réflexion. Il voyait plutôt à s'occuper des gars de son mieux.

— T'inquiète pas René, on sait tous quoi faire, l'assura Dancosse.

Pas la première corvée de leur existence, pas la dernière non plus. Des corvées, ces hommes en avaient vu une et une autre. Tous les bâtiments qui se respectaient ici provenaient d'une œuvre collective. Les coins de son chantier les plus difficiles, René se les réserva. Les fantaisies de sa Jeanne-Marguerite, il s'en occuperait personnellement.

Pendant une semaine, la jeune épouse et sa mère virent à alimenter ce bataillon du sud de la Rivière-Ouelle en parade entre leurs quatre murs deux fois par jour. Ma foi! il faudrait manger debout sur ses deux pattes.

— Fèves au lard à volonté, claironna la mère Jeanne.

Dans un silence avide, on engloutit platée sur platée de ce délice. Suivit dans l'écuelle, du pain noir dégoulinant de mélasse tout aussi noire. L'appétit satisfait, les blagues fusèrent de part et d'autre et on rit un bon coup. Au grand air, on but son gobelet de thé. Cet attroupement ne sembla pas incommoder le père Miville pour deux sous. Il avait l'air de valser de l'un à l'autre, comme s'il avait la patte à la gigue. Ces rencontres donnèrent à ses vieux jours à l'horizon un coup de jeunesse. À chaque respiration, sa poitrine se soulevait de fierté.

— Il fait fichtrement chaud dans ta cabane, le bonhomme!

— Tu chauffes trop, on dirait.

La chaleur humaine ou l'énergie de la fève?

Le père Miville inspira le compliment jusqu'au creux de ses poumons. Ses omoplates se soulevèrent. Le bonhomme s'enorgueillissait.

René ne cessait d'éclaircir sa terre. L'année 1698 apporta un dur hiver. Malgré tout, le mari empoignait sa hache et partait bûcher. Chaque jour, d'un soleil à l'autre. La neige étouffait ses *han!* à répétition, mais les arbres tombaient. Tous ébranchés et billés avant son retour à la maison le même soir. Il attendrait le printemps pour entasser ce bois et y mettre le feu. Gare aux étincelles, toujours ! Il suffit parfois d'une seule flammèche pour ruiner un homme. Cette décision de voir le bout de son ouvrage la journée même continuait de retarder le repas familial du soir.

— Ça ne sera pas pour longtemps, Maman. Il est tellement ambitieux, tenta de lui expliquer sa fille si éprise.

— Ambitieux ou pas, ça dérange les habitudes, rétorqua la Dame Jeanne, mécontente.

Au dégel, alors seulement René pourrait-il entreprendre le nettoyage du terrain. Oui, sa terre serait une terre propre. Fière comme lui ! À la fin mars, il avait déjà mis deux arpents et quart en valeur.

— Faut que je parle à Miville, se dit-il, penché sur sa hache.

— Le beau-père, peux prendre vos bœufs pour charroyer mon bois ?

— Sont à toy, tant que les semences sont pas arrivées.

L'homme travailla comme un bœuf. Vint ce premier grattage du terrain entre les souches. De façon sommaire. Le printemps ne dure pas toute l'année, ni toute la vie. Pas question d'épierrer tout de suite, à part les petits cailloux lancés en monticules. Il verrait aux plus gros l'an prochain. Cette terre vierge, par contre, se révélait deux fois plus difficile à piocher. Les pierres faisaient souvent rebondir la pointe de la pioche. Un réel danger pour les yeux. Quant à l'essouchage, on n'y pensait même pas la première année. Patience ! Jusqu'à trois ou quatre ans pour les souches les plus coriaces. Les racines devraient pourrir sur place avant même qu'un attelage de bœufs n'arrive à les extraire de leur trou.

Avec bonheur, la nouvelle saison tint ses promesses. René et Jeanne-Marguerite en profitèrent pour emménager sous leur nouveau toit. Comme il s'agissait de sa deuxième cabane en bois rond, le mari l'avait divisée en trois pièces au lieu d'une seule. La plus grande servirait de cuisine en bas. En haut, les deux autres : un petit antre cloisonné où lui et sa femme dormiraient, et une autre chambre, plus grande où tous ses jeunots s'aligneraient sous la même catalogne à la recherche de la chaleur des uns des autres et de la dernière attisée, un instant immobile sous les combles. On y accédait par des marches collées au mur du fond. De nouvelles petites commodités plurent beaucoup à Jeanne-Marguerite. Un château ! Pour la dulcinée de la Rivière-Ouelle : le château de la Belle au bois dormant du Bas-du-Fleuve.

— Écoute-moy bien à part ça, ma femme. Un jour, tu l'auras ta demeure en bois équarri, avec ses belles lignes blanches entre les plançons comme celles du manoir. Le jure sur la tête de mon ancêtre.

— Pas nécessaire, René, c'est plus qu'il m'en faut.

René dénoua les cordons serrés de sa bourse de prospecteur. La première année, il s'acheta quelques poules, une truie et un verrat, en plus d'une vache à lait. Il savait qu'une vache s'avérait un réel trésor pour un cultivateur.

— À elle seule, elle me fera épargner piastre sur piastre.

Nul besoin d'acheter du lard, du beurre, du fromage, des chaussures, de l'engrais… Et un petit veau tout neuf à la fin de l'année. Un jour ou l'autre, il ferait la joie de ses enfants.

Une vache canadienne, sa Mariette, fut mise à brouter à la lisière du bois. Clochette au cou. Dong! Notes champêtres, lointaines qui faisaient tressaillir l'oreille du fermier. Doux et mélancolique bonheur. Heureuse dans son pacage tout neuf, une simple clôture d'embarras interdit à Mariette l'accès à la forêt.

— Et Mariette ne m'aura rien coûté de l'été, se réjouit le nouveau fermier. Son petit lait aide même à engraisser le cochon.

L'anecdote de Rosinette, le cochonnet de la petite Clémence, vint faire son petit tour dans sa mémoire; il y a des choses qui ne s'oublient pas. Ce qu'il gagnait avec la traite valait la moitié du prix de sa vache. Son Mousquetaire ne pourrait plus lui reprocher son ignorance en calcul. Il leva les yeux vers sa montagne, comme pour le défier… Son ancêtre restait coi à présent. Son « petit » avait trouvé son allant. Il n'avait plus besoin de lui.

Pendant qu'il préparait les semailles en piochant tout en sueur entre les souches, il échafauda son plan d'action pour l'année entière et pour sa longue vie. Le soir après le souper, le mari fit part de ses projets à sa jeune femme.

— Quand je pense à l'âge que tu as, ma pucelle…

— Attends qu'on se couche, je vas te montrer si je suis encore pucelle. À moins que tu aies perdu la mémoire, mon vieux ?

Son vieux savait encore que semer des légumes, la première année, valait un labour. Une place toute neuve rend au maximum, ameublit la terre. Donc, le jardin recueillerait le total de ses efforts. Lui et sa femme mettraient à pousser tous les légumes possibles.

— Un quart d'arpent de jardinage payait mieux que deux arpents d'avoine, dans le bas du fleuve, lui faisaient remarquer les anciens.

Lui, René, se contenter de si peu ? Jamais. Il ensemencerait un arpent au grand complet. L'hiver venu, sa femme ne manquerait de rien. Il lui réserva la surprise d'un carré de marguerites des champs en permanence à chaque coin.

— Pour parer aux coliques du petit, lui affirma-t-il, un sourire en coin.

Des carottes, des choux, et tout ce que sa femme voudrait. Il les voyait déjà s'élancer vers le haut, vers plus haut. Les queues de carottes sortaient de terre, les feuilles de choux s'étalaient autour de leur pomme, et la jeune fermière en promenade au milieu des rangs humait. Il n'oublierait certes pas d'inclure un peu de blé d'Inde pour ses animaux. À travers ces plants de maïs, trois, quatre ou cinq graines de citrouilles étaleraient leurs grosses fleurs jaunes sous leurs grandes feuilles.

Plus tard, après l'épluchette commune où les voisins se plaisaient tant, le nouveau fermier Plourde entasserait avec soin les longues tiges desséchées afin de les mettre à profit le moment venu. Tard l'automne, elles serviraient à fumer son porc grassouillet. Une fois bien jambonné, il passerait à la cuisson aux grandes fêtes. Embaumerait dès l'ouverture de la porte au souper.

Quant au reste de la terre ameublie, il reçut deux minots d'avoine avec de la graine de mil. Sans oublier un autre minot de pois dispersé à travers le tout, pour épaissir la soupe. Le pois, un aliment de base pour tous ces fermiers. Un aliment miracle, disait encore la *Feuille de chou*. L'avoine, principale récolte coupée en vert, servira avec les petits légumes, blé d'Inde et citrouilles, à hiverner sa Mariette. Fait bien connu, l'avoine augmente la quantité de lait des vaches. Par contre, faire attention à la paille, car elle rend le lait amer et gâte le goût du beurre, ne manquèrent pas de lui rappeler Jeanne-Marguerite et sa belle-mère.

On ne vantera jamais assez les vertus de cette merveilleuse avoine, ajoutait l'imprimé, qui donne au cochon, avec le maïs, un lard plus ferme. Aussi elle engraissait bien les volailles, améliorait leur ponte et plus à bonne heure. Sans oublier les galettes substantielles pour sa petite famille.

Toutes ces affirmations se révélaient des plus encourageantes. Cet intérêt le tenait en haleine. Dès trois heures du matin parfois, il commençait à s'activer.

Le ventre de Jeanne-Marguerite imita les bourgeons du printemps. Chaque jour, dans les arbres, de nouvelles petites mains s'entrouvraient, accueillaient. Au moindre souffle, verdâtres ou rougeâtres, elles saluaient les passants, la tête renversée d'admiration et la gorge remplie d'espoir. La jeune femme, elle, contempla la rondeur de son ventre. Son printemps à elle fleurissait entre ses deux hanches. À cinq mois de sa maternité...

Durant la saison des beaux jours, Jeanne-Marguerite, vers les quinze heures, allait voir son homme au champ. Elle lui apportait sa petite galette de semaine et de l'eau.

— Pas trop d'eau, c'est pas bon pour un homme en sueurs.

René salivait à l'avance.

— Cette galette-là, dans le champ, est comparable à rien d'autre, ma femme.

La pointe de sa langue allait lécher les dernières graines demeurées sur ses lèvres. Du bout de la sienne, sa femme venait à son secours.

Aujourd'hui, Jeanne-Marguerite tardait.

— Vous êtes deux minutes en retard, ma Dame. Regardez.

René levait la tête vers le soleil. Sa femme, éblouie, l'imita.

— Vois rien que des petits ronds.

— Moy aussi, mais là, y'en a deux de plus...

— Fais pas ton fin-fin.

— T'aime pas ça quand je fais mon fin ?

Il l'attirait à lui résolument. Elle lova son ventre tout au creux du sien.

— Oups ! mon petit René qui frémit là-dedans, ou qui s'impatiente.

— Espèce de petite sorcière ! Tu sais ça d'avance, toy ?

— Mon petit doigt !

— Ouais-oui, c'est bien connu que les mères ont des petits doigts pas comme les autres.

Le jeune père lui compressa le creux des reins.

— Tu vas lui renfoncer le nez si tu continues.

Après avoir mordillé le bout des doigts de sa jeune épouse, le jeune époux, de sa bouche encore, lui enleva l'usage de la parole.

Dès qu'elle eut droit à son *respir*, Jeanne-Marguerite ajouta :

— Quand est-ce qu'on commence le jardin, René ? J'en vois jusque dans ma soupe, des petits pois, des carottes qui goûtent le soleil.

— C'est pas la bonne place ?

— Grand fou !

Il resserra son étau.

— De quoi est-ce qui s'impatientait déjà, le petit ?

— De lait, de purée soleil, de jardinage, pour être plus clair. Vite, René ! Donne-moy une date.

— Le jardinage, c'est pas une affaire de bonne femme, ça ?

Marguerite s'offusqua. Elle qui n'avait que dix-sept ans n'apprécia pas de se faire traiter de bonne femme comme sa mère et ses compagnes plus âgées.

— Fou à lier, le bonhomme. Grand fou, que j'te dis !

— Serait peut-être possible que le grand fou de sa Dame vous bêche un petit coin, par là, pointait-il. Est-ce que entre ces souches ferait votre affaire, Dame Plourde ?

— Au franc soleil ? On ne peut pas trouver mieux, maître bêcheur !

Ses trois longues jupes firent volte-face. Un tournis bourgogne sous le nez de son époux dont les narines s'écartèrent de délices. Tout parfum de sa femme le rendait fou. Jeanne-Marguerite marcha résolument vers sa chaumière. René, avec tendresse, la suivit des yeux. Elle ne se retourna pas. Ce regard qui soulevait l'ourlet de son jupon blanc la supportait, lui donnait des ailes à elle et au petit en elle. Le long fil diaphane de leurs amours s'étirait sans faille de l'un à l'autre. Le vrai bonheur s'installait enfin dans la vie de René. Pour de bon.

Vlan ! Des broussailles en fête voletèrent sous un solide coup de pioche. Le premier potager s'ébaucha à l'arrière du « château de la Belle au bois dormant du sud de la Rivière-Ouelle ».

Conquis par la richesse de la terre sous sa pioche, René, le soir, revint à la maison à grandes enjambées.

— En dessous de ces merisiers et de ces frênes, ma Jeanne, deux pouces d'humus. Jamais vu de la bonne terre brune comme ça. À la grandeur ! Pas d'aussi belle dans toute la seigneurie de Kamouraska. Une chance que De-la-Chenaye voit pas ça, il monnayerait fort pour l'avoir cette seigneurie-ci.

Marguerite l'écouta, l'aima de tous ses yeux.

— Vous allez avoir des navets gros comme des lanternes, ma chère. Comment disiez-vous déjà, ma petite institutrice ? Gar-gan-tuesques ! égrena-t-il, avec difficulté

— Jésus-Marie-Joseph, s'exclama Jeanne-Marguerite. Piocher t'a remué la cervelle, toy. Ça fait longtemps qu'un mot long comme un cornichon ne m'a pas traversé le coco.

— Une syllabe après l'autre, qu'il faut dire, ma chère, genre o-no-ma-to-pées, vous souvient-il ?

— Jésus, Marie, Joseph, s'étouffa Jeanne-Marguerite.

— T'en bouche un coin, hein, ma donzelle ?

Il se précipita sur elle comme s'il allait l'avaler toute ronde.

— Ouain, mais pas le coin de mon jardin.

Elle avait bondi à gauche, mais n'avait pu l'éviter. Il avait pressenti qu'elle n'irait pas à droite. Elle ne suivait pas le courant des choses. Futée sa petite institutrice, sa femme, son épouse, son amour.

Pour avoir une mince chance à la parole, elle appuya ses deux coudes contre ses pectoraux.

— Maman va me passer des graines, elle me l'a promis. Radis, carottes, navets, concombres, choux, oignons, et plein d'herbes : de l'angélique, de la sarriette…

— Tiens donc ! Ma Dame veut faire de la fantaisie. Des fines herbes, ça fait pas des gros bras.

— Non, mais ça garde la panse en vie. Cette Dame, aux petits soins avec son chevalier, voudrait bien aussi le garder dans son lit. Et encore, de la salade…

— Arrête, arrête, tu sèmes plus vite que j'arrive à piocher. Autour des souches, c'est pas toujours commode.

— Puis, des capucines pour faire pourrir la vilaine souche qui déguise l'entrée.

René savait comment la faire *étriver* : il lui rapetissait la superficie de son jardin, de pathétique façon.

294

— La première année, un quart d'arpent, ça serait pas assez pour une femme de ton genre ?

— C'est vrai, faut que je me calme, hein René ? On a toute la vie, comme on dit, hein, mon gros crapaud ?

— Oublie pas que des gros crapauds, ça fume du gros tabac. Tu prendras le mien. Mes graines à moy. Du bon *Canadien* que j'ai en réserve. Comme plein d'autres sortes de graines. que tu avais pas besoin de demander à ta mère.

— Tu ne m'avais pas dit que tu avais des graines en réserve.

— Te dis pas tout, mon petit chouchou.

Non, en effet, tant de choses rapportées de la mère patrie dont elle ne savait rien.

— Cachottier ! Où t'avais déniché ça ?

— Le métier de prospecteur, ça mène à tout.

Cet homme ne cesserait jamais de l'étonner, de la ravir.

— Il est mon plus beau livre d'histoire, déclarait l'amour.

Plus merveilleux que l'école de sa mère. La princesse endormie aimait cette partie de son ignorance. Elle se réveillerait jour après jour dans cette extase de lui.

— Y a-t-il autre chose que tu me caches, toy ?

— Qui vivra verra…

— Le sacripant !

À son tour, la couette de René subit l'assaut.

— Ouille !

Il grogna de nouveau.

Elle se sauva. Elle avait le souper à faire.

Un jour, Jeanne-Marguerite travaillait dans son potager. Elle avait enlevé, piqué, et rechaussé des petits plants tout l'après-midi. Son homme vint faire cas de son travail.

— Tu as de la terre jusque sous le bonnet, Marguerite. Jamais vu ma femme aussi sale.

— Se salir ou se purifier, c'est selon, avec la terre.

— Oh ! pardonnez, ma Dame, fit-il en prenant de grands airs. Ma Dame a de profondes réflexions aujourd'hui.

La Jeannette éclata de rire comme au temps de la Minette. René revit les deux copines près du bivouac le jour de son arrivée. Elle adorait encore quand son René tirait du grand.

Déjà les feuilles d'érable commençaient à roussir. Le soir du dix-sept août, René revenait du champ plus tard que d'habitude. Il avait bûché d'ambition à se défaire les entrailles. Jeanne-Marguerite l'attendait à la porte.

— Va chercher Maman, René. Le travail … Commencé.

— Non… oui… peux pas te laisser seule.

— Du temps, en masse. Va, de suite.

La belle-mère, à petite vitesse, avait piqué en ligne droite à travers champ. Le visage rougi par l'effort, elle pénétra dans la cabane. Le futur papa, tel un grand cerf, eut tôt fait de rebondir auprès de sa biche en souffrance.

Devant l'inconnu, les deux femmes maintenant s'encouragèrent.

— Tu vas voir, ça va aller, ma grande…

— Maman !... se tordit sa fille unique et adorée... Maman !

Une nuit et un accouchement interminables, Jeanne-Marguerite mit au monde son premier enfant. Les contractions n'ouvrirent pas assez la voie. Coincé, le petit se présenta par l'épaule gauche...

— Vite, vas chercher Dame Deschênes, dit la grand-mère à son gendre.

À deux heures du matin, le heurtoir retentit sur la porte de la sage-femme.

— Ça tarde, observa la *pelle à feu*. Sais pas ce que le petiot va dire de ça ?

Enfin, Jeanne-Marguerite livra au monde son petit, un bébé bleu, le cordon autour du cou, toujours vivant, mais à peine gémissait-il. En détresse, les yeux de la mère se révulsèrent. Pendant que les bassines d'eau chaude faisaient la navette entre la cheminée et le petit lové sous l'aile de sa maman, la Mère Jeanne de son index rugueux écrasait sa peine sous ses paupières rougies :

— L'ai toujours dit que ma fille était pas faite forte. C'est pas une grosse nature, ma Jeanne-Marguerite.

Le lendemain de l'accouchement, la bonne femme Levasseur, sortie tôt prendre le pouls du temps devant sa porte, n'aperçut pas René au loin.

— Guillemette, va voir si Jeanne-Marguerite...

Sa grande fille, mariée depuis la lune de juin, ne se le fit pas dire deux fois. Sa mère n'avait pas terminé sa phrase qu'elle accourait comme autrefois vers sa grande amie. Depuis le mariage de Guillemette avec le demi-frère de Jeanne-Marguerite, la rivalité entre les deux jeunes femmes s'était dissoute. Elles avaient fait la paix et étaient redevenues les meilleures amies au monde… Comme avant René.

— Reviens vite me dire si le petit est en chemin, lui cria-t-elle en refermant la porte.

Le petit René V fut porté au baptême par son père onze jours après sa naissance. Guillaume Soucy et Marie-Madeleine Thiboutot étaient de cérémonie.

— René, je te baptise au nom du Père, du Fils et du Saint-Esprit, dit le père de Réqueleyne.

À l'instant même, au-dessus des fonds baptismaux, la vie quitta le corps fragile. Une bien courte existence ! Sous le *chrémeau*, la tête inondée par l'eau du baptême, on aurait dit un angelot en pleurs réclamant sa maman toujours au lit une dernière fois avant de monter aux cieux. Pour René, un deuxième naufrage. Un écrasement en pierre. Le fixe s'installa. Le pendule figea sa trotteuse. Il fallut indiquer au père la sortie de l'église.

Dehors, au coin de la petite chapelle, Michaux-Michaux. René ne le vit pas. L'ami ne sut s'approcher. De honte et d'orgueil à la fois, il ne savait comment l'aborder. Qu'avait-il fait de leur attachement ?

Les jeunes parents demeurèrent inconsolables ! Ils questionnèrent la vie à cœur de jour, des semaines durant.

— Pourquoi, mais pourquoi donc ? pleura la jeune mère. Dieu du ciel ! Pourquoi ?

— C'est la faute du trou, ajouta le père, suspicieux.

— Quel trou ? Qu'est-ce que tu dis là, René ?

La jeune femme, stupéfaite, plissa les yeux d'incompréhension. Son homme fort, son René, le père de son premier-né allait-il perdre la tête?

Le soir vint avec toute sa peine. Au creux de l'oreiller, le père et la mère pleurèrent tout bas. Front contre front, le flot de leurs larmes inonda leurs chevelures. D'épuisement, le sommeil les prit dans ses bras. Au matin, ils activèrent leurs gestes rouillés. Enfin, René prit le dehors. Avant d'aller au champ, il fit et refit le tour de sa chaumière. Vingt rondes suspectes à chercher des trous suspects. René avait entrepris la chasse aux trous. Quel misérable petit trou avait livré son enfant à la mort? On n'était pourtant qu'au mois d'août. Pendant un court moment, son bon sens reprit le dessus. À moins que le froid lui-même ne souffre d'hypocrisie? C'en était trop! Il le savait. Il fallait tout mettre en œuvre pour stopper la roue étourdissante, écartelante, de sa torture infligée. L'homme se dirigea vers son jardin. Comme un automate, il se creusa un trou où il plongea les deux pieds, les recouvrant de terre jusqu'à la cheville. Il se serait bien enterré vivant si la vie avait pu lui rendre son petit. Ainsi ancré à la terre, il demeurait inerte, ne pensait plus. La bienfaisante tiédeur du sous-sol remonta petit à petit dans ses veines, le délivra de sa chimère, le ranima. Il finit par reprendre la route du quotidien. À la porte du deuxième automne de son mariage.

Jeanne-Marguerite ne se trouvait pas encore en état de reprendre le travail de la maisonnée. René fit la cueillette des légumes avec sa belle-mère. Au milieu d'octobre, on entrait le dernier navet. Placé sous la terre dans le caveau à cet effet, en réserve pour sa fille.

René assura la suite en empruntant les bœufs de son beau-père pour charroyer des nouvelles traverses jusqu'au pont instable — celui de Jeanne-Marguerite — menant à son lot. Il procéda à l'arrachage des souches pourries. Hêtres, bouleaux et peupliers y passèrent. Les surfaces débarrassées s'agrandirent, mais René gardait un trou au cœur. Une plaie envenimée par son trop-plein d'amertume envers la vie. L'épierrage suivant lui permit de se défouler. Sur les nouveaux tas de roches, les pierres volèrent comme des feuilles de papier. Pac ! Pac ! Pac ! La dureté du choc, toutefois, ne parlait pas d'écorce de bouleau. Il eut l'impression de passer un message au sort, de lui lancer des cailloux en pleine figure… Ce mauvais sort qui lui arrachait son premier-né.

— Tiens donc !… une dernière en plein front et laisse-moy tranquille.

Nettoyage de la terre, nettoyage du cœur. Debout sur le dernier tas de roches, ses deux semaines d'épierrage lui apparurent sous un autre jour. Ça valait la peine. À la vue de ces belles surfaces destinées à la culture, il anticipa le printemps, le printemps de 1699, celui de la renaissance.

Pour la deuxième fois, la vie avait élu domicile dans les entrailles de Jeanne-Marguerite. La jeune mère avait repris ses visites à son homme à la cognée jour après jour afin d'agrandir son territoire. René se réjouissait toujours de ces petites oasis de détente.

— Quatre arpents et demi de mis en valeur, prêts pour la culture, c'est pas du beau travail ça, ma femme, s'apprêtait-il à lui dire.

Aujourd'hui encore, sa douce accusait un léger retard. Avant même de lui offrir une première gorgée d'eau, elle posa le goûter sur une souche, l'embrassa sur la poitrine, passa un de ses bras autour de son cou, plongea l'autre main dans son corsage, et lui tendit amoureusement un bouton de marguerite. Avant d'arriver, elle avait pris le temps de lui enlever ses pétales, un à un.

— Le cœur de cette fleur, c'est toy, ça, René. Un cœur d'or.

René fut ému hors de toute proportion.

— Viens t'asseoir, dit-il.

Sur le premier tronc d'arbre venu, ils prirent place. Le silence s'installa avec eux. Un silence sensible. Un silence en fine porcelaine. Une pleine demi-heure à être dans ce silence qui les enveloppa, les langea, les berça. Un silence qui finit par parler plus fort que leurs voix. Dans un même transport, les parents éprouvés se réconcilièrent avec la vie.

René ne lancerait plus jamais de pierres au destin. L'époux se leva, prit une gorgée d'eau, attira à lui sa jeune épouse, et elle se baigna dans ses lèvres.

CHAPITRE 18

Neige

L E VINGT-DEUX août 1699, Jeanne-Marguerite donna naissance à un deuxième garçon.

— Vous trouvez pas qu'il ressemble à sa mère comme deux gouttes d'eau, la belle-mère ?

— Avec le portement de son grand-père Berrubey, oui. Carré comme lui.

On le prénomma Joseph. Trois jours plus tard, le père porta allègrement son dernier-né au baptême. Pierre Michaux, père, et Marie Ancelin le parrainèrent. En bonne santé, l'enfant faisait la joie de ses parents.

— Quarante jours aujourd'hui, considéra le père. Et bien sorti du giron de sa mère, le petiot. À mon tour maintenant.

René prit dans ses bras l'enfant bien emmailloté. En dépit de la remarque de Jeanne-Marguerite devant une idée aussi folle, il l'amena faire le tour de sa terre. Comme à un grand garçon, il lui parla. Il marcha de long en large, s'arrêtant çà et la pour lui faire part de ses espoirs. Il lui raconta ses champs généreux, sa ferme, comme une histoire.

— Toy, tu pourrais avoir des moutons en plus. On a de la chance, toy et moy, d'avoir une terre neuve. Des moutons sur une terre neuve, ça rapporte beaucoup d'argent. Un bon huit livres de laine chacun par année.

C'est de l'argent, ça, mon gars. Savais-tu que, si on leur donne du sel, comme aux vaches, ça leur fait une laine douce. Douce comme la peau de ta maman. À part que ces *tudieu*-là, ils te nettoient un pacage, c'est pas long ! Je lisais dans la *Feuille de chou* qu'ils sont capables de digérer cinq cents sortes de mauvaises herbes à eux seuls. T'inquiète pas, un jour tu sauras lire toy aussi. Ta maman et moy, on va y voir. En tout cas, je te le conseille fortement, mon petit Joseph, par rapport aux moutons, mais on en reparlera. Puis vois-tu, quand mes rhumatismes me laisseront tranquille, je viendrai t'aider, promis.

Le nourrisson vagit. Il commençait à avoir faim.

Vers onze heures, Jeanne-Marguerite apparut entre deux érables.

— Pour l'amour du ciel, René, apporte-moy le petit. Il doit mourir de faim.

— Il lorgnait du côté de ma chemise aussi, ajouta-t-il pas peu fier. Y a pas de bon lait là-dedans, mais toy !

René déposa entre les mains de sa maman le précieux paquet. Bien vite, trop vite peut-être, l'ordre des choses se renverserait.

— Aujourd'hui, le petit dans nos bras, demain, nous dans les siens. Un vieux père et une vieille mère qui se donneront à leur enfant, corps et biens.

— Tu prendras bien soin de nos vieux jours, hein, mon petit Joseph ? lui cria-t-il pendant que sa femme se hâtait vers le foyer. Tu deviendras le chef de famille à ma place et tu tiendras les *cordeaux* de notre destinée ! Te promets d'essayer de pas être trop malcommode !

Entre les arbres, il lui envoya la main.

En novembre, sa Mariette vêla dans l'étable. Neuf mois plus tôt, René l'avait conduite au bœuf de Thiboutot. Le taureau connaisseur, d'âge mûr, mais toujours aussi fringant, lui avait fait une cour instantanée. Un petit bœuf gaillard comme son géniteur allait bientôt faire des cabrioles dans son champ. Marius! Le fermier jubila. Son Marius remplacerait le bœuf vieillissant de Thiboutot. Des accouplements auraient lieu sur sa propre ferme.

— Ça, c'est de l'avancement pour un fermier, se dit René.

La truie, elle, mit bas en décembre. Pendant les mois d'hiver, quarante-quatre petites pattes foulèrent le corps de leur mère comme la plus duveteuse des surfaces de jeu. Avec l'apparition des beaux jours, le fermier les mit en pacage aux alentours d'une talle de hêtres. Foi de goret! ils adoraient les faines. Chaque soir, les lourdauds gavés revinrent au déclin du soleil. Chemin faisant, ils balayèrent de leur museau le sol. Ils reniflèrent de gauche à droite comme s'ils cherchaient encore de quoi manger. Tia-tia! Oui, les gourmands grognèrent. La succulente bouette d'avoine préparée par la maîtresse des lieux et enrichie des résidus de la table les appela à la ferme. Ils lapèrent comme des perdus, nettoyèrent même l'extérieur du seau à grands coups de langue. Ils engraissaient à vue d'œil. Des cochons heureux, quoi! En novembre suivant, la couenne dodue annonça le jambon des grandes fêtes. Un fermier heureux, aussi! Et un petit qui, plus tard, prendrait la relève de la ferme paternelle.

Les poules, à leur deuxième année, pondaient déjà une centaine d'œufs chacune. Tous les jours, les beaux cocos des enfants vinrent enrichir la préparation des repas. Jeanne-Marguerite pensa que ces trois ou quatre œufs représentaient un avantage certain pour la santé. Bientôt, son petit Joseph serait en âge de venir faire la cueillette. Seul comme un grand garçon, le prépara-t-elle. L'hiver, les volatiles se terrèrent dans le fond de la grange pour passer la nuit. Dès que le coq *fit son coq* sur le coin de la grange, la poule effarouchée testa, de ses nodules vitreux, la lueur matinale. Elle alla, vint, picora dans le tambour toute la journée. La marmaille s'enticha bientôt de ce petit peuple. Lorsque le battant de la porte tourna ses sur gonds, un fracas de plumes, de poussières et de gloussements s'éleva à quinze pouces dans les airs. Les diablotins s'élancèrent à leur poursuite.

— Les enfants, laissez les poules tranquilles !

Vers les dix-sept heures, René rentra, se dirigea vers le bassin d'eau puisé à même la rivière et s'y aspergea le visage et les mains. À la place des biceps, des melons cirés sous la flanelle où risquait l'éclatement quand il pliait les bras. Cette étoffe faite au pays se révélait aussi tenace que ses habitants. De la fibre de défricheurs sur la trame. Ensuite René enjamba son banc au bout de la table et engouffra son repas. Avant d'aller voir aux animaux pour la nuit, de nettoyer l'étable et la soue, il vint faire la causette avec son petit Joseph. Il attrapa le premier seau venu, le déposa tout près du ber. Une fois assis, il s'inclina vers le nourrisson, tendit son gros doigt. La main naine s'agrippa aussitôt. Il avait besoin de son père dans la vie, ce petiot. Lui, son père, il serait toujours là pour son garçon, pensa René. Le plus sérieusement du monde, papa prit la parole.

— Comment tu as passé ta journée, mon gars ?

— …

— Moy, j'ai mis des ripes de bois dans le coin de la grange avant l'hiver. Ça tient les volailles au chaud. Pis, l'odeur du bois, ça chasse la vermine. Comprends-tu, deux bonnes choses à la fois.

— On dirait qu'il t'écoute, observa Jeanne-Marguerite, l'avant-bras appuyé sur le dos de son mari.

Au printemps suivant, avec l'arrivée des corneilles, Marguerite refit ses couches chaudes. La hâte de mettre ses semis en terre, et surtout l'envie de goûter aux légumes imbibés de soleil, la rendit heureuse et impatiente à la fois.

— Pourrai pas attendre tout ce temps-là, René.

— Faudra t'y faire, ma belle. Les bonnes choses, ça prend du temps. Prends, toy, m'a fallu t'attendre deux ans avant de t'avoir.

— Tu auras toujours le bon mot avec moy, va.

Un baiser sonore résonna sur sa joue.

— Pour ça, j'ai pas besoin d'attendre, ajouta-t-elle. Et, ça non plus !

La couette entre les épaules du mari y goûta.

La plupart des grosses récoltes engrangées, le mois de septembre fit flamber les feuillus depuis les sables de la grève jusqu'aux escarpements rocheux des Appalaches. Une fois les légumes en réserve dans chacun leur caveau, René réussit à arracher toutes les souches qui empêtraient encore les extrémités du jardin. Son aire ouverte se confondit avec les champs, fusionnait avec eux. La vue s'étendait loin à présent. Le fermier se disait qu'au printemps il y aurait une belle grande place pour y semer du bon trèfle blanc. Quelques mois plus tard, une première coupe, fauchée en vert comme il le fallait, fournirait un aliment substantiel à son bétail. À l'évidence, sa ferme grossissait. Avec les nouvelles naissances, le nombre des animaux augmenta d'année en année. Les besoins en fourrage grandirent en proportion.

Depuis la naissance de Joseph, la vie s'était remise à sa place. René trouva bon l'ordre des choses rétabli. L'arpent de son jardin désormais ouvert sur la prairie, René voyait à la bonne marche de la grange-étable avant de partir bûcher. Le confort de ses animaux lui importait. « L'obscurité dans les étables était l'âme de bien des maladies. » Cette citation, en provenance de Kébek, portait tout son poids. Et le voyageur de commerce, tenant l'autre bout du papier, avait évidemment la solution requise. Plourde ne tarderait pas une année de plus. Il allait chauler les murs de l'étable avant l'entrée définitive des animaux pour l'hiver.

La fin du dix-septième siècle s'amenait à grands pas. Son dernier automne cogna tôt. Trois coups comme au théâtre. Trois gelées noires, trois matins de suite.

— Il n'a pas de cœur, ce nordet, à matin, tremblotait Jeanne-Marguerite, les bras croisés.

Les arbres se dégarnirent de peur. La nuit, que du vent. Le jour, que des bourrasques cramoisies, safran, terre de Sienne. Les feuilles n'eurent pas eu le temps de faire les belles en tombant. Sous ces violentes rafales, elles s'*écrapoutirent* au sol, par charretée. Parfois, un arbre au grand complet se voyait mis à nu d'un coup sec. En deux jours, l'entière ramure du Bas-du-Fleuve se dévêtit. Le firmament s'épaissit. Une couverture plombée frôla les têtes, si noire qu'une invraisemblable tempête de suie éclaterait dans la seconde. Tout au contraire, il se mit à neiger. Une neige massive, blanche, aussi blanche que les nuages furent noirs. Au départ, elle tomba drue, mais docile, puis en bataille. Premier octobre? Premier octobre. Il neigea… neigeait. Vivement l'hiver? Cela aurait pu attendre. La glace calqua de bleu la nervure des grands arbres. La neige les momifia de ses épaisses calottes quand, partout à leur pied, elle découpa sa moquette blanche comme un linceul.

Malgré la tempête, René s'entêta. Rien ne l'arrêterait plus, pas même cette crue opaque, pas même l'inquiétude. Il se rendrait dans sa forêt, advienne que pourra.

— J'ai du trèfle à semer au printemps prochain, moy.

Un hochement vint confirmer son dire. Du métal dans ce geste.

De mauvaise humeur, il chaussa ses raquettes et à peine dégagea-t-il l'ouverture de sa cabane.

— Tarde pas trop à rentrer, lui recommanda sa femme appliquant toute sa force à refermer la porte.

— T'inquiète pas, serai là avant la noirceur. Oublie pas d'ouvrir de temps en temps, Marguerite, faudrait pas que la glace prenne au cadre.

Ouvrir cette porte, mais à quoi pensait-il? Quinze minutes plus tard, le mari se faufila entre les arbres de sa terre.

Même si en plein bois il sentit moins le vent, la neige, elle, continua de s'entasser au faîte des arbres. À chaque coup de hache, un grondement sinistre surgit de l'arbre, et des trombes de roches s'écrasèrent sur sa tête.

Au bout de quelques heures, la hache, oui, la hache s'arrêta d'elle-même. Elle connaissait trop le tranchant de son fer et cette tête brûlée au bout du manche.

— Le cou cassé, ou le devant de la jambe ouvert pour la vie… ça serait pas trop, trop, d'avance, reconnut enfin la tête de pioche.

Une dernière fois osa-t-il encore implorer quelque présence invisible.

— Ça pourrait pas ralentir un peu, non?

— Non!

S'obstiner ne s'avérait plus la solution. Il orienta ses pas vers sa demeure. Plus il s'enfonça dans la furie, plus la rafale lui tint tête. Elle le heurta de front, le gifla de sa démesure.

— Ma femme et le petit.

Un coup de cymbale dans sa poitrine. Deux poumons qui claquèrent ensemble.

— Jeanne!

Enfin, il comprenait. Le souffle maudit se moqua bien de son éclat de voix pathétique, de ce petit rien au cœur.

— Qu'est-ce qui t'a pris, René Plourde, de les laisser seuls?

Quasi dix pieds de neige affleuraient le bord du toit. De l'angoisse plein les yeux, René fouillait l'horizon. À peine distingua-t-il les angles de sa couverture. Même s'il marchait en homme ivre, il gagna du terrain. Au-dessus du pignon, la fumée de l'âtre, livrée à tous les diables, se débattait. Cette poudrerie lui cingla le visage. Son sifflement lui crucifia les oreilles. Il lutta. Pour sa femme et pour son enfant. Et pour lui-même ? Ou luttait-il contre lui-même, contre sa propre fureur ? Il s'embourba. Ses raquettes se détachèrent de ses pieds. D'un coup, la croûte céda sous ses pas. Il s'enfonça jusqu'aux aisselles, les jambes muselées au fond de la neige. Il aurait voulu piaffer comme un poulain sauvage, mais il pataugeait à grand-peine. Il réussit à fouler la neige autour de ses chevilles prisonnières, et mit longtemps à s'extraire du corset de la neige. Finalement, à une longueur d'homme de sa maison, il se jeta à quatre pattes à la recherche de sa pelle. Comme un moulinet, ses bras roulèrent, battirent la neige. La poudreuse avait beau voler derrière lui que, dans le tourbillon, elle revenait en force. Et la harpie qui ne dételait pas ! Où donc se trouvait sa pelle ? Là, elle l'attendait, couchée sous l'amoncellement. Il l'attrapa par le fer. Il le ferait valoir, ce fer ! Enfin, il entrevit le haut de la porte.

— Jeanne-Marguerite !

— O..., répondit-elle, des larmes de pierre dans la gorge.

— Lance de l'eau bouillante sur le cadre et écarte-toy vite.

René fonça dans la porte comme un bélier. Trois solides coups d'épaule plus tard, il dérapa dans la cuisine sur un gros mulon blanc.

— Faut refouler la neige. Vite, aide-moy.

Refermer de toute urgence. La maison refroidirait. L'assaillant continua de se débattre pour avoir raison du père et de la mère. Ils s'opposèrent, mais n'arrivèrent pas à repousser la neige qui dévalait à mesure dans la pièce. Une rafale poussa l'audace jusqu'à venir lécher le berceau du petit Joseph. La biche maternelle, aux aguets, fit un bond en travers de la pièce. Devant le moïse, son corps s'interposa.

— Faut que je creuse une fosse entre le dedans et le dehors. Faut que je clenche cette porte.

Par les fentes du plancher, l'imposant tas de neige mit du temps à leur faire ses adieux. René comprit que la vie entre ses mains avait fait barrage à la mort. Cette fois. Le regard tendu vers son mari, l'épouse à la pupille gelée, chercha du réconfort.

— T'approche pas, tu vas périr. Le petit?

— Toujours au chaud, éclata-t-elle en sanglots. Le torrent en attente venait de trouver une issue.

— Ça va aller, lui dit-il en enlevant sa dernière pelure.

— ... si la tempête continue toute la nuit?

— Elle n'aura pas le dessus.

Le mari s'approcha de sa femme et la prit dans ses bras.

Malgré la peur de l'ensevelissement, l'arrivée du père dans la cabane finit par prendre un petit air de fête, la famille heureuse d'être réunie.

— Tu sais bien que le beau-père ne nous laisserait pas emprisonnés sous la neige longtemps. Tes frères non plus.

— Parle pas comme ça. Tu me fais peur.

Le vent s'amplifia, sema la frayeur la nuit durant. Le lendemain matin dans la vallée, une cordillère de montagnes de neige. Des Himalaya de neige, charroyés comme des voiles, eut-on dit. Voiles blanches sur fond de silence blanc. Splendeurs ! La bise du nord, elle-même, en perdit la voix et avait dû battre en retraite. Seule la fumée en flèche laissait maintenant deviner les toitures. Le soleil, sorti dans tout son apparat, étincelait de nouveau. Peut-on lui en vouloir à celui-là, se fût-il terré depuis des jours ? De l'immobilité, à perte de vue. Si ce n'est, à celui qui sait voir, la fée des neiges, la jupe à l'équerre, allant en patins frapper de diamants ces neiges sublimes.

Cette incroyable tempête, si tôt dans l'année, avait jeté un froid dans le dos. Ultimes soubresauts d'un siècle dans sa course finale ?

— Rira bien qui rira le dernier, se moquait le centenaire.

Après tout, il ne souhaitait peut-être pas disparaître avant terme. Pourtant, il aurait bien pu tomber dans les oubliettes ce siècle d'airain, siècle de toutes les misères. Quand même, René lui reconnut le mérite de son accession à la liberté. Fallait-il payer ce prix ? Les superstitions eurent beau jeu. Huit semaines encore à prendre du lest. Elles fleurirent sur toutes les lèvres. Vinrent réchauffer cet automne hivernal. On les ressassa du matin au soir, et on en remit. Pour finir par croire, dur comme fer, à

313

ses propres inventions et à se flanquer une trouille telle que...

Un beau matin, surgit dans la cuisine des Plourde, Guillemette, venue emprunter à sa belle-sœur, Jeanne-Marguerite, des fleurs séchées de sureau blanc pour son Tancrède qui avait pris froid. Assagie depuis son mariage, elle n'avait toutefois rien perdu de sa couleur.

— En passant, mes amis, j'ai ouï-dire qu'on a vu dans la neige, pas plus tard qu'à matin, des traces rouges qui sortaient de chez le père Machin-Choutte, vous savez, celui au bout de l'enfilade de cabanes, des pistes du diable en personne !

— Perds-tu la tête, toy ? s'exclama Jeanne-Marguerite.

— Pas du tout. Paraîtrait que le Malin voudrait lui aussi entrer par la grande porte du dix-huitième. Paraîtrait aussi qu'il aurait déjà commencé à se chercher des acolytes dans notre belle paroisse de Notre-Dame-de-Liesse. Facile à comprendre qu'il ait les plus faibles dans sa mire. Toujours est-il qu'on sait pas trop trop comment, mais hier soir, il s'est présenté à la taupinière du bonhomme pour faire la cour à la malheureuse Clara, la tête entre les deux genoux parce qu'elle coiffait justement sainte Catherine. Vingt-cinq ans bien sonnés, à dix-huit heures tapant ! Déjà desséchée comme un vieux pruneau, c'était devenu clair que personne ne voudrait jamais d'elle. Imaginez que Lui, vous savez qui je veux dire, beau comme un chevalier devant elle, il lui fit la cour. Un justaucorps rouge feu et une grande cape noire qui flottait tout autour. Des voisins l'ont aperçu.

Entourloupette après entourloupette, il réussit à lui faire faire quelques pas de danse, à la Clara. Son père n'en crut pas ses yeux. Un si beau parti; il aurait tout fait pour sa Clara. Toujours est-il que, dans la danse, la grande cape frôla les murs plusieurs fois. À minuit, après un baisemain et bien des promesses, il disparut. Seulement ce matin, écoutez bien ça, il y avait des traces de suie partout sur les meubles. Pire, paraît que les murs de la cabane sont couverts de petits trous, à présent. Comme si sa cape avait lancé des gouttes de pourriture. Le mal déguisé en personne, que je vous dis.

René tressauta. Les trous! Il se jeta à plat ventre sur le plancher. Les yeux croches, le nez contre les billots, il se releva, se pencha à nouveau, chercha les orifices au bas du mur. Le souvenir d'une immense traîtrise se raviva. Le rapt de son premier-né. Non, il n'aperçut pas la neige entre les bois superposés, seulement le dernier calfeutrage de feuilles et de boue. Le lichen pourri avait laissé tomber des miettes à l'intérieur, mais aucun courant d'air ne troublait les alentours.

Dans les chaumières, les ragots allaient bon train. Au rythme de ces racontars, les tables se garnirent de plats inimaginables pour le banquet du siècle. Ma foi, on allait sortir en une fois sa réserve au complet. Après le repas du soir, les hommes s'attroupèrent souvent à l'extérieur pour causer des préparatifs de la grande fête au manoir. On en profitait pour tirer une touche et on pontifiait.

— Une fin de siècle, ça n'arrive qu'à tous les cent ans, dit l'un.

— Oui, on va fêter comme si ça faisait cent ans qu'on n'avait pas fêté ! retourna l'autre, bourrade amicale dans le dos de son voisin.

— Vous l'avez dit, ça mérite d'être fêté en grande pompe, ajouta un troisième.

— On sera pas deboutte au prochain, ça c'est certain, s'éclatait un quatrième.

Avec un sérieux considérable, les femmes, une fois la marmaille endormie, évaluèrent leurs toilettes. Oh ! des réjouissances magistrales s'inscriraient dans le temps. La plus prestigieuse fête jamais organisée en un siècle de colonisation. On se consulta l'une l'autre. Dans la chapelle, ce premier dimanche de décembre, le seigneur De-la-Bouteillerie, revêtu de ses habits d'apparat, lança du seuil de la porte sa flamboyante invitation. Déjà, autour du foyer central, dit-il, la grande salle s'habillait. Oh ! comme les yeux brilleraient, ce soir-là. Le verbe serait haut et fort et les victuailles bien arrosées.

CHAPITRE 19

Le jour de l'An

AU TOURNANT du siècle, les gens espéraient un monde meilleur. Demain, un engrenage nouveau s'articulerait. Changer de nom dans sa propre vie, toute une affaire ; changer d'appellation dans la vie d'un siècle, quel chambardement ! Bon ou mauvais, un premier de l'an d'un siècle nouveau, on se le demandait. Passage notoire où on ne dormit que d'un œil.

Premier battement de minuit, les oreilles se dressèrent. Au dernier coup, les pupilles s'agrandirent dans le noir. Quoi ? Quoi de neuf ? Rien. Que du silence et une indicible émotion. Épaisse comme cent ans. Le plafond, toujours à sa place. Nulle poussière sidérale alentour, nulle graine dans les yeux. On se recroisa les mains sur son nombril. On patienterait jusqu'à l'aurore. À sa lumière débordante de promesses d'avenir.

« Le siècle est mort ! Vive le siècle ! » Vive le premier janvier de l'an de grâce 1700 !

Au sortir de la messe obligatoire du jour de l'An, René, Jeanne-Marguerite et leur rejeton firent le trajet de retour en compagnie de grand-père Miville. La bonne humeur régnait. On se sépara devant la maison du patriarche. Chacun rentra chez soi voir à ses petites affaires avant de revenir célébrer avec tous les siens.

Rutilante matinée. La jeune famille, bien emmitouflée dans son capot de chat et chaussée de raquettes, prit
la route vers la maison paternelle. Vive inclinaison du
cœur que cette bénédiction du jour de l'An par l'aïeul de
la famille. Ce signe de croix chéri de tous les habitants, et
dont personne ne saurait se passer. La neige crissa sous
les pas. L'air sibérien nettoya les poumons. Pas de vent.
Au loin, le soleil déversait sa dorure avec largesse. Sur
l'épaisse croûte, une infinité de sequins ! Partout ailleurs,
frimas. Sourcils, cils, moustache, poils de fourrure et un
bout de couette se trouvèrent dessinés au fusain blanc.
Seul l'hiver permet un tel écart.

— Tiens, la jeunesse qui arrive, dit le père Miville
venu les accueillir à la porte.

Une solide poignée de main réunit les deux hommes.

— Bonjour, ma grande, dit le bonheur fait mère.

— Maman ! Ça me fait chaud au cœur de vous
revoir.

— Comme si ça faisait des lustres qu'on ne s'était
pas vues.

— Ce n'est pas pareil, aujourd'hui, c'est le jour de
l'An.

— Ce n'est pas un jour de l'An comme les autres, tu
parles !

La mère et la fille éclatèrent de rire, se serrèrent fol-
lement. Le petit entre les deux gloussa.

— Viens, mon petit Joseph, avant de te faire étouffer
par ta grand-mère, dit-elle, en défaisant les sangles.

— Le beau-père, voulez-vous nous bénir ? s'empressa
de demander le gendre.

Se retrouver à genoux devant Miville l'émouvait beaucoup. À cause du grand cœur de cet homme et de leur connivence. Recevoir des mains de ce patriarche des grâces pour l'année entière, et comme pour lui seul, le touchait. René le considérait maintenant comme un père.

— Un honneur pour moy de bénir mes grands et petits enfants, ajouta Miville, ébranlé par la confiance de cet homme mûr qui le dépassait d'une tête.

La famille s'agenouilla avec respect. Miville leva une main timide.

— Toc, toc...

Tancrède poussa la porte. Guillemette entra dans un nuage blanc.

— C'est pas chaud, chaud, aujourd'hui, marmotta-t-il, l'haleine en fumée.

Il referma aussitôt.

On se leva pour faire les salutations d'usage et les embrassades. René eut un serrement au cœur. Que signifiait cette interruption soudaine d'un honnête souhait ? Avait-il brusqué les choses, la vie ? Tancrède formula la demande à son tour. On s'agenouilla à six. Avant de lever le bras à nouveau, Miville regarda sa femme. Son recueillement ne fit pas de doute. À lui seul, la place, ce matin. Avec plus d'assurance, il porta la main dans les airs.

Le heurtoir résonna de nouveau.

— Sacreyé, on va attendre que tout le monde soit arrivé, sinon je vas me donner un tour de bras.

Besoin de se détendre ne pouvait plus être différé.

René se posa de nouvelles questions quant à ces reprises.

— Mes enfants, je vous bénis... au nom du Père... du Fils... et du Saint-Esprit... et que le bon Dieu vous protège, enchaîna Miville une fois que tout le monde fut rassemblé.

— *Amen*, répondit l'assemblée en relevant la tête.

Les genoux se déplièrent sous leurs froufrous endimanchés.

— Bonne année, le beau-père, dit René. La santé et le paradis à la fin de vos jours !

— À toy pareillement, mon gendre...

Merveilleux jour de l'An !

Toutefois, la coutume voulait que, durant cette parade annuelle des bons vœux, des poignées de main et des accolades, s'ajoute en prime un petit baiser sur la bouche des dames et des jeunes filles. À cette occasion, toute la racaille mâle édentée en profitait. Surtout avec un gobelet dans le nez. D'une cabane à l'autre, un basculement de la tête complétait ce rituel. Une lampée, un tison dans le gorgoton. On ne comptait plus les fois. Une multitude de bises humides aboutirent donc sur les lèvres prisées des toutes jeunes filles.

— Bonne année, mon oncle, répondit la voix pucelle.

Le dos tourné, la jeunette s'essuya la bouche avec vigueur sur sa manche. Tant pis pour la belle robe.

Chez Miville, la même boisson cérémoniale attendait tous les voisins. La parenté fit grand cas du verre numéro un de l'avant-midi. Au nouveau solstice ! Entre les culs secs, on se racla la gorge. Le petit jus éthylique réchauffa le gosier, fit son effet.

— À table, tout le monde. Midi, appela la maîtresse de maison.

Ce qui émergea de cette table de paysans fut hors de toutes proportions.

— Maman, qu'est-ce qui vous a pris ? On se croirait aux noces.

— Un nouveau siècle, ça s'apprivoise, ma fille. Faut lui montrer comment on veut vivre en partant. Pas dit qu'on va entrer dans le nouveau en quêteux. Des fois que ça nous collerait à la peau pour cent ans encore.

La nichée rit jaune. Dame Jeanne reçut la coquille en plein cœur. Ni le jour ni l'heure de ce rappel de leurs misères.

— Rabat-joie que je suis !

Elle entonna aussitôt une chanson à répondre. Tout le monde se joignit à elle avec un entrain retrouvé. Cet air de folklore ancien les ramenait au point de départ. Et tant mieux !

Le repas consommé, les femmes s'affairèrent à mettre de l'ordre dans les surplus. Sans exception, les emmitouflés, pour s'offrir leurs vœux, s'orientèrent vers la cabane voisine, vers la suivante, vers la troisième. Une rasade d'eau-de-vie après l'autre.

— Presquement du feu dans le goulot, refoula le jeune René qui cherchait à faire son homme.

— Manquerais pas la fête au manoir pour tout l'or du monde, assura Guillemette dont l'appétit pour les ragots n'avait pas décliné.

— Moy non plus, renchérit Jeanne-Marguerite. N'est-ce pas la meilleure place pour se souhaiter la bonne année ?

Quatre heures. Retour à la cabane du paternel où la famille au grand complet sauterait dans le traîneau de l'aîné. Pour un rien, Pierre Soucy s'était acheté une vieille jument aux sabots encore sains pour les souches et les bordées de neige. Un mille les séparait du manoir. Pendant que le pas ralenti de la Caramelle faisait tinter discrètement ses grelots, on chanta à pleins poumons. René, Miville, les frères Soucy, eux, ne décrochèrent pas des champs alentour. La vision de l'immaculé à perte de vue les confondait.

— On se mettrait riches, les gars, si on trouvait un moyen de faire pousser de quoi dans ce blanc-là, dit René, le flacon aux lèvres.

Pour si peu que rien, il se crut riche. Les champs de misère du Poitou venaient de lui effleurer l'esprit.

— Pour ça, Plourde, faudrait être dans un autre temps, dit Pierre.

— Mais, on l'est justement. C'est pas le premier janvier 1700, aujourd'hui ?

Les arroseurs continuèrent d'arroser et les chanteurs de chanter.

— À dia ! commanda Pierre. Une vraie bande de lapins se précipitèrent hors du traîneau.

— Ah ! mes vieilles pattes, se plaignit un instant la Dame Jeanne.

Les genoux se dégourdirent. Les cervelles se remirent d'aplomb. L'effet du mouvement dissipa la portée de l'alcool. Les hommes se sentirent prêts à s'engager dans la deuxième moitié de la partie.

Le valet ouvrit grande la porte au clan de Miville.

— Oh! la, la!

Des branches de pin ornées de grosses boucles rouges couraient tout autour de la pièce. Suspendues ici et là, des grappes intactes de pommettes à gelée et de cormiers. Mis dans la paraffine depuis la cueillette, elles éclataient de rougeur. Au centre de la pièce, le plus magnifique des lustres où des bougies en nombre se reflétaient en étoiles tout autour! Dans tous les coins et recoins, des fanaux accrochés. Sous leur globe, la mèche allumée trempait dans l'huile de marsouin, cette bonne huile du pays, avec la brillance d'un soleil jaune-jaune. À droite de la pièce, une large tablette improvisée s'étirait d'un bout à l'autre de la cloison en attente des victuailles. La longue table de circonstance, juponnée de blanc, trônait devant l'âtre. En son centre, cordés à la perfection, se trouvaient une dizaine d'ustensiles en argent. Bien en évidence et à l'usage seul du seigneur et des doyens de son bourg, par rang d'ancienneté. Des sujets, le visage rougi par la chaleur de l'immense foyer ouvert sur quatre faces, célébreraient à la table de monseigneur De-la-Bouteillerie ce soir. Décantés par les flammes, de divins effluves de sapinage et de nourriture taraudaient déjà les estomacs. Une immense marmite de ragoût bouillonnait depuis une douzaine d'heures sur la plaque de fonte. Pendus à la crémaillère, un agneau bruni et un cochon de lait, embrochés côte à côte, dégoulinaient. Des chapons jaunes d'œuf couronnaient le feu pétillant dans l'âtre.

Cet après-midi, un seigneur accueillerait tous ses sujets avec décorum. Une entrée digne d'un siècle nouveau où le personnage déambula dans les belles manières. À cette époque, la position des jambes dans la démarche dénotait le sang noble. Plus l'angle des pieds s'ouvrait vers l'extérieur, plus la noblesse se révélait.

— Oh ! la la, et quel mollet, remarqua la gent féminine au regard allumé.

Bien rebondi sous son bas de soie, cet objet de concupiscence de Monseigneur attisa visiblement les passions de ces dames. Guillemette eut droit à un coup d'œil assassin. Son Tancrède, jaloux ? Fallait plutôt voir les regards en coulisse des autres maris, qui n'avaient ni le rang, ni les bas de soie, ni les moyens d'en avoir. Quoi qu'il en soit, dans le but de rendre hommage à ses sujets, le seigneur avait revêtu ses plus beaux atours. Un justaucorps vert pomme aux boutons or relevait la lourde broderie de sa chemise blanche. Du col ressortait un mouchoir au négligé étudié. De la dentelle partout. Elle nouait même les bas de soie sous les genoux. Blancs comme neige, ils éclairaient le bistre bouffant de la culotte en velours bleu nuit resserrée sous l'articulation. Par-dessus, un pourpoint indigo ouvert à l'avant. À jupette froncée dans le dos et aux revers de manches élaborés. Des pieds de galon doré agrémentaient les moindres replis de son pourtour. Souliers noirs à boucles d'argent. Sur le chef, une longue perruque platine aux frisettes poudrées en éventail sur ses épaules. Un immense chapeau à bords recourbés où une plume n'en finissait plus de le surmonter.

— Entrez donc, mes bons amis, dit le seigneur, les bras ouverts.

Tout en révérences, il souleva son large chapeau, le porta à sa poitrine et salua profondément. Habitués aux façons plus simples de leur seigneur quand il travaillait dans ses propres champs, les amis figèrent sur place. Leurs yeux n'en revenaient pas de tant de manières. Dame Savonet-Soucy-Bérubé-Miville, ancienne pupille du roi, se ressaisit bientôt. Il lui fallait dégeler son monde.

— Bonne, heureuse et sainte année, Monseigneur.

Elle tira sa révérence de son mieux. Les genoux avaient perdu en souplesse.

— Mes respects, Dame Jeanne, répliqua le seigneur De-la-Bouteillerie en lui baisant la main. Dame Jeanne-Marguerite, Dame Guillemette, soyez les bienvenues.

Mal à l'aise, mais comblées par le baisemain, les jeunes femmes y allèrent de leur plus beau rond de jambe. Jeanne-Marguerite tenait toujours le petit sur sa poitrine.

À chacun des hommes, une franche poignée de main succéda.

— Santé et prospérité à chacun de vous, Miville, Plourde, les frères Soucy.

— Parcillement, Monseigneur, répondit-on, l'un après l'autre.

— Dirigez-les dans la pièce attenante, ajouta-t-il à l'intention d'un valet.

Une montagne de pelleteries s'élevait maintenant dans le plain-pied. Castor, chat sauvage, loutre s'empilèrent. On avait peine à faire le tour. Un poste de traite, ni plus ni moins.

Pour enchaîner, le seigneur monta sur un ottoman, tapa des mains et lança d'une voix forte :

— Que la fête commence ! Vive la nouvelle année ! Vive le siècle nouveau ! Vive l'an 1700 !

— Vivat ! Vivat ! se réjouit l'assistance.

L'un après l'autre, les serviteurs sortirent aussitôt de la cuisine. D'un pas rapide, ils défilèrent plateaux dans les airs ou cruches dans chaque main. Il s'agissait de porter un toast au nouveau siècle. Le seigneur avait réservé son meilleur rhum de la Jamaïque pour ses censitaires. Personne ne se fit prier. Une, deux, ou même trois rasades. Duplessis se racla la gorge.

— Minute, tout le monde !

L'assistance lui céda la parole.

— Buvons à la santé de notre bon seigneur. Vive Jean-Baptiste-des-Champs-de-la-Bouteillerie ! Que le bon Dieu le protège !

— Et nous autres avec, ajouta un hurluberlu.

Les rires fusèrent et les gobelets s'entrechoquèrent.

— Houzza ! Houzza !

L'un après l'autre, les convives s'approchèrent pour marquer le coup avec le seigneur.

— Un honneur pour moy de trinquer avec vous, Monseigneur.

Driiing ! résonna la clochette en appétit.

— Place aux agapes, s'écria l'hôte de son tabouret.

Va-et-vient indescriptible, l'âtre et la cuisine, en une demi-heure, se vidèrent de leur contenu. Toutes ces victuailles aboutirent sur la table sans fin. Le seigneur n'avait pas lésiné. Avec courtoisie, des laquais en livrée distribuèrent à chacun, comme à un prince, une assiette en grès ou une écuelle de bois. Le dîneur n'avait plus qu'à s'acheminer vers le festin. À y revenir à l'envi. Pendant deux heures, des gamelles enfaîtées se promenèrent dans la grande salle. Ici et là, on mangea debout, le sourire aux lèvres. Un valet s'occupa du service à la table des dignitaires. Les hommes avaient sorti leur canif et aidaient à découper la viande.

— Tu veux une cuisse ou une côtelette, le jeune ?

— Les deux.

Pour les civet, pot-au-feu et ragoût, on disposait d'une grosse louche en bois qui doublait de volume à chaque cuillerée. Quant au reste, on avait toujours ses dix doigts.

On s'élança *tout nu* dehors pour se nettoyer les mains dans la neige. On rentra aussi vite, battant des ailerons afin de hâter le séchage. Le bonheur total, quoi ! En ce grand soir, on ne s'essuierait pas sur le revers de sa manche. Non, tout de même. On sortit la blague à tabac de sa pochette et, basculant la tête, on savoura longuement la bonne pipe. L'odeur lourde des volutes de fumée se mélangea aux effluves de la chaleur humaine. L'air se serait détaillé au couteau. À la toute fin du repas cependant, on honora chacune de ces dames d'un petit lait sucré et chaud.

D'instinct, les belles se regroupèrent au centre de la pièce. Le petit doigt en l'air, elles trempèrent le bout des lèvres, burent goutte à goutte, se prirent, un instant, pour des dames de la haute. Devenues le point de mire, elles tirèrent profit de toute l'attention. Un beau fin lança :

— Le lait va cailler, si ça continue.

L'éclat de rire commun les fit descendre de leur piédestal.

Pendant que ces dames s'attardaient, le seigneur se promena parmi ses convives. Il salua chacun avec un bon mot et alla aux nouvelles fraîches.

— Monsieur Plourde, vous voilà.

Mais, de prévenance, il s'interrompit. Jeanne-Marguerite avait déjà quitté le groupe des dames et donnait le sein à son petit Joseph sous sa guimpe.

— Dame Plourde, permettez-moy de vous offrir mon fauteuil, dit-il, avec galanterie. Vous y serez plus confortable pour faire votre devoir.

Il envoya chercher sa chaise à bras au bout de la table et lui désigna une place en retrait. Jeanne-Marguerite fit son devoir, imitée par une suivante, une troisième et une autre encore sur le fauteuil du seigneur. La mère prenait place, glissait la main sous son large col, entrouvrait son corsage et y passait la tête du bébé. Cette heureuse élue du devoir, en ce jour de l'An exceptionnel, se sentit comme une reine s'enivrant sur le trône de son seigneur. Pendant que tous les mâles, mine de rien, épièrent celle qui remplissait son devoir, ils envièrent la tétée goulue.

— Tsut ! tsut ! tsut !

Ils s'en promirent, une fois rentrés à la maison. Au préalable, il faudrait une couple d'heures pour cuver son vin en ronflant. La vie est ainsi faite…

— Je disais donc, René, que…

« Place à la danse » retentit...

Tous les joueurs de musique et tapeurs de pieds avaient fini par se grouper à gauche de l'âtre dont il ne fallait sous aucun prétexte raviver la flamme. Un valet, se tenant près de la porte, avait pour mission de faire entrer l'air du dehors à toutes les quinze minutes. Chaleur humaine et courant glacial se colletèrent dès lors sous l'encadrement, à savoir qui entrerait qui sortirait.

Bientôt, flûtes, biniou, vielle à roue, cuillères, tambour tentèrent de se mettre d'accord pour une lancée du diable. Un moment, le tambour prit la vedette. Ce vrai tambour charma les habitants. Un nouveau colon l'avait rapporté du vieux pays. Le *chichikoué* des Sauvages avait fini par leur casser les pieds. Ta-ra-ta-ta ! la farandole se transforma aussitôt en défilé. On parada, plus militaire que les militaires. À monseigneur De-la-Bouteillerie, chacun délivra son salut le plus sec. Sourire entendu, l'hôte de marque répondit d'un geste courtois.

— Le branle des chevaux ! Le branle des chevaux, réclamèrent les plus jeunes, la marche à peine achevée.

Faites les fous si vous voulez, dit le vieux Duplessis. Nous, on embarque pas.

Il chercha du regard l'appui d'un vieux compère.

— Pas tout de suite, de répondre Deschênes, ça va trop vite à la fin. On va rendre tout ce qu'on a mangé.

— Ça sera pas d'avance. Va falloir recommencer, ajouta un troisième venu se joindre à la conversation.

On dansa jusqu'aux petites heures du matin.

CHAPITRE 20

Passe le temps, passe la vie

L E DEUX janvier ouvrait l'œil quand la famille Plourde arriva à demeure, éreintée, mais heureuse.

En entrant, le père alluma le feu. La cabane s'était muée en iglou. Du frimas courait entre les troncs. De jolis rubans, certes, mais peu chauds.

— Attendez au moins une vingtaine de minutes avant de vous déshabiller, Marguerite. Faut que j'aille donner du foin aux animaux. Ont pas eu grande attention depuis hier. Faut traire les vaches aussi, avant qu'elles éclatent.

Le maître de maison revint avec du bon lait tiède.

— Une petite gorgée?

Après une courte sieste, René, vers dix heures, enfila ses vêtements de semaine afin de reprendre le collier.

— Dis-moy donc, qu'est-ce qu'il avait tant à te dire le seigneur De-la-Bouteillerie pendant que les autres mâles me reluquaient sur son fauteuil?

— À propos de La-Chenaye… paraît que ses affaires vont mal, paraît aussi qu'il s'est informé de moy et de ma terre? Lui, il m'oubliera jamais.

— Moy non plus.

En ce mois de janvier 1700, René entreprit son quatrième hiver à l'abattage du bois.

— Bientôt, neuf arpents de terre propre à la culture, se réjouit-il.

Entre les souches et les pierres de cette nouvelle éclaircie, il sèmerait la première année de l'orge et du mil et récolterait ces grains à l'automne. À cause de ce savoir-faire, son foin, qu'il se hâterait d'étendre au sol pour empêcher le mûrissage des mauvaises herbes, pousserait dru au printemps. Au bout de quatre ans, ce champ dégagé deviendrait pacage pour ses animaux. Ainsi tournait la roue d'une ferme en bonne santé.

— Encore six ans, résuma-t-il, et j'aurai fini mon déboisement.

Dans six ans, comme demain. D'un telle rudesse cette vie de bâtisseur. L'homme n'avait jamais connu autre chose que le travail. Sa liberté, en bouche, conservait toute sa saveur. Dix arpents de mis en valeur quand son plus vieux aurait neuf ans, il n'en fallait pas plus à René. Le reste en bois debout servirait à sa progéniture au besoin. Tant d'heures, désormais, à consacrer aux autres travaux de sa ferme.

Bientôt il entreprendrait de monter son pont de fenil avec les tas de roches éparpillés sur sa terre.

— À temps perdu, dit-il à sa femme.

— Comme si tu en avais beaucoup du temps perdu. C'est à peine si tu rentres coucher.

— Va falloir en trouver. À part les nouvelles petites bêtes qui s'ajoutent, deux vaches, ça mange plus qu'une.

Jeanne-Marguerite ne put passer outre à sa demande :

— N'oublie pas, René, que j'ai besoin de blé aussi. Mêlé à l'orge, il y a pas mieux pour faire du bon pain. C'est moy la future championne des fermières, je te l'avais pas dit, hein ?

— Moy, suis champion de quoi donc ?

— Le mien, si ça te suffit.

— À peine...

Il dut s'éclipser, sa couette en ligne directe avec la poigne de sa douce.

Il demeurait clair dans les cœurs que la Mariette des débuts ne serait jamais livrée à la boucherie. Un attachement sans réserve pour cet animal. À moins d'un cataclysme, elle mourrait de sa belle mort. Chaque année, elle continuait de donner un veau qui, à part les cochons et les poulailles, servait à remplir le grand bac de l'hiver. Une fois la viande débitée, Jeanne-Marguerite, un rien sur les épaules, se hâtait de venir déposer ces précieux paquets de nourriture dans la boîte sous la neige.

La deuxième vache acquise avait mis bas un taureau dans les douze mois suivants. Un premier sur la ferme et bâti en force. Sa Mariette ne se laisserait pas damer le pion ainsi. Elle lui délivrait son mâle à elle, trente jours plus tard. Marius ! De la même charpente que le meneur.

— Ça me fera la paire pour travailler aux labours, se réjouit René.

Un troisième qui ne passerait pas à la boucherie. Le fermier aurait donc recours au troc s'il voulait mettre de cette bonne viande sur sa table.

— Avec le beau-père, ça sera pas trop difficile. Il est installé depuis belle lurette, lui...

Entre-temps, son favori prenait du coffre. René soignait Marius comme un pur sang. À un an et demi, il pesait déjà trois cent cinquante livres. Fringant, il semblait très porté sur *la chose*. Quand succéderait-il au bœuf vieillissant de Thiboutot ? À quel moment la ferme Plourde deviendrait-elle légataire du bœuf reproducteur, du bœuf de la société, comme on disait.

Son gros bétail passé en revue, les chevaux de trait du Poitou lui revinrent en tête. Vaillants, utiles, forts. S'en faire venir de France ?

— Tu t'appelles pas Jean-Baptiste-des-Champs-de-la-Bouteillerie, René Plourde.

Il se dépêchait d'oublier cette fantaisie dont il n'avait pas les moyens. Par contre, quand il avait une petite minute, il sortait son canif. Se défoulait avec le premier bout de bois tombé sous sa main. Une figurine, un cheval... Jeanne-Marguerite éprouvait tant de plaisir à les mettre à la vue sur une corniche ou une autre. Elle se demanda combien de choses encore mijotaient sous cette couette.

Avec le craillement des gros oiseaux noirs, Jeanne-Marguerite retourna à ses couches chaudes. Elle se livrait avec passion à cette activité. Elle adorait mettre les graines en terre. Semer la vie. Elle regardait ces tiges menues sortir du sol, prendre de la hauteur, pousser en orgueil parfois, avant leur mise en terre. Par ailleurs, elle entreprit à sa manière d'aider son mari dans l'essouchage. Graines de verveine et de capucines lancèrent bientôt leurs radicelles dans des creux de souches. Une quinzaine de ces indélogeables embarrassaient encore l'aire de la ferme.

— Pour les faire pourrir plus vite, expliqua-t-elle à son mari.

René se marra à s'en rougir le devant des cuisses. À chaque tape, il s'éclatait, en remettait. Elle s'en vexa.

— Approche, dit-il.

Tout en douceur, sa bouche aspira la moue des lèvres.

— Toy, tu as le tour avec moy, mon vieux.

Languissante, elle glissa une main hypocrite derrière le cou solide dans le but de l'amollir un peu. Dong ! Empoigne vigoureuse, à pleine couette.

— Ma petite chipie !

De son côté, De-la-Chenaye revenait vers son port d'attache, Kébek. Ses affaires allaient de plus en plus mal. Le retour mit longtemps. Des centaines de milles à parcourir. Il put réfléchir tout à son aise. Que lui réservait l'avenir ? Au fur et à mesure, il consignait ses pensées dans son journal de bord. Plus très jeune, il avait d'importantes dispositions à prendre. Il refit ses calculs. Un jour, il écrivit deux lettres de conséquence. La première concernait sa progéniture en la personne de Louis de Forillon.

Ainsi s'adressait-il à son déjà illustre héritier.

Mon cher fils,
Je te salue. Comment vas-tu ? Ta carrière est-elle
à la hauteur de tes aspirations ?

Pour ma part, les choses se corsent. Comme je prends de l'âge, ma santé n'est plus ce qu'elle était. Je ne puis comme par le passé être partout à la fois. Mes affaires s'en ressentent. En fait, elles vont mal. Je songe à te léguer ma seigneurie de Kamouraska. Serais-tu prêt à la prendre et à t'y consacrer comme il se doit? Je ne peux laisser ainsi cette terre à l'abandon. Un coin de pays trop magnifique se mirant dans le fleuve. Presque un lieu de plaisance sur les bords d'une vaste baie. Un petit port en soi où abondent les poissons. Mon ancien prospecteur, en qui j'avais placé toute ma confiance, n'habite plus la région. René Plourde s'est marié à la Rivière-Ouelle, il y a deux ans et y vit maintenant avec sa femme. Il avait été mon bras droit pendant sept ans. En plus, une fois, il m'a sauvé d'une mort certaine aux mains des Iroquois.

Mais je me demande, mon fils, si tu saurais t'y faire. Ta carrière t'en laissera-t-elle la possibilité? Je m'arrête pour ce soir. L'heure avance et je suis fatigué. Je te retourne demain en fin de journée.

La deuxième était destinée à son censitaire, René Plourde, advenant le cas où… Bien scellée et portant la mention, *courrier personnel*. Il la remisa loin des affaires de la colonie. En fait, elle n'en fit jamais partie. Dans l'intervalle, il lui faudrait entreprendre de longues démarches de validation. Dans sa tête cependant, elle avait déjà force de loi. En attendant, ce mot connu de lui seul demeurerait dans le plus grand des secrets.

À l'automne de cette première année du nouveau siècle, Jeanne-Marguerite devint enceinte d'un troisième enfant.

— Je t'avais dit que tu étais la meilleure, lui souffla tendrement son homme.

Quatre yeux attendris… quatre lèvres enchâssées…

À l'été 1701, Joseph, seul chouchou de ses parents depuis deux ans, céda sa place à un petit frère. Une journée avant son propre anniversaire, en août. Costaud et fort, comme son père.

— Quarante jours aujourd'hui, comptabilisa le papa.

René prit l'enfant, et, comme son frère avant lui, il le promena autour de son domaine.

— Tiens, mon petit Pierre, voici le lot où tu pourras établir ta propre terre, à côté de celui de Joseph. Le tien, il est pas encore grand-grand, mais tu pourras l'agrandir au fur et à mesure. Pour Joseph, lui, s'il veut des moutons en partant, ça lui prend une terre toute défrichée d'avance, sinon ça aura plus de bout. Nous deux, on se ressemble. Du gabarit de son père, se plaît à dire ta mère ? Eh ! bien, je vas te montrer à bûcher. Et laisse moy te dire que tu feras pas comme moy : te fouler le poignet la première journée et l'empirer parce que tu sais pas t'arrêter. Là comme ailleurs, il y a des règles à respecter. La plus importante, jamais plus de quatre heures par jour la première semaine, sinon tu risques toutes sortes de blessures et ça sera pas d'avance. Tu comprends ? Moy, vois-tu, j'avais plus de père pour m'apprendre. On dirait que j'en ai jamais eu, quant à ça. Que ça fait un siècle qu'il est sorti de ma vie. Là, je sens que tu te moques de moy dans ta tête. Tu es pas sans savoir que j'ai juste trente-neuf ans, va. Puis les enfants, ça se moque toujours des parents. En tout cas, pour revenir au sérieux... Tant que j'aurai la force de tenir une hache, mon gars, je viendrai t'aider. Comme je suis fait fort, ça risque d'être pour longtemps encore.

D'un large geste du bras, René conclut sa pensée :

— Voici donc l'endroit où tu élèveras ta propre famille, mon petit Pierre.

Il entrouvrit les langes. Le bout de nez pointait vers l'avenir. En attendant, le pacha dormait comme une bûche.

* *
*

Les enfants grandirent. La vie allait bon train. René continua la cognée entre les travaux à répétition de la ferme. Deux ans plus tard, en 1703, Jeanne-Marguerite mit au monde un quatrième garçon, Jean-François. Toujours au mois d'août, une semaine après les deux ans de Pierre.

— On pourra pas dire que le mois de novembre, c'est le mois des morts dans ma famille, se pavana le père.

Jeanne-Marguerite fit de son mieux pour remonter la pente après l'accouchement. Toujours délicate de santé, sa Marguerite. Mais « Maman n'était jamais bien loin ». René guetta les quarante jours. Comme ses frères, Jean-François fit le tour de la ferme dans les bras de son paternel...

338

— Tu sais, Jean-François, Papa a plus que la moitié de sa terre de bûchée maintenant. Ça avance, ça avance…

René leva un œil du côté de la montagne. Il n'avait pas dialogué avec son ancêtre depuis des années. Aucun besoin. Il se demanda s'il n'était pas devenu un sans-cœur ? De son côté, le Mousquetaire ne l'importunait plus depuis belle lurette. Aujourd'hui, cependant, une image lointaine revint vers lui. Il dansait encore sur sa corniche, mais semblait plus rabougri.

Très tôt dans la vie, Jean-François eut la chance de sortir jouer dehors. Deux frères de deux et quatre ans pour en prendre soin.

— Faut pas qu'il aille près des oies, les grands, leur rappelait maman. S'il se fait tordre le mollet par un bec, il va hurler.

— AAAAHA !

— Ça y est !

Afin de conserver à la terre sa fertilité, les champs changeaient de vocation tous les trois ans. Par conséquent, une prairie devenait un pacage : un pacage, un champ à légumes labouré en profondeur avant l'épandage du fumier et où l'habitant planterait du maïs pour ses animaux cette année. Toujours, une place respectable se voyait retenue pour le potager de Jeanne-Marguerite. À lui seul, il nourrissait toute la famille. Au bout d'une troisième année, René semait comme au début du grain coupé en vert. Dès l'automne, il ensemencerait à nouveau. Dans cette terre redevenue propre et grasse, une belle récolte de foin surgirait l'année suivante. Répétition d'un même cycle.

Jeanne-Marguerite n'appréciait pas tellement quand son potager, par la force des choses, aboutissait loin de la chaumière. Il lui faudrait encore se battre avec les mauvaises herbes. De longs jours accroupie entre les rangs à désherber, si elle voulait des légumes plus gros que les herbettes. Une fois cous et visages enduits de suif, insectes obligeaient, elle partait. Aujourd'hui, petit Jean-François sur son dos, Joseph et Pierre par la main, un baluchon de galettes et d'eau à boire sur l'épaule droite, et un autre sur l'épaule gauche renfermant grattes, pelles, couvertures. Tout le nécessaire. Quand, à l'aube, René partait travailler sur ce coin de la terre, il apportait les baluchons à sa place. Avec sa journée en branle, il lui devenait impossible de faire la route en sa compagnie. De toute façon, on ne désherbe pas tant que la rosée n'est pas tombée. Une fois sur les lieux, il lui fallait voir à mettre le bébé à l'ombre, sous un arbre en général et surtout à le protéger des moustiques, du soleil, des petites bêtes. Les deux plus vieux trouvaient à s'amuser non loin de leur frère. Là, au bout des rangs comme au bout du monde, ils traçaient route par-dessus route. Où l'enchevêtrement menait n'avait pas d'importance.

— Joseph, va voir au petit, lançait Maman aux dix minutes.

— Pierre, à ton tour.

S'il pleurait, elle venait lui donner le sein.

À son retour en fin d'après-midi, une pincée de cendres dans un peu d'eau chaude nettoyait du gras animal tout ce beau monde. S'ensuivait la préparation du repas du soir…

L'hiver terminé et l'époque des couches chaudes revenue, elle s'informa à son mari :

— Est-ce qu'on joue encore au fou, cette année ?

— Oui, surtout si tu veux jouer avec moy.

— Ah ! toy, espèce de vicieux ! Je parlais de la place du jardin, pas de la couchette.

Après la naissance de Jean-François, René eut tellement à faire ailleurs qu'il négligea un champ de pacage. L'automne précédent s'était écoulé à mille et une choses. Marguerite réclamait toujours son four à pain. L'allongement, dans ces champs plats, requerrait des canaux d'irrigation, obligatoires contre la rouille et la pourriture. Et le pont de fenil ?

— Celui-là peut plus attendre.

Pourtant essentiel, pour le fourrage de ses animaux plus nombreux. À l'occasion, pour fournir une couchette au passant. Le fantôme de Michaux-Michaux effleura son esprit. Le soir venu, le père habitua les garçons aux petites corvées.

— Les p'tits gars, faut rentrer le bois avant de vous coucher, si vous voulez manger chaud demain.

Les deux petits de cinq et trois ans obéirent.

Malheur ! des plaques de mousse avaient fait leur apparition dans le pacage.

La verge d'or, l'oseille et même de nouvelles fardoches commencèrent à pointer.

— Faut que j'y voie !... *Tudieu*, les jours devraient avoir trente heures, marmonna-t-il, dans sa course d'une place à l'autre.

Voler du temps au temps. Une heure par-ci, une heure par-là.

— Faut absolument que je commence à ramasser les débris avant le début juin. On dirait que ça pousse, ça aussi.

Roches remontées à la surface, vieilles racines de souche, bouts de branches charroyés par le vent. Et presto! un premier hersage. L'épandage du fumier, de tout le fumier. Un deuxième hersage juste à temps pour les semences.

Le pont de fenil, le four, les canaux laissés en plan, encore une fois. René n'avait plus une seule minute à lui.

— Heureusement, lui dit Jeanne-Marguerite, qu'il y a le jour du seigneur pour te démonter le ressort.

Si peu le dimanche, il y avait encore la pêche pour mettre du poisson sur la table de semaine. Loisir ou non, les jeunes garçons adoraient venir avec lui au petit bras de la Rivière-Ouelle non loin de la maison. En même temps, il leur apprenait à prendre du poisson et à respecter l'eau. Par l'exemple, car il parlait peu, perdu dans ses rêveries.

— Papa, quand vous étiez petit, est-ce que vous alliez pêcher avec votre papa, vous aussi?

René ne répondit pas. Petit… papa… pêcher… non! Petit… papa… poursuite… oui! Avait-il déjà été petit, lui, René? Il l'avait presque oublié. Depuis le temps qu'il se débattait avec la vie.

La boue refluant entre ses orteils, Joseph n'attendit pas la réponse et s'envola ailleurs. D'autres aventures palpitantes l'appelaient sur la berge. Petit Pierre suivit son aîné pas à pas. Ricana, imita ses moindres galipettes.

Quand Joseph eut six ans, il commença à venir pêcher seul. Maman le guettait revenir avec sa prise au bout d'une branchette. Toujours, ses deux bottes dans les mains : un rituel, un jeu. Quand il présentait son éperlan à sa mère, ses yeux brillèrent de fierté !

— Tenez, Maman, disait-il, les narines frémissantes.

— Ça va être bon pour souper, mon gars. Miam !

— Oh ! non.

Joseph ne mangeait pas de poisson. Ne mangerait pas son poisson.

Avril. La nature s'éveilla de nouveau. Suspendues au ciel, Pâques et sa résurrection se balançaient dans les hauteurs. La petite communauté de Notre-Dame-de-Liesse-de-la-Bouteillerie venait de vivre le dimanche des Rameaux. Cette année-là, une chance unique mit entre ses mains des branches de rameau en provenance d'un lointain navire dont on ignorait tout. Quelle vision en entrant dans la chapelle que ces précieuses palmes déposées dans une *jale* de grès à côté de l'autel. L'eau dans le fond du plat, ces herbages frais, la fluidité ambiante, tout concourut à ramener le doux temps dans les mémoires. Sur le chemin du retour, les joncs en liberté ployèrent des mains au rythme des pas. Le goût de s'amuser tarauda les enfants. Plus fort que leur bon vouloir, il fallait courir partout, laisser sortir la vapeur avant que d'éclater. On n'empêche pas un arbre en pleine sève. Un cœur non plus.

— Allez, hue ! dit Joseph, un petit coup de rameau aux pattes de Pierre.

— Non, intervint la mère.

On ne bafouerait pas cet objet béni.

— Donnez à Papa.

Pauvres petites mains vides, béantes. Mais des petites mains, ça oublie vite ; des petites pattes, aussi. Elles reprirent leur galop.

Rendus à demeure, on passerait l'après-midi à séparer les longues feuilles étroites et pointues des palmes humides, à les nouer en tresses vert pâle. Les plus artistes innoveraient avec des petits cubes entrelacés. Autant de chefs-d'œuvre pendus aux murs. En haut des portes, ils représentaient un symbole de protection pour tout logis. À l'exemple de la vieille France.

L'éprouvante semaine sainte succéda à ce dimanche glorieux. Six jours drapés de violet avant la Résurrection. Des offices religieux empreints d'une foi vive se succédèrent du lundi au samedi. Toutes les familles assistèrent aux cérémonies, jour après jour. René et Jeanne-Marguerite, avec leurs trois jeunes garçons, marchèrent cet aller-retour d'un mille.

Vendredi saint se présenta. Le soleil, dès l'aube, refusa de faire son apparition. D'heure en heure, de funestes nuages épaissirent le ciel. Un jour tout aussi sombre dans ces âmes chrétiennes. À l'image de la tragédie du Christ. De son summum. Dans le foyer Plourde, en commémoration des trois heures de l'agonie de Jésus sur la croix, on pria en silence. Une dévotion instaurée par la mère. Pas un son de midi à trois heures. Après avoir avalé un mince et triste repas — sept minutes tout au plus — et parfait sa routine, la mère se mit en prière à l'heure de l'angélus. Pour sa part, le père avait repris le chemin de la forêt dès le lever du jour.

— Je reviendrai vers deux heures de l'après-midi, avait-il dit à sa femme.

— Faudra pas être en retard.

À trois heures, la famille Plourde serait agenouillée dans la chapelle. Comme tous ses frères de la paroisse, son chef, en place au bord du siège, assisterait aux saints offices avec sa femme et ses enfants.

Le Vendredi saint, en particulier, les fidèles observaient un jour de maigre et jeûne rigoureux. Ce complément au carême s'ajoutait à de solides privations antérieures. À partir du mercredi des Cendres, quarante jours préparatoires à Pâques. Seuls à table, Joseph et Pierre picorèrent avec leur mère. Ils essayèrent d'imiter son silence, mais que c'était long, trois heures. Le temps passerait plus vite dehors à jouer dans la neige fondante. Même sans mot dire, il passerait plus vite. Si par hasard on s'échappait, on brisait la règle du silence, personne n'entendrait rien.

Comme le soleil avait lui du dimanche des Rameaux au jeudi, de petites rigoles colonisèrent l'étendue de neige devant la demeure. Les enfants adorèrent s'amuser dans ces minuscules filets d'eau. Éclisses de bois en main, ils jouèrent aux Sauvages. Une formidable bataille allait s'engager. Les yeux aux aguets, ils aperçurent l'ennemi descendre en canot d'écorce sur le Saint-Laurent du géant, selon eux. Fleuve qui s'engouffrait dans leur petite

Rivière-Ouelle. Foi de Jacques Cartier, il pénétrait même par l'embouchure de leurs coulisses d'eau. Aujourd'hui, deux voiliers, en provenance de la mère partie, comme disaient les enfants, mouillèrent devant la porte. En effet, avant de sortir dehors les garçons avaient subtilisé, à l'insu de leur mère déjà perdue dans ses oraisons, deux petites figurines en pin gossées par leur père à temps perdu. À rêve perdu : la plus belle des bêtes. À côté de leur batellerie en éclisses, deux minuscules chevaux flottèrent sur l'eau, les quatre fers en l'air comme quatre voiles au vent, et descendirent le courant tumultueux à leurs pieds. À la guerre comme à la guerre, Joseph et Pierre se retrouvèrent supérieurs en nombre. Les Sauvages seraient vaincus, cela ne fit aucun doute.

Certaine, dans l'esprit de Joseph, cette victoire sur l'ennemi. Comme il voyait grand, son père en peinture, il lui manqua la hache pour allonger les rigoles, étendre le champ de bataille. Tambour battant, il se mit en marche vers la grange. Plus une seconde à perdre. Au rythme des baguettes muettes, il avança, sûr de la victoire.

— Cric-crac, répondit la surface cristallisée où s'agrandissait une toile d'araignée sonore à chaque pas.

Au retour, ses pieds s'enfoncèrent creux sous le poids du fer de quatre livres. L'une après l'autre, il dut arracher ses bottes à la neige.

— Ça presse, marmonna-t-il.

Croûte et enfant venaient de briser la règle du silence.

Oui, il fallait se presser s'il voulait maintenir son avance sur les Sauvages. Non, cette guerre ne tirerait pas à sa fin. Joseph pensa qu'elle commencerait pour de bon, une fois le filet d'eau allongé. Au bord d'un chenal difficile à naviguer, commandant Joseph se tint, le lourd tomahawk entre les mains. Il leva les deux bras en l'air et attendit le signal de l'assaut. Vlllan ! La neige durcie vola en galettes. Parmi les éclats, un bout de doigt. Pendant que la hache s'abattait sur la glace, une petite main de trois ans plongea dans l'eau pour y reprendre son bien, son éclisse. Le majeur sectionné à la première phalange. Le sang gicla, le bout du doigt flotta.

— Maman ! hurla petit Pierre, se cognant à la porte d'entrée.

Du rouge le suivit à la trace. Joseph resta cloué sur place, l'arme à la main, les yeux boulonnés au doigt en flottaison au bout du canal.

— Jésus-Christ ! s'écria Jeanne-Marguerite. Joseph, cours chercher ton père, s'époumona-t-elle.

Marguerite épongea un flot de rouge.

— Papa, il saiaigne, se lamenta Joseph.

Le teint du petit frère blanchit. À côté de la chaise, une pile de linge rougeoyant s'entassa par terre.

— T'en vas pas, mon petit, supplia la mère. Pas toy, aussi.

L'instant d'après :

— Je te défends de mourir, ordonna-t-elle dans un instant de folie. Te le défends ! Tu m'entends ?

Un quart d'heure plus tard, le père fit irruption dans la pièce. Sa tête résonna contre le chambranle de la porte.

— Le garrot, Marguerite, le garrot !

Il fit un saut vers l'armoire à balai.

— Ça s'arrête, làààà…

Le père leva les yeux et aperçut la phalangette apportée par Joseph sur la table. Devant son cœur, il mit un bouclier. Il n'irait pas plus loin dans ses réflexions. Il ne le devait pas. Le père prenait de l'expérience. L'homme, de l'âge.

— Pauvre petit trésor, sanglota la mère.

Jusqu'aux premières heures du matin, Jeanne-Marguerite berça son petit lové dans ses bras comme un enfançon de cinq lunes. Blême comme la mort, l'enfant endormi reposa sur sa poitrine. Comme elle lui aurait donné le sein, mais dans l'immédiat la fontaine se trouvait tarie.

Entre-temps, Joseph, piteux, cherchait à se faire pardonner.

— J'ai pas fait exprès, Maman.

Cascade de larmes.

— … le sais… le sais bien.

Le long du visage de Maman assise, deux rigoles salines s'asséchèrent. Elle inclina le torse vers son aîné debout devant elle, et avec toute la tendresse du monde appuya sa joue contre la sienne. Avec lui, elle pleura comme une enfant. Sous leur tente protectrice, petit Pierre dormait. La tête basse, son Joseph finit par s'écraser par terre dans un coin de la pièce.

— Viens t'asseoir par ici, mon grand, lui dit son père.

Joseph se remit sur ses pieds comme on se relève d'une grande fatigue. Il prit place sur le banc équarri face à la longue table et y laissa choir tout le haut de son corps. Comme un crucifié sur le bois, ses deux bras s'étendirent de chaque côté de lui. René s'approcha, et d'une main grande comme la vie ébouriffa sa chevelure. Joseph ramena ses bras devant lui, les croisa sur la table, y appuya son front et tomba dans un lourd sommeil. Vendredi saint !

— C'est le métier qui rentre, se dit le père debout, immobile dans ce tableau de son existence.

Figurant, il se revit autrefois figé dans l'arbre avec son père, François, à faire face à la vie. En silence, il retourna vers le garde-manger. Il en sortit une galette, et la déposa devant son fils en phase d'initiation. À son réveil, le garçonnet refusa de manger. Il gravit, le long du mur, les marches menant à son grabat.

En huit ans, René abattit les arbres sur dix arpents. Un travail titanesque ! Réalisé deux ans plus vite que tous les autres colons. Les derniers dix arpents resteraient en bois debout pour les besoins de la ferme : se chauffer, faire des appentis, agrandir l'étable, la grange. Bâtir une soue à cochons indépendante, un poulailler, une bergerie pour son Joseph. Lui restait à reprendre l'épierrage, le nettoyage, à essoucher, à brûler, à tout mettre en bonne place. Entre ces travaux et ceux du quotidien, deux autres années s'écouleraient.

Une récompense absolue vint saluer à la fois une fin et un commencement dans la vie du père de famille. Jeanne-Marguerite lui donna sa première fille. Autour de la paillasse, les mocassins de René trépignèrent.

— Peux pas le croire ! Merci ! Merci ! Merci ! Marguerite ! dit-il fou de joie. Une paire de bras pour toy cette fois-ci, ma petite femme.

— C'est pas de refus, glissa Jeanne-Marguerite de ses lèvres décolorées.

Une quinte de toux s'empara d'elle. Sa mère courut chercher les *clairons* de gommes de sapin.

— Vite, mâche Marguerite, tu vas te faire saigner au bout de ton sang.

Un vilain toussotement la tracassait depuis quelques années. Elle toussait pendant tout l'hiver, aussi à l'été maintenant. Sa mère Jeanne lui refilait infusion de savoyane sucrée après sirop de carotte sucrée après sirop d'écorce d'orme après sirop d'oignon. Toute l'ordonnance, à raison de trois ou quatre cuillerées par jour.

— Ça me fait pas grand bien, dit la fille à sa mère. Donne-toy pas tout ce mal, Maman. C'est loin pour toy marcher jusqu'ici.

Jeanne-Marguerite se demanda si sa mère n'avait pas eu raison au sujet de sa résistance. Pourquoi n'était-elle pas parvenue après tout ce temps à se bâtir une grosse santé ? Elle se souvint, comme hier, de cette remarque de sa mère qui l'empêchait, à quatorze ans, de suivre son amoureux sur sa terre de Kamouraska.

— Tu dis des sottises, ça va finir par faire effet. Puis, tu sauras, ma fille, que ta mère est encore solide sur ses ergots.

On appela ce cadeau du ciel, Marie-Catherine. Il n'y aurait aucun passe-droit. Quarante jours après sa naissance, une fois l'allaitement du midi terminé, la benjamine, comme ses frères avant elle, eut le privilège de faire le tour de la concession dans les bras paternels. Son père lui parla champs de labours, semences, récoltes, et lui annonça la fin de sa cognée comme une grande nouvelle. Le dix-neuf juin 1707, Marie-Catherine sut déjà tout ce qui se passait sur la ferme. Les yeux grands ouverts, elle demeura la seule à écouter toutes les explications de son papa. Aucun des garçons avant elle n'avait résisté au sommeil durant la longue randonnée.

À chaque nouveau pas, à chaque nouvelle phrase, René se sentit devenir de plus en plus fou de sa fille unique. Ce regard ouvert sur le monde l'émerveilla. Des poupées vivantes, il lui en promit en nombre.

— Aussitôt que tu seras assez grande pour ne pas causer d'inquiétude à ta mère, lui dit-il, je te creuserai une mare. Ce sera facile avec la Rivière-Ouelle tout près : un petit canal jusqu'à la mare tout simplement. Ensuite j'y mettrai une famille de canards au grand complet. Tu auras les plus jolis canetons de la vallée. Pour toy toute seule, mais faudra pas faire de chicane avec tes frères. Oublie pas.

Après quelques heures de cette interminable randonnée, Jeanne-Marguerite venait toujours à la rencontre du nourrisson et de son père.

— Elle m'a souri, dit René en remettant la poupée à sa mère.

— Tu es certain qu'elle n'a pas dit *Papa* ?

Les mois d'hiver s'ajoutèrent au mois d'été. Marie-Catherine grandit.

Lorsque René revenait du champ, le visage de la petite s'illuminait. Son bras s'étirait vers le large :

— Papa, Papa, là-bas !

Maman ouvrit grande la porte et Marie-Catherine, petit poussin de vingt-deux mois, pataugea à toute allure vers son papa. Ses deux minuscules pieds grimpèrent alors sur la botte géante. De toutes leurs forces, ses bras potelés s'agrippèrent au mollet. Ils en firent à peine le tour. Le pied énorme se remit en marche, balayant la petite jusqu'à la maison. Étourdie, Marie-Catherine adorait. Le vent lui taquina ses boucles châtaines et la foulée de son père résonna dans son cœur. Juste avant l'ouverture de la porte, la fillette tendait bien haut les bras.

— Sauter, Papa.

Le corps gracile disparut un instant sous les grandes mains. En se redressant, le père, d'un trait, lança sa colombe dans les airs. L'oiseau s'envola une fraction de seconde, le regard rivé à celui de son père. La petite, navrée un instant, retomba en toute confiance dans la tendresse de ses bras. La porte bâillant d'elle-même, Papa entra avec son ange sous l'aile. Maman avait épié.

— Salut…

Très jeune encore, Marie-Catherine se prit d'affection pour les petits poussins de la ferme. Devant ce duvet jaune pâle, elle frémissait. Entre ses heures de sieste, elle les pourchassa sans relâche dans la vaste cour reverdie. Du poulailler à la grange, de la grange à la maison, au poulailler, à la grange, à la maison. De plus en plus adroite, sa main réussissait parfois à agripper le boulet jaune. D'instinct, elle resserra l'étau, tomba à genoux pendant que son autre main chercha à lui venir en aide. La fourrure soleil s'échappa alors par toutes les issues de cette cage ajourée. Caressante, elle longea les minuscules doigts et se répandit en pompon au creux du pouce. Ravie, la coquine porta le trésor à son cou, replia la tête tout contre ce noyau comprimant à l'excès cette absolue douceur. En fin d'après-midi, un jour, le chouchou ne se remit pas sur ses pattes. Quelque chose n'allait plus. Le cœur de la bambine sombra dans l'inquiétude. Elle courut se cacher derrière la corde de bois.

— À la soupe ! appela bientôt Maman.

On attendit. La petite ne se montrait toujours pas le bout du nez.

— Les garçons, allez chercher votre sœur.

Joseph revint en courant.

— Maman, elle pleure… veut pas me donner la main… se prépare à faire une crise…

— Qu'est-ce qui se passe ? René, va voir ce qu'elle a, tu veux ? Sur ta botte, elle va revenir, c'est certain.

Marchant vers le fond de la cour, René avisa l'oisillon sur le côté.

— *Tudieu*, elle l'a étouffé.

Tel un *clairon* de gomme de sapin, la petite boule de Marie-Catherine sans duvet aucun s'agglomérait aux billots. Pendant que, d'une main, le père balayait des narines épatées la sciure et les fragments de copeaux, l'autre bras cueillit sa chouette au creux du coude. La petite au visage rougi par les pleurs s'enfonça dans la tendresse paternelle, comme tantôt le poussin dans son cou.

Son grand frère Joseph avait pris sur lui de faire disparaître l'oisillon qui ne pépiait plus.

Il suivit bientôt son père dans la cabane. Entre ses mains refermées l'une sur l'autre, un nouveau petit soleil jouait des deux pattes au bord de ses paumes.

— Regarde, Titine.

Tournant la tête, Marie-Catherine gloussa aigu encore une fois. Ses petites mains s'ouvrirent sur l'oiselet adorable. Entre les bras de ses parents, la bambine apprenait comment aimer les petits poussins.

Sur la ferme en général, il ne restait plus qu'à suivre le rythme des saisons. À cultiver, à récolter, à innover pour adoucir la vie. René envisagea d'apprendre à tresser des corbeilles à même les tiges de joncs en grande quantité au bord de l'eau.

— Pourrais les vendre à Kébek avec mes surplus de récoltes quand le temps sera venu.

Ce surplus aiderait à mieux vivre. Il pensa encore à ses vieilles chaises dont le fond mériterait une retouche…

— Et, la famille qui grandit.

Le printemps après la naissance de sa fille se révéla le plus beau de toute sa vie. Pour la première fois, il pourrait labourer au calme. Faire de longs sillons propres et droits devint réalité. Ce rêve, il le caressait depuis le jour où ses voisins du Poitou l'avaient proclamé laboureur par excellence. Comme ces champs avaient pris de l'ampleur. Du nord au sud, combien propres. Sans obstacle, sans traînerie, les plaines s'étendirent à perte de vue. René commença à reprendre haleine.

Le cultivateur, après douze heures de labourage, se sentit poudroyé des orteils jusqu'aux tambours des oreilles. Avant de venir prendre le repas du soir avec sa marmaille, il s'arrêta au bout des rangs pour admirer. Une œuvre accomplie à la perfection. Le maître laboureur regarda les enrayures, droites comme lui, courir jusqu'à l'horizon, le défoncer et se perdre dans le ciel. Il y avait plein de vie et d'espoir, tout au fond. L'ourlet des sillons par centaines suivit l'alignement parfait. Terre riche et épaisse maquillée d'or par les rayons obliques. Paillettes en émoi. La pulpe de sa terre, la pulpe de sa vie. Il vit déjà des tiges s'élever du creux des sillons.

— Mais vous allez sécher debout. Attendez un moment que je vous renchausse.

Dix-sept heures. René prenait le temps d'être heureux. Il calcula qu'il commençait à vivre, à savourer l'existence. Un premier grand labour accompli, sans entrave. Aucune vieille souche dans les jambes, pas de pierres, pas de fardoches, rien. Ses dix arpents déboisés et le bois de trop réduit en cendres.

— Enfin ! du temps pour autre chose.

Se construire une voiture d'eau pour aller vendre à Kébek ses surplus de grains. Peut-être.

— Faudrait que je parle aux beaux-frères, le projet pourrait les intéresser.

Même tresser des articles de vannerie. Peut-être encore. Très en vogue chez les messieurs de la basse ville, en tout cas. Il se dit que l'hiver prochain, il aurait amplement de temps pour ça. Puisqu'il travaillerait dans le tambour de la grange, il en profiterait pour avoir un œil sur Jeanne-Marguerite, car sa santé l'inquiétait.

Il envisagea même d'entreprendre sous peu, pour la nichée en expansion, la construction d'une nouvelle demeure, plus grande et plus belle. Juste à pressentir le bonheur de sa femme, un sourire se dessina sur ses lèvres.

— Elle trouverait encore le tour de lui tirer la couette, pensa-t-il.

Ainsi agissait-elle lorsque l'émotion la dépassait. Il agrandirait son logis en ajoutant une pièce après l'autre, au gré des besoins, selon la mode de l'époque. De solides assises de trois pieds d'épaisseur en pierres saumonées et verdâtres, oui madame. Celles de la Rivière-Ouelle. Les plus belles. Les murs non plus en bois rond, mais en poutres bien équarries.

— Le forgeron va m'aiguiser cette hache-là comme une lame de rasoir. Parfait ou rien.

Entre les billots, un calfeutrage semblable à celui du manoir. Plus beau encore. Comme si aux neuf pouces, des lignées de mouettes étendaient leurs ailes autour des quatre murs. Pour la soutenir en temps difficiles. Avec une cheminée, deux fois la dimension de l'actuelle. Comme il avait vu à Kébek à côté de l'étude du notaire. Le tout, gris, blanc, à répétition, sur fond de nature verte...

— L'été prochain, se dit-il encore, j'amène Jeanne-Marguerite et les enfants voir ma terre de Kamouraska. Après les premières récoltes, si Dieu le veut.

Il irait aussi saluer le bon père Michaux, son voisin, au sud-ouest. Et tous les autres habitants. Qui sait ? Peut-être même tomberait-il sur Michaux-Michaux ?

Il se fit une telle fête de ce retour en arrière. Voir d'où on part. Il leva un œil en direction de la montagne de son ancêtre pour voir d'où il partait.

— Si j'ai fait du chemin !

Quand ce propriétaire prenait le temps de s'arrêter, quand il revenait à ses moutons, un sixième sens l'attrapait par le chignon du cou. Remontaient en lui toutes sortes d'extravagances. Avec le temps, il finit par en craindre la portée. Là, un vaste morceau de terre entre ses deux propriétés surgit à la verticale devant sa face avant de se recoucher pour faire un avec elles, les unir en une belle plaine. Impossible de retenir sa folle pensée en train d'en remettre : cette étendue lui revenait comme un droit de fait puisqu'il y avait tant travaillé.

— Arrête donc, se rebiffa-t-il.

Ça continuait, malgré lui : au carrelage de la prospection pendant sept ans, d'un bout, à la cognée pendant dix ans, de l'autre. Du matin au soir. Comme une juste rétribution des choses. René accéléra sa marche pour faire venir la distraction. Ça le reprenait : quand il avait œuvré pour le sieur De-la-Chenaye à Kamouraska, ou le seigneur De-la-Bouteillerie ici même à la Rivière-Ouelle, il y avait mis tant d'ardeur. Comme s'il le faisait pour lui-même. Ça en rajoutait : s'il y avait une justice quelque part, mais toujours lettre morte, que cette justice naturelle.

— Ah ! non.

Cette fois, il aurait bien accueilli un petit coup d'épaule du Mousquetaire. Cependant, il ne fit part à personne de ces réflexions, pas même à Jeanne-Marguerite. Sur le domaine de ses illusions, il n'avait jamais été loquace avec elle. À peine si elle connaissait ses origines. Elle le savait d'une grande intensité, mais n'en demandait pas davantage. Elle préférait la manière dont il l'étonnait.

Le travail n'avait jamais effrayé ce défricheur. Il aimait sans contredit la terre qui assurait sa subsistance. Autant estimait-il les arbres de la forêt. Chacun d'eux comme un notable. Un bel arbre le faisait toujours s'immobiliser un instant. Même avant la cognée, il le toisait avec respect, non pour l'abattre, mais pour le mériter. L'arbre appelait cette considération.

En cette année faste de la naissance de sa fille, René célébra ses quarante ans. Avant de quitter la paillasse ce quinze juillet au matin, Jeanne-Marguerite l'embrassa sur le front et dit :

— Bonne fête, le vieux !

— M'appelle pas le vieux.

— Tiens donc, un vieux qui n'entend plus à rire. Quarante ans, c'est pas vieux, ça ?

— *Tudieu* ! Je commence à peine à vivre. Viens juste de finir de bûcher ma terre, tu as pas remarqué ? Quarante ans, c'est mûr, mais pas vieux.

— En ai juste vingt-six, moy.

— Les bonnes femmes, c'est pas pareil !

— Comment ça ? Pas pareil. L'âge, c'est l'âge.

— Écoute plutôt ceci, avant que je te montre ce que l'âge peut faire.

Les mains jointes sous la nuque, René annonça à sa femme son désir d'amener toute sa famille à Kamouraska. Tout à coup, sa concession d'autrefois lui faisait signe à tour de bras. Il ne l'avait mise de côté que par son exigeant labeur sur la terre de son union avec Jeanne-Marguerite.

— Je veux que mes enfants voient ma terre de là-bas. Ça sera à eux plus tard.

— Eh bien ! s'exclama Jeanne-Marguerite. Ça en a pris du temps, mais c'est venu. Je croyais que tu l'avais oublié ce voyage.

Non, René ne l'avait pas oublié. Il avait toujours eu la mémoire longue et il avait de qui tenir sur la montagne. Pas loin d'une huitaine d'années de prospection lui avaient aiguisé cette mémoire au maximum. Ce voyage, il le lui avait bien promis autrefois.

— Une promesse, c'est une promesse, ajouta-t-il. Ça tient pour toujours tant qu'on n'est pas sous terre.

Pétillante à l'idée, Jeanne-Marguerite conclut :

— Avec nos quatre marmots, ça demandera passablement de préparatifs, mais c'est possible.

Jeanne-Marguerite chercha à s'élancer hors de la couche. D'un genou replié sur ses cuisses, il lui barra la route. Elle ne s'échapperait pas aussi facilement.

— Tu devrais pas me faire *étriver* comme ça, le jour de mon anniversaire, sans-cœur.

Il lui tarauda le flanc du bout des doigts. Marguerite se tordit. À l'emporte-pièce, la sans-cœur lui cloua le bec avec un baiser pendant que sa main partit à la recherche de sa couette.

Du nouveau plein la tête, les époux ne portèrent plus à terre. La perspective de ce voyage survola l'atmosphère de la maisonnée. Jeanne-Marguerite fit des plans, toussota, prit des notes. Elle apporterait des légumes frais du jardin, des haricots secs et des galettes d'avoine. On mangerait le jardinage cru tant qu'il conserverait sa fraîcheur. En fin d'après-midi, elle mettrait à cuire les haricots secs avec du lard salé qui se conserve bien. Nourri de broutilles jusqu'au crépuscule, le feu finirait par attendrir les fèves et les rendre juteuses. Elle s'entendit demander à Joseph :

— Mon grand, va me chercher de l'eau au bord du fleuve, mais sois prudent.

Avec Pierre et Jean-François, les trois garçons noieraient les cendres d'eau et d'éclats de rire.

À la collation comme au dessert, les galettes desserviraient les besoins en sucre. S'ajouteraient, en complément, les framboises, mûres et bleuets cachés à l'ombre des buissons. Talle intacte ne résisterait pas longtemps au pillage. Grappes de cerises rouge noir non plus qui, des arbrisseaux, se faufileraient entre les ridelles de la charrette le long de la route étroite. Que des mains gourmandes dévaliseraient jusqu'à ce que les muqueuses épaissies se refusent à une de plus. Un appétit de plein air n'a pas de limites. Le lendemain, une pleine poche de noisettes à peine mûres brinquebalant dans la voiture seraient épluchées au son d'une litanie de *ça pique, ça pique, délivrez-nous*. À l'orée du bois, le silence profond du soir accueillerait ces corps heureux sur une couche de sapinage. Jeanne-Marguerite porta la main à sa bouche.

— Oh ! faudrait pas que j'oublie la peau de chevreuil pour la petite.

Elle se souvint de ce doux dimanche où René, avec ses beaux-frères Soucy, avait rapporté un matin de chasse cette belle bête. Maman en tapisserait le fond de la voiture pour les siestes de son bébé. Le soir venu, la peau servirait à adoucir les branchages sous la petite.

Jeanne-Marguerite attendait cet événement dans sa vie. Avec une joie presque enfantine, elle flottait au lieu de marcher. Plus elle avait hâte, plus elle toussa. Plus elle se redressait le torse et plus elle gardait la tête haute.

Pour prendre congé d'une ferme à cette époque, ne fussent que cinq jours, il fallait quatre semaines de prévoyance.

— Marguerite, dit René, d'ici trois semaines, j'aurai fini les foins si la Providence nous envoie pas trop de pluie. Après, je pense que ça serait un bon temps pour partir. Il me resterait encore une dizaine de jours avant le hersage et l'épandage du fumier. Pour le jardinage, toy, qu'est-ce que t'en dis ?

— Les légumes vont profiter tout simplement. Tant qu'ils restent en pleine terre dans le jardin, ça peut attendre pour les conserves. Dis donc, vas-tu faire entrer les animaux dans l'étable pour l'hiver avant de partir ?

— Pense que je suis mieux si je veux pas donner trop de trouble à ta famille. Je les retournerai à brouter après, si le beau temps dure.

— Sais pas ce que maman va dire de ça.

Elle se retint de tousser par peur que le voyage de sa vie ne tombe à plat.

Le dimanche suivant, René partit pour la messe. Seul. Jeanne-Marguerite s'absentait de son devoir dominical. Elle avait beaucoup toussé durant la nuit. Les enfants resteraient à la maison avec elle. Joseph, huit ans, veillerait sur les deux derniers, Jean-François, quatre ans et Marie-Catherine, un an. Pierre, six ans, s'occuperait des besoins de sa mère.

Au sortir de la chapelle, salut! à l'un, salut! à l'autre. Un moment idéal pour aller aux dernières nouvelles. René et son beau-père, face à face, s'allumèrent une bonne pipe.

— Non, mais ça fait du bien, ça, le gendre, hein?

À ce moment même, le seigneur De-la-Bouteillerie s'amena vers eux d'un pas résolu. Il avait un message important à livrer.

— Miville, René, vous allez bien? Courtois, il porta la main à son chapeau. René, j'ai pensé que vous aimeriez savoir que j'ai revu votre ami, Michaux-Michaux, à Kébek, la semaine passée. Il était en partance pour Kamouraska. Décidé pour de bon à aller s'établir sur la terre de son père, apparemment.

— Michaux-Michaux, répéta René, comme s'il avait oublié la saveur de ce nom dit à haute voix. Il y avait combien d'années encore?

La pipe éteinte, le beau-père et son gendre, les mains dans les poches, traînèrent la savate, profitèrent du beau temps. René lui fit part de son projet pour Kamouraska, heureux et préoccupé à la fois, à cause de l'état général de sa femme. Le silence se fit. Le mari dans la force de l'âge continuait de se poser des questions quant à l'endurance de sa femme.

— Rentre donc saluer ta belle-mère. Elle fait ses dévotions à la maison depuis quelque temps. Pas moyen de savoir pourquoi. Elle doit s'être arrangée avec le curé pour le salut de son âme.

Miville poussa la porte.

— Tiens donc, de la belle visite, entre René. Où est-ce que tu as mis Jeanne-Marguerite et les enfants?

— Sont restés à la maison. Marguerite a passé une mauvaise nuit, et c'était mieux comme ça.

— Je me disais aussi que ça faisait longtemps que je l'avais pas vue, elle. Encore la toux?

— Oh! c'est temporaire. Est heureuse comme ça se peut pas parce qu'on se prépare pour aller à Kamouraska visiter mon autre terre. On veut que les enfants voient ça. Me demandais aussi, la belle-mère, si vous viendriez pas traire les vaches à sa place une fois par jour. Elle devait venir vous en parler elle-même, mais puisque je suis là.

La mère Jeanne grommela. Cet éloignement ne faisait pas son affaire. Aucun éloignement de sa fille ne lui convenait jamais.

— Dis-lui que je viendrai la voir demain et que j'ai découvert un sapré bon remède pour la toux. Ça va marcher, cette fois-ci. La vieille sauvagesse de la teinture…

René quitta la demeure, certain d'avoir la guérison de sa femme en main.

— La belle-mère, c'est quelqu'un!

Aussitôt la porte refermée, Jeanne Miville dit à son mari.

— François, va falloir que tu fasses boucherie aujourd'hui même. J'ai besoin de quatre livres de viande crue et fraîche.

— « Les dimanches tu garderas, en servant Dieu dévotement », pontifia-t-il. C'est pas parce que t'es pas allée à la messe que tu sais pas que c'est dimanche.

— J'ai le remède qu'il faut pour la sortir de sa maladie et ça presse !

— Es-tu tombée sur la tête, ma vieille ? Qu'est-ce que tu fais du salut de mon âme, à moy ? Travailler le dimanche. Pis, je rajeunis pas. Aurai peut-être pas le temps de racheter ma faute avant de crever.

— Tu es pas malade, toy, que je sache. Laisse-moy donc m'arranger avec le curé pour le salut de nos âmes. Le bon Dieu, c'est pas un fou. Je pense qu'il est capable de comprendre le bon sens. Quand je lui aurai parlé à genoux dans sa chapelle, il va tomber d'accord avec moy. Une si bonne mère de famille ! En attendant, je prends la décision pour lui. À part ça, des orphelins, ça me dit qu'il en assez sur les bras.

— Ça pourrait pas attendre un jour de plus ?

— C'est Dieu ou c'est ma fille.

— S'il faut que je fasse boucherie tout de suite, va me falloir de l'aide.

— Demande au jeune René. Ça pourrait lui mettre un peu de plomb dans la cervelle.

— Et son âme à lui ? Ça va être de la faute de sa mère.

Le jeune René fit part de la requête à ses frères. Nerveux, les quatre garçons Soucy arrivèrent l'un après l'autre chez Miville.

— Qu'est-ce qui vous prend le beau-père? Y'a pas le feu, me semble!

— Parlez à votre mère, c'est sa décision.

— J'ai pas envie que ma seule fille trépasse. Un jour de plus à s'arracher les poumons, c'est un jour de trop.

Les jeunes gens se regardèrent.

— On va vous aider le beau-père. Si on a à brûler en enfer à cause de ça, au moins on brûlera ensemble.

Dehors, Miville partit à la recherche d'une taure qui ne promettait rien de bon pour le lait. L'affaire ne traînerait pas. Il l'attacha à un pieu de la clôture et il l'assomma d'un coup de masse. Les genoux cédèrent et la génisse s'écrasa. À cinq, on eut vite fait de traiter l'affaire.

— Tiens, tes quatre livres, dit Miville en entrant, la mine basse.

— Il y en a bien quatre livres, hein mon vieux? se radoucit sa vieille.

— Si tu me crois pas, va les peser toy-même.

— C'est une bien bonne balance que tu t'es fabriquée, mon homme, avec tes plateaux d'écorce et tes roches d'une livre de chaque côté. Une chance que le vieux Duplessis avait une romaine, pour le poids des roches, je veux dire…

La vieille s'arrêta. Miville se fit sourd à son propos, à ses flatteries.

Plus un mot ne s'ajoutait. La Dame Jeanne mit à tremper les quatre livres de viande dans une pinte d'eau froide. Au bout de quatre heures, elle déposa le morceau dans une toile et le pressa énergiquement. Bientôt la nuit s'attaqua au jour. Elle attendrait au lendemain pour venir

365

persuader sa fille de boire tout ce jus rouge avant le soleil couchant.

La guérison s'effectua en quarante-huit heures. Deux merveilleuses journées où sa poitrine se libéra d'une sensation oppressante. Ce remède tenait du miracle ! Elle aspirait l'air à pleins poumons maintenant. De tendresse se glissait sur ses lèvres, *Maman*.

Debout et alerte, elle s'enfonça dans les préparatifs comme si elle se trouvait remise à neuf, ou en possession d'une nouvelle santé.

— Aujourd'hui, je vas faire ma René.

— Calme-toy, Marguerite, lui conseilla son mari. Dépense pas toute ton énergie la même journée.

— Laisse faire pour le *calme-toy*. Regarde-toy donc aller.

— *Tudieu* ! Quand tu veux pas comprendre.

Au vrai, René se démenait comme un beau diable. En mettant les bouchées doubles, il s'assurerait que les choses arrivent. Ce projet, il l'avait à cœur. Une trentaine de jours après le quarantième anniversaire de son mari, Jeanne-Marguerite s'aperçut d'une sixième vie implantée en son sein. Violents maux de cœur, un rappel de sa première grossesse. De son petit ange dans les cieux. Tant d'efforts conjugués à son surmenage eurent raison de sa frêle personne. Sa toux la retourna sur la paillasse. S'ingéniant à la blague, René lança.

— On va être un de plus pour faire le voyage l'été prochain, ma belle.

Un geyser de larmes à vomir ! Pourquoi ? Pourquoi ? Pourquoi ? Un chagrin sans fond.

— Sais-tu Marguerite, continua René, je pense que je vas me mettre à la construction d'une voiture d'eau *drette là*. L'été prochain, je serai fin prêt pour aller vendre nos surplus à Kébek. À part ça, fini le bûchage. Finies les longues journées loin de la maison, l'hiver. Qu'est-ce que tu dirais de m'avoir dans les pattes à longueur de jour ?

Jeanne-Marguerite n'eut rien à répondre. Elle préféra se taire plutôt que de mettre du sable dans l'engrenage. Qu'à cela ne tienne, elle n'aurait plus jamais rien à répondre. Elle se demanda si elle verrait Kamouraska.

— Tiens, peut-être que tu pourrais venir à Kébek avec moy. Et le nourrisson. La femme d'Ernest se fera un plaisir de garder les autres. Tu la connais avec les enfants. Elle qui en veut tant.

— …

— À part ça, j'ai pris la décision qu'on va le faire notre voyage à Kamouraska l'été prochain. Kébek au mois de juillet, pour les semences. Kamouraska au mois d'août, pour l'avenir. Toy et moy, on va lui en faire voir du pays à notre rejeton. On va aller lui montrer sur les lieux mêmes à notre petit Augustin, où il pourrait se monter une belle écurie. Avec des beaux chevaux comme ceux de nos noces.

— … ou Augustine, ajouta la voix basse.

Peut-être qu'elle survivrait, après tout. Avec René, son roc, sa force. Elle, une algue échouée sur lui.

— Pendant qu'on sera encore à Kébek, j'irai te montrer l'étude du notaire avec ses belles barres blanches tout autour.

Il pensait aux grands oiseaux de mer. À leurs ailes enveloppantes comme d'un support pour sa Jeanne-Marguerite.

— Ça te donnera des idées pour notre future chaumière. À part que c'est là où j'ai signé, ma Dame, le contrat de ma terre de Kamouraska. La première fois que je signais des papiers aussi importants. Mon propre nom, de ma propre main. Tout ça, grâce à toy.

Cette dernière allusion la fit sourire. Elle revit la cabane de son enfance. Gravés sur les billots d'un mur, les noms des siens lui sautèrent aux yeux. Fière de son geste, la très jeune fille ! Peu de choses mais beaucoup à la fois.

Dans les mois qui suivirent, René mena mille projets de front. La voiture d'eau, les fondations de sa nouvelle demeure, des objets en vannerie dont il ne connaissait, de prime abord, ni A ni B, la préparation minutieuse de ses champs pour l'hiver comme d'une aubaine dans sa vie, et sa Marguerite à tenir à bout de bras.

Finalement, Augustin naquit à la fin de l'hiver. La *pelle à feu* ne revint pas chez les Plourde pour rien. La plus laborieuse de ses six délivrances. Pendant ce temps, la grand-mère Jeanne encaissa les contrecoups. Un solide bébé de dix livres entra dans le monde. Il poussa un hurlement comme s'il se trouvait le premier de son espèce à aboutir sur la planète. Veillant dans la cuisine, René sursauta.

— Prêt à marcher et à parler mon gaillard, avança René en pénétrant dans la chambre.

Personne ne réagit. La grand-mère Jeanne et la dame Deschênes s'affairaient au bien-être du nouveau-né et de la mère. Ému, le père s'agenouilla au bord de la couche où, posé sur le cœur de sa mère, l'enfançon vagissait. Résolu à garder le moral, il dit :

— Encore deux mois et demi, ma femme, et nous partons à trois pour Kébek.

Jeanne-Marguerite sentit son souffle la quitter. Elle se demanda ce que ferait René avec ses cinq enfants vivants. Oh ! l'énergie à déployer au quotidien ne ferait pas problème. Elle n'avait jamais vu personne se dévouer comme lui à une cause, à leur cause. Malgré la misère des jours, il avait su faire d'elle, à sa façon, sa Belle au bois dormant de Notre-Dame-de-Liesse-de-la-Bouteillerie. Elle devenait son port d'attache. Tant qu'elle serait là, il suivrait sa petite lumière. Mais après, que suivrait-il ? Qu'adviendrait-il de ses ambitions intimes, de ses rêves, de ses secrets rapportés de la mère patrie où, comme à Kamouraska, elle n'aura jamais mis le pied. Toutes les grandeurs de cet homme jamais exprimées de vive voix, tout ce qui le distinguait survivrait-il en lui ? Son monde intérieur, plus vaste que ses champs, finirait-il par trouver issue ? Ou replongerait-il comme dans son Poitou natal, elle s'en doutait bien, six pouces sous terre ? Ou six pieds !

Désormais, à quelle bouée se raccrocherait son prince orphelin ?

— Mon Dieu, pria-t-elle, faites qu'il y ait bientôt du doux temps dans sa vie ?

Elle aurait voulu pleurer tout le liquide de son corps !
En avait-elle seulement le droit ? Qu'adviendrait-il de
ce petit, une fois la source de son lait épuisé ? À quoi
s'abreuverait-il ?

— René, souffla-t-elle, du fond de mon âme, je te
laisse le meilleur de moy-même, ta continuation...

Elle retint de nouveau ses pleurs.

Triste réalité ! De son *qui vivra, verra*, de cette espiè-
glerie de jeune époux qui la faisait bondir alors, elle n'en
verrait pas la moitié. Que vingt-sept ans d'âge, que onze
ans en ménage.

— Comme il me manquera ! Toute l'éternité, il me
manquera.

Une nuit éternelle à souffrir de son absence, à sécher
ses larmes de lui.

CHAPITRE 21

René Plourde de Plour

ENTRE-TEMPS, LE seigneur De-la-Chenaye revenait d'un autre de ses lointains périples. Il regagnait sa résidence de Kébek. Vieilli, fatigué, démarche chancelante, il gardait la mémoire vive cependant. Des centaines de milles à longer la côte, à observer, de sa voiture d'eau, le mouvement des rames. Leur régularité rappelait à l'ordre. Aussi continua-t-il une réflexion entreprise des années auparavant. Ses affaires en baisse sérieuse, des choses à mettre au point dans l'immédiat. Un homme a son honneur, pensa-t-il.

— Arrêtons-nous.

Des haltes de quatre à cinq jours où il revoyait sa vie par le détail. Les événements des quinze dernières années surtout se succédèrent à nouveau dans son esprit. Son fief de Kamouraska avait encore du plomb dans l'aile. Ce havre de repos, le plus beau de ses cent une seigneuries, ne pouvait être laissé ainsi à l'abandon. À sa résidence de la Rivière-du-Loup, un pied-à-terre important pour ses affaires, il descendit à peine. Vingt milles plus loin, Kamouraska la jolie réclamait sa présence. Avec insistance. Comment se faisait-il qu'il avait toujours du mal à lui faire prendre son envol ? Oui, vraiment, il n'y avait que ce Plourde pour... Il revit la lente ascension de ce naufragé craintif, mais osant l'attendre sur la plage de la Rivière-Ouelle. Sa peur d'un nouveau carcan. Il repassa ses comptes rendus de prospecteur. Ma foi, cet homme avait une mémoire phénoménale, meilleure que la sienne. Ce jour, en plus, où il lui avait sauvé la vie des mains des Iroquois. Cette fois encore où, en canot entre deux bourgs, il lui avait fait cracher ses origines. Son *de quelqu'un*, la surprise de sa vie. Malgré son existence de soumis, il lui reconnaissait la combativité de l'ancêtre de son lignage.

Kamouraska la jolie, enfin !

— Par tous les diables !

L'état de décrépitude, de désolation de cette seigneurie le jeta à la renverse. Pas une autre concession n'avait été faite depuis l'acte de passation à son fils. Louis de Forillon, brillant officier de la marine à Kébek, n'avait jamais eu d'intérêt pour ce genre de commerce. Il l'avait toujours su, lui avait quand même cédé ce fief pour ne pas le perdre totalement. Néanmoins, il se gardait le privilège de le reprendre dès que ses affaires iraient mieux. Sa santé déclina trop vite. L'heure était venue. Le temps de sa deuxième lettre, mise en réserve, arrivait à son but. Un message important à faire parvenir au premier de ses censitaires à Kamouraska.

— Hors du commun, ce René Plourde !

Ce geste posé se révélerait le plus méritant de sa vie.

Le sieur De-la-Chenaye mourut bientôt. Cette deuxième lettre toujours scellée, à demeure sous une pile de paperasse, se verrait ballottée de main en main. Plourde avait été terrassé en apprenant la nouvelle. Mais sa terre et sa famille requerraient toute son attention.

Après l'initiative de René à la suite de sa sixième grossesse, Jeanne-Marguerite avait choisi de ne pas participer au voyage à Kébek. Elle préférait conserver ses énergies pour le trajet à Kamouraska. Sa toux continua de plus belle.

Au port de Kébek, René fit affaire entre autres avec des marins d'ailleurs. Arrêtés en face de son étal, ils délibérèrent à n'en plus finir en langue inconnue. Ils n'achetèrent rien, mais palpèrent en diable. Malgré tout, un René heureux retourna à la Rivière-Ouelle. D'autres avaient renfloué ses goussets. Belles et bonnes affaires. Sa barge ancrée à mi-chemin entre sa terre et celle de son beau-frère, il remonta sur le sec, un monde d'idées nouvelles dans la tête. Marguerite aperçut au loin la voiture naviguer sur le bras de la Rivière-Ouelle. Elle vint à sa rencontre, son petit à l'indienne sur le dos. René l'attrapa au vol, s'aimanta à son corps. D'un coup d'ailes, il les souleva de terre.

— Marguerite, Marguerite, répétait-il, des parcelles d'infini dans le regard.

La terre concédée par le sieur De-la-Chenaye au solide Pierre Michaux s'étendait sur douze arpents de front, pour lui et sa nombreuse progéniture. Un responsable de la seigneurie, en l'absence de Monsieur de Forillon, assumait l'intendance et avait appris le retour du fils absent, Michaux-Michaux, venu réintégrer la terre paternelle. Il y avait toujours parmi les papiers volants du fief cette lettre adressée à René Plourde par le sieur De-la-Chenaye lui-même. Il faudrait bien un jour ou l'autre la lui faire parvenir.

— Monsieur Michaux, vous voilà donc, dit le représentant sur un ton incertain.

Il se demandait si cet homme avait répondu aux attentes des autorités quant au défrichement de cette grande concession destinée au père et à ses enfants.

Sous le poids de ce sous-entendu, le fils grimaça.

— J'ai un service à vous demander, si vous m'en accordez la permission, ajouta-t-il à la recherche d'un semblant d'amabilité. Je vous prierais de bien vouloir acheminer cette missive à René Plourde à la Rivière-Ouelle. Un de vos amis d'autrefois, si on m'a bien renseigné. Je sais que cela engagera une huitaine de jours de votre temps, mais je mets à votre disposition ma voiture d'eau et mes pagayeurs. J'ajouterais même qu'il y a trop longtemps que j'ai ce papier entre les mains.

En vérité, l'état de piétinement de ce fief le dépassait. Il ne savait comment s'y prendre. D'autre part, cet homme ne se doutait pas à quel point il pressait pour René Plourde, ce temps.

— Ce sera un honneur pour moy de vous servir de messager, Monsieur, répondit Michaux-Michaux, heureux de pouvoir se remettre dans les bonnes grâces des autorités.

Réjoui d'avoir cette chance de faire la paix avec René, d'une façon n'écorchant pas son ego. Enfin, tout arrivait pour le mieux.

Le lendemain, Michaux-Michaux s'embarqua. Impressionné par le sceau de la lettre, il avait cru bon mettre ses plus beaux habits. Il s'agissait d'un véritable message de conséquence.

Le soir de son retour de Kébek, René, le cœur léger, se coucha dans une forme splendide. Le lendemain cependant, la barre du jour ne le fit pas bondir sur ses pieds. Pour la première fois de sa vie, assommé par la fièvre.

— Reste couché, mon vieux. Tu te lèveras plus tard quand tu seras mieux. Tu t'es démené pas mal ces derniers temps aussi.

La fièvre ne diminua ni de la journée ni de la nuit. Au contraire ! Jeanne-Marguerite n'avait jamais rien observé de tel chez René. À travers champs, elle courut chez sa mère. Plus elle courut, plus elle toussa. Cracha. Elle pénétra dans la cabane de ses parents pliée en deux.

— Sainte Bénite !

— Maman, venez vite, René est bien malade.

— Et toy donc ! Assis-toy. Prends ton souffle. Qu'est-ce qu'il a, René ?

— Sais pas. Une grosse fièvre qui ne lâche pas depuis deux jours. Venez le voir, je vous en prie. Vous n'auriez pas encore du jus rouge à lui faire boire ?

— Bonté divine ! ma fille, du jus rouge, ça ne tombe pas des arbres, faut faire boucherie pour ça.

Devant la mine ahurie de sa fille, la mère Jeanne décida de l'accompagner au chevet de son mari. En sortant de la chambre, elle lui promit de parlementer avec son beau-père.

— Tu sais, ma pauvre enfant, on n'a pas tant d'animaux que ça à tuer n'importe quand. Reste auprès de ton mari en attendant. Tiens-lui de l'eau froide sur le front. Je reviens.

Elle sortit. Il y avait longtemps qu'on ne l'avait vue marcher aussi vite.

Miville refit boucherie. Un jour de semaine, cette fois.

La potion, disponible finalement quatre jours plus tard, n'apporta aucun soulagement.

— Rien de bon pour les poumons tout ça, reconnaissait enfin la mère Jeanne.

Parfois il faut toujours le dire, quand on n'a plus rien à essayer, on essaie encore. Qu'est-ce qu'on ne tenterait pas pour contrer le funeste ? Devant la fatalité, on s'en remettrait à n'importe quoi.

— Des fois que ça marcherait ; on sait jamais ; surprenant comme les choses arrivent parfois.

La fièvre augmenta de jour en jour. Au matin de la sixième nuit, René avait divagué pendant quinze minutes puis sembla s'être rendormi. Jeanne-Marguerite, elle, s'assoupit sur sa chaise transportée près du grabat. L'avant-midi se déroula dans le vague. Les enfants, comme des êtres sans corps ; le petit déjeuner, des aliments sans poids ; les gestes du quotidien, en état d'apesanteur. Dans quelle sorte de monde se trouvait-on ? Le terre à terre perdit pied.

Heureusement vers quinze heures, bébé Augustin ramenait tout son monde à la réalité. Il réclama à hauts cris sa tétée. Jeanne-Marguerite sursauta sur sa chaise. René entrouvrit les yeux. Dans ce tohu-bohu, on cogna à la porte. Une fois, deux fois. Jeanne-Marguerite s'occupait à faire taire le petit dans la cuisine avant d'aller ouvrir.

— Entrez, cria-t-elle avec impatience.

La porte s'ouvrit. Michaux-Michaux apparut.

Jeanne-Marguerite manqua échapper le nourrisson et éclata en sanglots. Pourtant, à peine avait-elle reconnu le revenant. Mais elle pressentit toute son importance dans l'épreuve de son mari.

— Jeanne-Marguerite ! s'exclama-t-il, aussi bouleversé.

Il avait devant lui l'épouse de son grand ami. Une enfant devenue femme. Elle avait quatre ans à son départ pour l'Isle Saint-Laurent. Aujourd'hui, une mère de famille éplorée. Quelque chose n'allait pas dans cette demeure.

René reconnut la voix. Dans sa chambre en haut, il entreprit du plat de la main d'attirer son attention en tapant sur le plancher. Cette fois, l'ami répondrait-il à son appel ? Les genoux flageolants, une main appuyée au mur, Michaux-Michaux gravit les marches à pic. Comme par l'écoutille de l'entrepont vingt-trois ans plus tôt, quand René le poussait vers l'air pur du tablier pour le faire revenir à la vie. Une saignée au cœur attendait aujourd'hui le miraculé de la petite vérole.

— René ! lança-t-il par la porte de la chambre.

Il eût souhaité n'être jamais témoin de cette scène ; l'ami absent aurait voulu ne jamais exister.

Les paupières plissées, le regard vitreux, le teint avoine, René, pris d'assaut un jour d'abondance, se trouvait au plus mal, terrassé par des fièvres inconnues. Transmises par les marins inconnus, assurément !

— Mi-chaux ! souffla René.

377

Une vie passait en ces deux syllabes. Les années de compagnonnage et d'absence, surtout celles d'absence. René ferma les yeux. Deux grosses larmes d'amitié ourlèrent ses paupières.

Michaux-Michaux demeurait figé dans l'encadrement. Ses larmes à lui, d'amertume et de sel, descendirent le long de l'arête du nez jusqu'au coin des lèvres, telle la fourche d'une rivière. Pour un petit demi-pouce de rien du tout, il avait choisi la résistance à l'amitié et le regrettait amèrement. Le regretterait toute sa vie. À pas feutrés, il s'avança au bord de la couche, s'agenouilla. Il n'arrivait pas à ouvrir la bouche. Il prit la main de René entre les siennes. La chaleur de l'amitié se fit toujours bouillante. Il se revit à son tour sur la couchette de sa terrible fièvre, René penché sur lui pendant sept jours et sept nuits. Michaux-Michaux se racla la gorge.

— René…

Pendant ce temps, la faim du petit s'apaisa. Il ne se sentait pas repu, mais ses pleurs avaient cessé. Comme s'il lui fallait se tenir tranquille. Donner une chance à son père. Sa mère le remit dans son berceau poussé dans la pièce voisine près de la paillasse des plus vieux.

Elle revint à la chambre.

— René, dit-elle à son tour, regarde, tu as de la belle visite !

Repli du désespoir, elle plongea la tête dans son tablier pour couvrir ses sanglots.

— René, continua l'ancien compagnon, j'ai un message pour toy de la part du seigneur De-la-Chenaye, Dieu ait son âme. Il l'a écrit il y a bien longtemps, paraît-il.

René voulut en entendre davantage, mais son corps s'évanouit.

Ne tenant plus en place, les beaux-parents partirent, à minuit, pour aller chez leur gendre. Un quart de mille à travers champs, combien loin dans le noir ! Ils avancèrent à peine. Plus les pas de la vieille semblaient s'embourber, plus son vieux tirait ou poussait d'un bras passé en travers de son dos.

— Pas trop vite, tu vas me faire piquer du nez.

— À cette vitesse-là, Jeanne, ça va nous prendre toute la nuit.

On n'y voyait rien. La lune, par pudeur, avait choisi de ne pas briller. D'un bras allongé dans le vide, Dame Jeanne tint son ballant. Son autre main se crocheta si fort aux doigts de son mari que le sang au bout s'en retira.

— On aurait mieux fait d'attendre l'aube, dit François devant la démarche difficile de sa femme. Quand même Jeanne, continua-t-il, si tu penses que… je pourrais te tuer une autre bête.

Cet homme aurait donné sa dernière chemise pour son gendre.

— Ça fait rien de bon, mais faut que je retourne voir la vieille sauvagesse. Quand on connaît les teintures comme elle, on sait bien des choses. Tu te souviens de la toilette de noces de Jeanne-Marguerite ? Tu te souviens de sa couleur ? René, c'est un fort, il va survivre.

Miville ne répondit pas, mais il connaissait sa Jeanne. Une façon à elle de ne jamais baisser les bras, sinon de les relever. Malgré lui, ses propres yeux fouillèrent la profondeur de la nuit pour voir si un astre lumineux n'apparaîtrait pas, ne viendrait pas à leur secours. Une lune jaune orange, semblable à la toilette de sa fille le jour de ses noces, combien providentiel ce serait.

La vieille sauvagesse apprit la triste nouvelle. Une maladie tellement soudaine. Elle aussi traversa le champ, s'en vint voir comment se rendre utile. En attendant, elle marmottait des formules magiques.

Ils sentirent la présence les uns des autres.

— Qui va là ? demanda Miville.

La vieille sauvagesse ne répondit pas, mais amplifia son invocation au ciel désert.

— Sainte Bénite ! c'est elle. Je n'aurai pas besoin de courir après…

Enfin, la porte s'entrouvrit et les beaux-parents pénétrèrent dans la demeure.

Sur la pointe des pieds, Jeanne-Marguerite se précipita dans les marches.

— Sais pas quoi penser, Maman. Sais pas s'il dort ou s'il est évanoui ?

Les beaux-parents suivirent leur fille. Lorsque, à la lueur de la bougie, ils entrevirent la figure décomposée de leur gendre, ils détournèrent la tête : Jeanne vers le soleil levant, François vers le soleil couchant. À pas de tortue, ils s'approchèrent.

Les regards paralysèrent au-dessus de la maladie. Le vieux couple n'en revint pas. Il l'avait vu…

— Voyons, c'est pas possible ! On ne peut pas tomber aussi vite, se dit la belle-mère. C'est parce qu'il fait noir, aussi. Tout a l'air pire dans la nuit. Seigneur Jésus, pria-t-elle en silence, ce n'est pas dimanche de Pâques, mais faites qu'il ressuscite comme vous.

Pour le reste de sa vie, elle promit de retourner à la messe tous les dimanches, dut-elle s'y traîner sur les hanches.

— François, aide-moy à me mettre à genoux.

Les articulations frappèrent le plancher comme du bois sec et lui arrachèrent une grimace. Le temps de se ressaisir, elle posa les poings sur le bord du grabat. Cette vieille mère animale flaira à quatre pattes son gendre, écouta son souffle, chercha un remède. Alors, très doucement, elle avança sa bouche aux mille ridules près de son front et y déposa un baiser. La contagion ? Elle s'en balançait. Une vieille patte feutrée remonta le long de la joue jusqu'au sommet du crâne, là où toute la vie se concentre à la fin. Devant autant de chaleur, de fièvre, de vie qui se débattait, cette main bouillante crut à une renaissance.

— Aide-moy à me relever, chuchota-t-elle en tournant la tête vers son vieux debout, immobile, le regard noyé de larmes.

Michaux-Michaux s'empressa de la soutenir par l'autre bras.

— Je vas chercher un remède pour hâter la guérison. Quand je reviendrai, je l'aurai et mon gendre guérira. Reste avec lui mon vieux.

Une sorte de soulagement inconscient, comme de la confiance, souleva la poitrine de René.

Avant de partir, elle jeta un regard à sa fille accroupie au pied du corps fiévreux de son époux.

— Ma fille en plus ! Comment on va faire ? se demanda-t-elle. Il me reste encore des forces, je vas l'aider. Oui l'aider, le temps qu'elle reprenne de la mine.

La santé de sa fille, l'espoir le plus tenace de l'existence de cette mère. En passant près d'elle, elle mit la main sur son épaule.

— Je reviens avec une autre sorte de potion. Ça va marcher, promis.

À la minute, elle pensait autant à guérir sa fille qu'à sauver son gendre.

— Mon pauvre René, un si bon mari. Si je fais rien pour Jeanne-Marguerite, elle va trépasser, elle aussi.

Elle avait souvent vu sa fille malade. Mais un mal qui attaquait l'âme autant que le corps, ça ne pardonnait pas. Du venin ! Bientôt, on entendait la vieille femme descendre l'escalier comme si elle se laissait tomber à chaque marche.

Miville sanglotait tout bas. Tellement de complicité, de gestes d'entraide le liaient à cet homme depuis le début de ses fréquentations avec leur fille. Jamais il n'aurait pu concevoir son gendre dans la peau d'un moribond, sous le masque de la mort. Lui, toujours plein de force, dont la verdeur demeurait à quarante ans.

— C'est pas juste !

Miville aspira par le nez et se ressaisit. Il s'approcha tout près de son oreille.

— René. C'est François.

— Pa-pa... Pa-pa..., balbutia le malade comme sa petite Marie-Catherine quand elle le voyait revenir au loin.

Ces mots, chez cet homme, deux bouchées de pain bénit.

Oui, même à travers sa perte de conscience, René avait ressenti l'allusion : François de la Rivière-Ouelle comme François de la forêt d'Archigny.

Avec toute la paternité du monde, le père de la Rivière-Ouelle, du pouce, imprima lentement, pour l'autre, une croix sur son front. En signe de bénédiction paternelle. Celle du jour de l'An que René prisait plus que tout. Un long frisson parcourut le corps du grand homme.

Miville, perdu dans ses pensées, se releva, salua d'un signe Michaux-Michaux, posa en passant sa main sur la tête de Jeanne-Marguerite et descendit dans la cuisine. René pantelait. Il manquait d'air, Miville également. Mais lui, il avait le loisir d'ouvrir la porte, de sortir. Trois heures du matin.

*   *
*

Au milieu de la cour, des ombres vagabondèrent. Elles allèrent, vinrent, comme s'il faisait jour. Les franges d'un habit volèrent, et une forme plus nette se profila. Elle s'arrêta tout à coup devant la porte de la grange, se pencha un long moment, et repartit à toute allure. Mystère. Dès que l'air pur aboutit dans les poumons de Miville, il retrouva ses sens.

— Sacréyé ! C'est presquement tout le village qui est icitte.

En effet, les deux tiers de la Rivière-Ouelle se tenaient dans le noir. Qui avait propagé la nouvelle ? Ou avait-on

383

pressenti la fin tragique d'un drame ? Il reconnut près de la porte le vieux Deschênes et sa dame, la *pelle à feu* qui avait délivré tous les enfants Plourde. Ramassés en cercle, Thiboutot, Gauvin, et leurs femmes, conversaient à mi-voix. Le jour venu, ils iraient chercher leur progéniture. Ils se rappelèrent le grand jeune homme figé sur la grève après le naufrage, le regard perdu ailleurs et qui n'écoutait pas ce qu'on lui disait par rapport aux Iroquois cachés derrière chaque *âbre*. Par contre, il ne se faisait jamais attaquer. Qu'avait-il donc de différent ?

Le bonhomme Machin-Choutte, comme l'appelait la Guillemette, se trouva aussi sur les lieux. Ce pauvre d'entre les pauvres saisissait toutes les occasions pour se faire accepter de ses compatriotes. Surtout, il n'avait jamais senti de rejet de la part de Plourde. Sa reconnaissance envers lui n'avait pas de limites. René n'oubliait jamais d'où il venait. Il était issu de la forêt d'Archigny comme une semence sort de terre. Même Clara, la fille du petit homme que le Malin avait emberlificotée à la fin du siècle précédent, l'accompagna. Elle avait ouï-dire que, très jeune, « Nérée Palourde » avait perdu ses parents. Une misère morale trop bien connue. Elle aussi tombait orpheline en bas âge. Même si elle avait peur du monde, elle était venue. Par empathie, mais agrippée à son père comme jamais. Puisque sa Clara aimait bien les petites bêtes du bon *Djieu* jaunes, celui-là s'installait près de la mare aux canards de la petite Marie-Catherine.

Au coin de la grange, les trois sorciers se trémoussèrent, firent des bonds à ressort, et ajoutèrent aux ombres mouvantes.

Chacun avait sa raison personnelle de se trouver près de la demeure de cette mort inattendue. Quand on avait vu Plourde une fois, on ne l'oubliait plus. Une charpente dominante, un charisme réservé, un être qui se démenait, donnait sa pleine mesure.

Plus la nuit avança, plus la barre du jour tarda. À peine parvint-elle à projeter son image à l'horizon. Son clair-obscur ne vous couperait pas le souffle de précision ce matin. Jouant de malheur, une grappe de nuages noirs lui obstrua la route. On aurait dit une fêlure à l'horizon, un bris dans l'existence, à l'endroit précis de la demeure Plourde. La lumière pâle s'allongeait en faiblesse de l'autre côté de la tache. À l'image de l'agonisant sous le toit. Le soleil lui-même se leva-t-il pour la dernière fois ?

Au loin, Miville crut reconnaître sa belle-fille Guillemette. Elle galopait comme une folle à travers les champs dépouillés. Qui donc la suivait ? Il plissait les yeux pour mieux distinguer.

— Cours chez les Plourde, Guillemette, lui avait dit sa mère sortie à son habitude jauger du temps qu'il ferait. Ça se promène pas mal du côté de chez René.

Il ne s'agissait pas d'une nouvelle naissance. Grave, l'affaire ! On put le voir à la filée des Soucy qui venaient plus loin. Son mari Tancrède, à trois cents pieds derrière, son beau-frère Ernest, et sa femme toujours sans enfant, et les deux autres célibataires de la famille, René et Pierre, le cadet et l'aîné. Le temps pour la mère Levasseur de retirer sa chemise de nuit et de suivre le courant avec son mari.

Guillemette, comme une mouche, s'engagea dans le petit escalier par bond de trois marches. Elle fonça dans Jeanne-Marguerite venue l'accueillir sur le palier.

— Ma pauvre amie ! murmura-t-elle en la tenant dans ses bras. Qu'est-ce qu'il a, René ? Il y a pas si longtemps, il était avec mes beaux-frères à Kébek. J'ai entendu Pierre dire à Tancrède alors qu'il remisait ses agrès que René lui avait empruntés.

— Pétant de santé, comme toujours, le beau-frère ! Et heureux comme deux, il a fait de bonnes affaires. C'est ses mots exacts, je te jure, Jeanne-Marguerite. Ça peut pas être aussi grave que ça.

— Jette un coup d'œil.

Guillemette fit quelques pas et l'aperçut par la porte. Elle tomba à genoux comme si le travers du haut l'eût confinée à trois pieds de terre. Un autre que René se mourait sur ce grabat.

— Pas possible !

Elle ferma les yeux et sortit son chapelet. Ses larmes coulèrent, rondes comme les grains de son rosaire.

Dans la cuisine, les autres membres du clan Soucy, le cœur à l'envers, attendirent de monter, à tour de rôle, dans la petite chambre. D'un pas incertain, chacun gravit les marches grinçantes, s'arrêta un moment sur le haut du palier, tourna à droite, avança de trois ou quatre pas, traversa la porte de la pièce et paralysa devant René, inconscient. Non ! Non ! Et nononon ! Dix minutes à se remettre de son étonnement et à communiquer en silence avec son beau-frère. Des yeux, ils cherchèrent tout autour des explications. Parfois un geste, un regard, un souffle, un mot de la part de Jeanne-Marguerite ou de Michaux-Michaux résuma la situation. Plus incrédule l'un que l'autre, on céda sa place sans paroles, redescendit la tête basse et s'empressa de sortir dehors respirer l'air pur. La femme d'Ernest demeura à proximité des enfants dont la déroute se faisait palpable.

— Demande-moy n'importe quoi, ma belle-sœur.

En guise de réponse, Jeanne-Marguerite toussota. Cet écho la mettait en furie contre elle-même. Ça dérange René, ça enlève sûrement de la force. À chacune des pointes de toux, il est vrai, l'enveloppe de René tressaillait.

Cette fois-ci, elle s'interdirait de tousser. Elle se durcit les nerfs du cou et s'approcha à distance d'une pensée de son homme. Tout en douceur, elle déposa sa main sur sa tête. Le malade se détendit. Lorsqu'elle se retira, une touffe de cheveux resta collée à sa paume.

— Miséricorde !

Les modulations des sorciers ne tarirent pas. Dans la cour, plus personne ne s'occupa de leur présence. Le jour se leva, et ils jouèrent gros à présent ! Grâce à leurs incantations, René vivait encore, crurent-ils. Ils n'avaient pas lâché prise de la nuit, eux. En gestes grandiloquents, ils prirent soin de pousser plus haut encore l'encens de leur feu. Haussèrent leurs décibels à l'intention de ce dieu-soleil, pourtant à demi mort au bas du temps. Oh ! s'ils avaient pu léviter. Les cieux comme la terre se seraient enfumés de magiques paroles brumeuses. Sept heures.

Quant au père de Réqueleyne, il avait entrepris ces derniers temps une petite visite de paroisse dans la bourgade huronne non loin de Kébek où, autrefois, le grand manitou racontait au jeune Plourde l'histoire de son audacieux ancêtre. Mais l'affaire remontait à un autre âge. À une vingtaine d'années, au fait. Le curé s'apprêtait, donc, à donner la communion à une Huronne, vivant seule dans une vieille cabane, très loin de sa tribu et grand-tante des guides rameurs qui avaient amené Michaux-Michaux à la Rivière-Ouelle. Têtue comme une mule, cette matriarche n'en faisait qu'à sa tête et avait décidé d'élire domicile où bon lui semblait. Ses neveux, pour tuer le temps en attendant de reconduire Michaux-Michaux, se promenèrent dans les environs et s'introduisirent chez leur parente à tout hasard. Saisis de part et d'autre, la vieille, le prêtre et les rameurs figèrent sur place. Pour mettre fin au malaise, l'un des pagayeurs lança :

— Pelourde va mourir.

— Très malade, ajouta l'autre.

Le serviteur de Dieu accusa la nouvelle comme un coup de tonnerre. Il détala. Il lui fallait administrer à cet homme les derniers sacrements. Le temps pressait... à cause des flammes éternelles... Comme si, au dernier tournant de l'existence, le diable en attente de sujets attraperait Pelourde par la peau du cou et le jetterait d'urgence en enfer. La robe noire, en passe de devenir immatérielle, ne sembla plus porter à terre. À travers la forêt, un ministre du ciel en surplis blanc courut de toutes ses forces, bras en l'air et hostie au bout des doigts. La vieille Huronne laissée en plan demeura la bouche ouverte. La langue sortie, elle attendait toujours le corps du Christ. Le prêtre, dans ce bois dense, aurait pu trébucher cent fois et profaner la sainte hostie. Un demi-mille plus loin, une branche d'arbre accrocha son étole. Par bonheur, le cordonnet qui resserrait les deux bouts sur la poitrine cédait. Le prêtre mi-étouffé ravala sa salive, mais ralentit à peine. Son zèle n'avait plus de frein. Son œuvre de conversion le poussait au bout de lui-même. Quelqu'un devrait s'en mêler. Qui ? La divine Providence vint à son secours avec doigté. Le prêtre se calma, fit demi-tour et retourna chercher la custode. Il replaça l'hostie dans son réceptacle consacré et, recueilli, demanda pardon pour son manque de respect. Il avait retrouvé ses sens et reprenait d'un bon pas le trajet des quatre milles le séparant de la petite chapelle. Il passerait y prendre le saint chrême, un mélange d'huile d'olive et de beaume.

Il aboutit finalement chez le colon Plourde. Toujours vivant.

— Merci Seigneur de m'avoir attendu pour lui administrer l'extrême-onction.

Tout en récitant des prières pour son salut, il oindrait sa tête et ses pieds avec les huiles bénites, consacrerait par ces signes son enveloppe charnelle. Au dire de Miville, pour mieux glisser de l'autre bord. Dans la circonstance, non seulement une volonté de servir son Dieu avait poussé le prêtre, mais aussi la conviction profonde que la vaillance de ce colonisateur s'avérerait des plus méritoires pour le ciel.

Dans la cour du mourant, il croisa le seigneur Jean-Baptiste-des-Champs lui-même atterré par l'étrange mal.

— Monsieur le curé.

— Monseigneur De-la-Bouteillerie.

Ils se saluèrent de la tête.

— Qu'est-ce que c'est, mon père ? N'est-il pas trop jeune pour quitter la terre ?

— La volonté de Dieu, mon fils.

Monsieur De-la-Bouteillerie resta sans voix. La volonté de Dieu !

— Que lui voulait-elle de plus qu'hier à cet homme ?

Le curé ne s'attarderait pas. Aucunement l'heure de discussions existentielles. Il poursuivit sa route et tomba sur les sorciers dont les torses rebondissaient près de la grange. On aurait dit des corps sans jambes dans l'épaisse fumée au ras du sol. Le prêtre s'arrêta net devant la scène, et du haut de sa chrétienté leur jeta un œil réprobateur. Plus son regard les fixa, plus ils se sentirent transpercés. Plus ils s'énervèrent, plus ils nasillèrent. Cherchaient-ils à implorer les dieux de la vie ? Non, ils semblaient plutôt geindre autour d'un « *Dies ire, dies illa* ».

Dès que Madeleine Blondeau-Verbois aperçut Monsieur De-la-Bouteillerie, elle s'empressa de venir se pavaner autour de lui pour obtenir un regard d'approbation. Elle aimait la mode comme ce n'est pas permis, et tout cillement la rendait euphorique. Son mari vint la cueillir par le coude. La vieille Sanschagrin, elle, fumait sa pipe et se moquait de la *péteuse* à plein nez. Elle tirait par la cheminée des touches si longues que les braises du fourneau en rougissaient, et de sa bouche édentée expulsait par à-coup ses rondes volutes qui venaient embrouiller la vue de Madame. Le sort jouait-il un rôle quant au parcours de ces deux femmes diamétralement opposées ? Où elles allaient, sans cesse elles se retrouvaient à petite distance l'une de l'autre.

— Tu l'as vue ! s'exclama la Sanschagrin à son mari. Guérira jamais.

Avec la pointe du jour, le reste du village arriva par famille dans la cour des Plourde. Entre autres, les Houalet, Bouchard, Hudon, Huot Saint-Laurent, Dubé, le jeune Lavoye et le vieux Duplessis, tous ébranlés par l'incroyable mal. On ne connaissait pas le premier mot de ces « fièvres jaunes ». Pour quelles raisons s'attaquaient-elles d'abord à Plourde ? Quelle faiblesse cet homme cachait-il ?

— Le savais, avança Duplessis à qui voulait l'entendre, que quelque chose de pas correct lui arriverait un jour ou l'autre. Lui disais souvent, ralentis donc Plourde, mais il m'écoutait pas. Jamais su s'arrêter, le bonhomme.

Lavoye rétorqua :

— C'est pas plutôt que vous vouliez juste quelqu'un pour jacasser, le père, et que vous étiez pas plus intéressé que ça par sa santé ?

— Mon petit blanc-bec, toy !

— Voyons vous autres, qu'est-ce qui vous prend ? C'est pas la place pour se chicaner, dit Huot Saint-Laurent.

— Quand même, un peu de respect le jeune, moralisa Houalet.

Le jeune de s'éloigner les mains dans les poches. Il trouverait à sa mesure, ailleurs.

Ne passèrent pas inaperçus au cœur de la cour, Mance, petite épouse de douze ans à son arrivée, maintenant trente-cinq, et son « Paradis » sans âge. Avec eux, leurs quatorze enfants dont le cadet en train de téter sous le corsage de sa mère. Se remarquèrent également, Jeannette et son fils, du haut de ses vingt-trois printemps, le premier du voyage à voir le jour en Nouvelle-France. Jeannette éprouva une telle sympathie pour cet homme qui, après la tempête et parce qu'elle se trouvait enceinte, la tirait dans une barge à travers les glaises de la marée basse jusqu'au rivage. Et tous ces autres venus grossir au fil des ans le bourg de la Rivière-Ouelle.

Une fois debout pour la journée, les enfants grignotèrent des miettes de pain. Conscients du drame, ils n'ouvrirent pas non plus la bouche, à l'exception ce matin de Marie-Catherine qui en avait assez de...

— Qu'est-ce qu'il a mon Papa, Maman ?

— Rien. Rien. Ça va passer.

— Veux lui faire un câlin, veux lui faire un câlin, pleurnicha-t-elle. Ça va aider à passer plus vite.

— Ecoute, Marie-Catherine, Papa m'a dit qu'il ne voulait pas que tu attrapes son bobo. Demain, tu pourras lui faire ton câlin.

Oh ! de cette connivence, elle et son papa.

— Venez, on va aller jouer dehors, dit Joseph pour dégager ses parents.

Des jeux tranquilles et un silence de Vendredi saint.

Huit heures au cadran solaire.

— Maman, maman, cria Joseph du rez-de-chaussée. Venez vite !

Jeanne-Marguerite se précipita dans l'escalier.

— Chut! Joseph, tu sais mieux que ça. Ton père!

Joseph ne se contenant plus haussa la voix.

— Il y a un bébé, par terre. Venez voir, devant la porte de la grange.

Sur son grabat, René tressaillit de tout son être. Dernier frisson de la vie ou ultime frisson de la mort?

— Jésus-Marie-Joseph! Qu'est-ce que tu dis là?

Son aîné hallucinait-il? La perte de son père le dérangeait-il à ce point?

Jeanne-Marguerite courut dehors. L'émotion provoqua une solide quinte de toux. Pliée en deux, elle avança derrière son fils. Ses trois autres enfants avaient essaimé autour du poupon métis cantonné dans son bien-être, les poings sous la gorge. En l'apercevant, elle tomba à genoux, et, de surprise, sa toux s'arrêta. Étendu sur un dossier en bois, le petit avait été revêtu avec soin. Une minutie des grands jours. Deux longs cordons en cuir retenaient le précieux enfant à sa *tikinagan*. Sur sa poitrine, entre le croisé des lacets, apparut une broderie flamboyante, tel un écusson. Un encadré vert où s'alignaient, bout à bout, deux noms de famille en lettres rouges et orange. De fines tiges prenaient naissance au pied de ces mots et s'insinuaient vers le pourtour où de larges feuilles palmées s'éclataient, ondulaient, festonnaient. Jeanne-Marguerite se sentit projetée dans un autre monde. Son regard s'y perdit. Un cocon s'ouvrit sous ses yeux. Un monarque venait à maturité. Ou était-ce un aigle au regard bleu, prêt à s'envoler dans les hauteurs?

— Re-né! ponctua-t-elle.

Elle le sut. Il s'agissait bien de lui. Les vérités de cet homme rare prenaient peu à peu leurs ébats. La part silencieuse de sa vie allait enfin livrer ses secrets, se répandre sur les flots du grand fleuve devant.

Elle lui survivrait donc !

— Mon-homme-mon-homme, répéta-t-elle comme un mantra.

Le poupon ne pleurait toujours pas. La mère le souleva avec soin. La onzième heure scintillait sur l'horloge du ciel. L'enfant ouvrit enfin les yeux, comme s'il savait compter les heures. Les heures avant sa reconnaissance.

Les bras pleins du petit être et de son attirail, Jeanne-Marguerite avança de son mieux vers la chaumière. À travers la couronne de ses enfants cousus à ses jupes, elle tituba parmi la foule au souffle retenu. Saccade des pas et bruissement qu'accentua le silence autour. La vibrante masse humaine comme treuillée par un courant d'air pénétra dans la chambre où les deux amis attendaient.

L'âme chevillée au corps, le malade ne cédait pas. Il avait même repris un semblant de forces. Les enfants s'immobilisèrent d'eux-mêmes au pied de la paillasse. Jeanne-Marguerite s'approcha de René et s'agenouilla tout près avec son précieux fardeau. Marquant la surprise, la tête de René se tourna vers l'enfant. L'écusson des langes éclatait ! L'astre d'un nouveau jour à l'horizon.

— Écoute René.

Lentement, Jeanne-Marguerite lut, la voix chargée d'émotion :

— ... de Plour-Lignet.

René fut saisi en plein cœur. Une vérité l'atteignit. Il ferma les yeux. Sa tête, d'incrédulité, se balança de gauche à droite sur le grabat. D'instinct, son mouvement s'arrêta vers l'enfant. Survint un doux roulement de tambour à son oreille. De nouveau, ses yeux s'ouvrirent à demi.

Jeanne-Marguerite plaça le porte-bébé sur le bord de la paillasse, défit les lacets, souleva l'enfant et le tint dans ses bras. Attirant toute l'attention, un grand morceau de cuir replié par trois fois sur lui-même recouvrait le fond de la *tikinagan*. On y avait gravé une adresse avec moult fions. René chercha son vent. Jeanne-Marguerite sentit que le temps pressait et se mit à lire par-dessus l'épaule du bébé :

À ma descendance, en pays de Neuve-France.

Moi, René Plourde, alias René III de Plour, dit le Mousquetaire, après un long et chaotique voyage en mer, déclare avoir trouvé refuge sur les berges du Nouveau Monde à la fin du seizième siècle. Ainsi, après avoir vécu à la cour, avoir été jeté au bagne pour insubordination, avoir survécu à une épique chasse à la baleine et à une attaque des pirates, j'eus le privilège d'être déposé par la femme capitaine sur le littoral de ce grand fleuve. Des forêts profondes m'assurèrent aussitôt gîte et nourriture.

Seul être à la peau blanche à sillonner les environs, mon histoire intrigua. Un jeune Sauvage s'attacha à mes pas. À huit ans et en mal d'aventures

palpitantes, il manifesta un vif intérêt pour tout ce
qui me concernait. Il épia chacun de mes gestes et se
mit à me suivre à la trace. Après plusieurs années de
compagnonnage, rompu à la langue française telle
que je la lui appris, il entreprit de transcrire, par le
détail, sur cette peau de daim, le récit suivant de mes
années dans le vieux pays comme de mon tumultueux
périple au Nouveau Monde.

René tenta d'ouvrir la bouche. Tout s'expliquait
maintenant.

— Il était donc vrai ce récit du grand manitou.

Malgré mes soixante ans, une jeune femme à la
peau de soleil couchant m'accueillait dans son cœur.
Une fille naquit de notre union. Sa mère la prénomma
« Outre de vent » et insista pour ajouter de Plour à
son nom. Puis, elle décréta qu'à l'avenir toute sa pro-
géniture s'appellerait ainsi. « Telle est ma loi ».

Une quinzaine d'années plus tard, un grand bon-
heur illumina à nouveau ma vieillesse avec l'arrivée
de ma petite-fille. Elle reçut le nom de sa mère, de
Plour. Dès lors, j'eus la certitude que ma descendance
aurait une suite sur le nouveau continent.

— Ainsi, c'était la vérité, balbutia l'agonisant.

Aux portes du trépas, son regard en plongée revit
le grand manitou dérouler lentement la peau de cuir, et
entreprendre pour lui une longue lecture jusqu'à son *acta*

est fabula. La vie de son ancêtre René III, dit le Mousquetaire, retentissante histoire s'il en fut.

Ses yeux mi-clos se détournèrent un instant vers la
montagne de cet ancêtre dont il reconnaissait à présent
toute l'histoire. Il n'avait donc pas terminé ses jours au
bagne, cet arrière-grand-père. René, de ses avant-bras à
peine entrouverts, appela l'enfant sur sa poitrine. Jeanne-
Marguerite y déposa la petite. Ses mains se refermèrent
sur la précieuse enfant telle une grande richesse... celle
d'un ancêtre commun. Du vif-argent au cœur de sa vie.

Le groupe de ses petits s'était resserré au bout du grabat. Ils ne quittèrent plus leur papa des yeux. Ils seraient
courageux comme lui. De temps à autre, les plus jeunes
jetaient un œil du côté de leur grand frère pour décoder
son regard à lui. Pour voir si eux, les petits, ils saisissaient
bien la portée des choses. Si Joseph, le père en peinture
comprenait ce qui se passait, eux aussi comprendraient.
Une même compréhension les habiterait tous. Du plus
petit au plus grand, et ensemble, cette famille porterait
le flambeau de la descendance, à l'exemple de leur père.

Le silence parla fort. Michaux-Michaux aurait voulu
cracher ce goût d'amertume dans sa bouche. Comment
avait-il pu se montrer si dédaigneux envers son ami de
toujours ? Quel fol orgueil lui avait fait franchir ce pas ?
Une blessure d'amitié valait-elle ces années perdues ?
Sous le poids des regrets, il gardait la tête basse. La tristesse de ses yeux oscilla des lames du parquet au visage
de son ami. Il sut désormais que son souvenir ne le quit-
terait plus jamais. Il se pencha vers René. Tout près de
son visage, il livrait à voix basse cette promesse :

— Je suis là pour toujours, t'inquiète plus, mon ami.

Assommée par l'événement, Jeanne-Marguerite se remit debout avec peine. Elle passa dans l'autre chambre. Bébé Augustin sommeillait comme un ange. Peut-être se sentait-il trop petit pour être témoin du drame. Était-ce déjà pour lui le temps de perdre son père ? Y a-t-il un temps pour perdre l'indispensable ? Un petit rot aida à prendre les choses par leurs petits côtés. Revenant vers son plus vieux, Maman dit :

— Tiens-le bien, Joseph.

Le noyau se desserra pour faire de la place à leur petit frère puis se resserra. Un inséparable bloc désormais, une véritable fusion.

Assis par terre, Michaux-Michaux gardait la position, comme René autrefois à son chevet sur le navire. Remords déliés, son irréversible promesse avait rendu à son corps pourtant solide le tonus d'avant. Son pourpoint entrouvert laissa deviner l'enveloppe du seigneur De-la-Chenaye. L'agonie continuait son œuvre. Il lui fallait agir dans l'immédiat. Il mit une main sur l'épaule de René et de l'autre il tint la précieuse enveloppe dans les airs.

— René, René, écoute-moy encore.

La missive ondula sous les yeux du grand malade.

— L'intendant de Kamouraska t'envoie ce message. Il a été écrit pour toy par le seigneur De-la-Chenaye autrefois, m'a-t-il dit.

De-la-Chenaye ! À ce nom, René tressaillit. Son cou se raidit. Un murmure à l'extérieur se transformait en brouhaha, comme si l'agonie amplifiait les sons.

Tout à coup, le père Machin-Choutte lançait :

— Une embarcation sur le bras de la Rivière-Ouelle !

La foule se retourna pour voir. Sous autant de regards, le pauvre homme à la recherche de complicité eut l'impression de vivre une minute de gloire. Mais, sa Clara, baba comme jamais, enfouissait sa tête dans l'aisselle de son père.

— Regarde le voilier d'outardes, dit Jeannette à son fils.

Au-dessus de la crête du littoral, un nuage de plumes avançait à bonne vitesse. Ce bruit de fond se transforma en vacarme. L'intendant de Kamouraska mis au courant de la maladie virulente de cet homme autrefois dans les bonnes grâces du sieur De-la-Chenaye à la réputation toujours flamboyante crut rehausser sa propre image en venant à son chevet faire lui-même la lecture de la missive transportée par Michaux-Michaux. Suivi d'une dizaine de Hurons, plumes sur la tête et habits de circonstance, ils mirent le pied sur la berge et la troupe s'amena d'un pas bruyant dans la cour. Leur tranquillité envahie, les canetons de la mare s'ébrouèrent et gloussèrent plus fort. Ah ! si la pauvre Clara avait pu disparaître sous terre.

Quand la belle Madeleine aperçut l'intendant, elle bondit comme une gazelle. Une chance inespérée de faire voir ses atours. De son côté, la Sanschagrin-mine-de-rien poussa le pied loin devant. Madeleine, la tête en l'air, ne se méfia pas du croc-en-jambe et atterrit sur deux des jeunots de Mance. Les trois, l'une par-dessus les autres, se retrouvèrent à quatre pattes. Les deux maris en vinrent presque aux poings.

— Ça suffit ! Laissez Madeleine tranquille !

— Tu viendras pas nous dire quoi faire !

Pendant que l'un aidait son épouse à se relever, l'autre par le bras tirait ailleurs sa femme pour l'empêcher de nuire.

— T'es mieux d'arrêter ça, Mara ! Tu vas mettre la pagaille dans la paroisse, si tu continues.

— Ça serait-tu que t'as un œil sur elle, toy aussi ?

Après avoir salué le dignitaire, le père de Réqueleyne dut faire place au mouvement de la troupe. Il se retrouva pris à la serre entre deux sorciers. Il n'apprécia pas du tout la situation. Il recula d'un pas et mit un talon dans la braise. Nom d'un chien ! Cette forte odeur de fumée resterait collée à sa soutane pendant huit jours. Des effluves païens qui lui tombèrent sur le cœur.

Un des chenapans de Mance qui adorait jouer au soldat s'élança, à son tour, vers le peloton en marche pour toucher au sabre sur la hanche de l'intendant. Dans sa course, il passa à un cheveu de faire trébucher le seigneur de la Rivière-Ouelle pressé de venir à la rencontre du nouveau personnage.

— Mon p'tit démon ! l'attrapa par la manche son Paradis de paternel.

Le garçonnet leva de terre.

Les hauts gradés portèrent une main à leur chapeau, sans plus.

— Tout un malheur s'abat sur la Rivière-Ouelle, dit Monsieur De-la-Bouteillerie. Il ne semble pas que René Plourde s'en sorte.

— Il n'y a pas plus grand malheur pour la colonie, à ce qu'on me dit.

— Grand malheur ! dites-vous.

— Je vous prierais Monsieur, dit l'intendant, de bien vouloir m'accompagner dans la demeure du mourant.

À la lumière du matin, dans cette cour grouillante, on aurait dit un tableau de Jérôme Bosch.

L'intendant n'attendit pas qu'on vienne les recevoir à la porte. De toute façon, le vieux m'as-tu-vu de Duplessis la tenait déjà ouverte après s'être assuré que tous le regardaient. Mine de rien, il venait, les deux mains dans les poches, de leur barrer la route avant d'entreprendre ses politesses. Le seigneur De-la-Bouteillerie à sa suite, l'intendant gravit les marches comme s'il savait où il allait. Lorsqu'il pénétra dans la chambre, le grand ami tendait à l'épouse le courrier dont il avait la charge. D'un même élan, l'intendant joignit son geste au leur, mais ne tarda pas à soutirer la feuille. On se redressa et on retint son souffle. Des écrits s'envoleraient vers l'au-delà. Le temps pressait. Debout au pied du grabat, les enfants du couple, le plus beau des marbres ! Jusqu'à ce que Marie-Catherine tourne un œil humide vers sa mère en serrant très fort les cuisses parce qu'elle avait envie de… Jeanne-Marguerite avait fait une large place aux deux dignitaires et se tenait debout derrière les enfants. Elle mit la main sur la tête de la petite.

— Tantôt…

L'état de conscience de René se dégradait. L'intendant se mit à la lecture de la lettre transportée par Michaux-Michaux et dont personne ne connaissait encore la teneur. Écrite de la main même du sieur De-la-Chenaye et remisée en attente du jour où, le temps venu, il conviendrait de lui faire part de sa décision de le mettre en responsabilité.

> *Monsieur René IV Plourde*
>
> *Considérant votre ardeur inlassable au défrichement du territoire de Sa Majesté ;*
>
> *Considérant votre courage exceptionnel m'ayant, un jour, délivré d'une mort certaine aux mains des Iroquois ;*
>
> *En reconnaissance des services rendus pour le plus grand bien de la colonie ;*
>
> *En reconnaissance de cet acte de bravoure à l'égard d'un serviteur de Sa Majesté ;*
>
> *Qu'il soit entendu, par la présente, que je vous fais part de ma décision de vous confier la seigneurie de Kamouraska jusqu'à ce que moy ou mes enfants soyons en mesure de prendre la relève.*
>
> *Avec tous les droits et privilèges attachés à cet état de fait, je vous remets cette épée.*

Comme l'épée n'avait pas suivi la missive, le seigneur De-la-Bouteillerie en un geste paternel retira la sienne, se pencha et la déposa le long du corps du seigneur René Plourde. L'agonisant n'avait pas perdu un mot de la lecture.

Mes hommages, monsieur René IV Plourde de Plour.

Et j'ai signé,

Charles-Aubert de-la-Chenaye

Les yeux de l'anobli cillèrent.

Jeanne-Marguerite sursauta. Elle sut que cette lettre devait accompagner son mari dans la terre. Tel un linceul, elle l'envelopperait pour l'éternité. Son regard chercha celui du seigneur debout. De même, cette épée suivrait le corps de son époux, lui signifia-t-il d'un doux hochement de la tête. Le symbole n'appartenait plus à ce monde. Dans le silence éternel, il prendrait tout son sens. Le seigneur De-la-Bouteillerie se recula près du mur laissant à l'invisible toute la place.

L'intendant se retira aussitôt. À peine comprit-il ce qui se passait.

— Un pauvre colon, se dit-il. Rien d'utile à ma réputation.

Il s'empressa de tout oublier.

En face sur le fleuve, un voilier fit entendre sa corne de brume. Il terminait sa course. S'achevait également la vie d'un défricheur dans la force de l'âge. Tout rentrait dans l'ordre : autrefois, un manant ; aujourd'hui, un être de liberté.

René Plourde ne bougeait plus. Un tel homme ne saurait mourir dans le noir. Il s'éteindrait à l'heure où le soleil atteint son zénith. Quand la lumière jette mille feux, quand elle articule la vie de l'autre côté des choses. Qu'elle tend la main à celui qui va. René releva les paupières. On aurait dit que tout l'azur attendait pour se précipiter dans ses yeux qui, une dernière fois, iriseraient en plénitude son regard avant de se couler suavement, divinement, au fond de son âme. Midi brasillait. Ses mains se resserrèrent sur le petit corps, tel un trait d'union entre le passé et le présent. Oh ! la force d'un lien, d'un lien unique, fragile et féroce à la fois, prêt à toutes les batailles. Mais voilà que l'iris pastel blêmit, s'estompa, céda la place à deux yeux métissés, lançant leur alléluia à la vie. Couleurs effacées sous quarante ans d'incroyables labeurs, l'iris blanchi de l'aristocrate de la terre alla rejoindre le regard albâtre de son noble ancêtre au-dessus de la vallée de Kamouraska. René s'éteignit… les yeux grands ouverts sur l'avenir de sa descendance en Neuve-France.

GLOSSAIRE

Âbre : arbre.

Asteure : maintenant.

Canter : incliner.

Chichikoué : petit tambour chez les Amérindiens.

Chrémeau : petit bonnet dont on coiffe l'enfant baptisé.

Clairon : résine solidifiée.

Cordeaux : guides, rênes.

Danserie : danse.

Drette là : immédiatement.

Écornifleux : celui qui cherche à voir ou à entendre indiscrètement ce que font ou disent les gens.

Écrapoutir : écraser, aplatir complètement.

Emmalicé : mettre en colère, rendre furieux, surtout les animaux.

Enfarge : obstacle.

Étriver : contrarier, taquiner, agacer.

Fumelle : femme.

Inyienne : étoffe de coton peinte.

Jale : grande jatte ou baquet.

Kwey ! : salut ! Formule de salutation utilisée chez les Amérindiens.

Pantoute : aucunement.

Pelle à feu : pelle servant à transporter la braise, peut aussi désigner la sage-femme qui, en dernier recours, utilisait la pelle à feu pour délivrer le nouveau-né.

Rapailler : ramasser au hasard de menus objets.

Reintier : les reins.

Respir : respiration, souffle.

Sumer : semer.

Su : sud.

Tasserie : partie d'une grange où l'on a tassé du foin ou du grain en gerbes.

Tikinagan : support pour enfant chez les Amérindiens.

Timber : tomber.

Tudieu : interjection , juron de l'ancienne comédie.

FAITS AUTHENTIFIÉS

— L'acte de mariage entre René Plourde et Jeanne-Marguerite Berrubey dans sa version originale (Archives de la Côte-du-Sud).

— Deux dates existent quant à l'arrivée de René Plourde en Nouvelle-France, soit 1685 ou 1695.

— Une terre de six arpents de front sur trente de profondeur lui fut concédée à Kamouraska par le sieur Charles-Aubert-de-la-Chenaye en 1695.

— Sa deuxième terre lui vient de son mariage à la Rivière-Ouelle, fief de Jean-Baptiste-des-Champs-de-la-Bouteillerie.

— On note trois lits, par la mère, dans la belle-famille de René Plourde : Soucy-Berrubey-Miville.

— Les noms des six enfants de René Plourde et leur date de naissance sont authentiques. L'aîné, René V, est vraiment le cinquième portant ce nom et la date de son décès est véridique.

— On ne connaît ni la cause ni la date précise de la mort de René IV Plourde, mais il meurt au début de la quarantaine. Lorsque sa femme, Jeanne-Marguerite, âgée de 29 ans, décède en 1709, il n'était plus de ce monde. Cependant, Augustin, son dernier enfant, est né en 1708.

— Située dans la région de Kamouraska, la Montagne à Pelourde, élévation bien visible de l'autoroute Jean-Lesage (20), fait partie intégrante de toutes les cartes géographiques régionales actuelles. Sur l'ancien cadastre, le lot de cette concession délimitant sa terre porte le numéro 48.

L'anecdote « de Plour / Plourde » court dans la petite histoire. Elle n'a reçu, à ce jour, aucune validation historique.

TABLE DES MATIÈRES

PARTIE I
LES CHEMINS DU SANG

PARTIE II
LES CHEMINS DU COURAGE

PARTIE III
LES CHEMINS DE LA LIBERTÉ

VOIX NARRATIVES ET ONIRIQUES

Collection dirigée par Marie-Anne Blaquière

BÉLANGER, Gaétan. *Le jeu ultime*, 2001.

BRUNET, Jacques. *Ah...sh***t! Agaceries*, 1996. Épuisé.

BRUNET, Jacques. *Messe grise* ou *La fesse cachée du Bon Dieu*, 2000.

CANCIANI, Katia. *Un jardin en Espagne. Retour au Généralife*, 2006.

CHICOINE, Francine. *Carnets du minuscule*, 2005.

CHRISTENSEN, Andrée. *Depuis toujours, j'entendais la mer*, 2007.

COUTURIER, Anne-Marie. *L'étonnant destin de René Plourde. Pionnier de la Nouvelle-France*, 2008.

CRÉPEAU, Pierre. *Kami. Mémoires d'une bergère teutonne*, 1999.

CRÉPEAU, Pierre et Mgr Aloys BIGIRUMWAMI, *Paroles du soir. Contes du Rwanda*, 2000.

CRÉPEAU, Pierre. *Madame Iris et autres dérives de la raison*, 2007.

DONOVAN, Marie-Andrée. *Nouvelles volantes*, 1994. Épuisé.

DONOVAN, Marie-Andrée. *L'envers de toi*, 1997.

DONOVAN, Marie-Andrée. *Mademoiselle Cassie*, 1999. Épuisé.

DONOVAN, Marie-Andrée. *L'harmonica*, 2000.

DONOVAN, Marie-Andrée. *Les bernaches en voyage*, 2001.

DONOVAN, Marie-Andrée. *Mademoiselle Cassie*, 2e éd., 2003.

DONOVAN, Marie-Andrée. *Les soleils incendiés*, 2004.

DONOVAN, Marie-Andrée. *Fantômier*, 2005.

DUBOIS, Gilles. *L'homme aux yeux de loup*, 2005.

DUCASSE, Claudine. *Cloître d'octobre*, 2005.

DUHAIME, André. *Pour quelques rêves*, 1995. Épuisé.

FAUQUET, Ginette. *La chaîne d'alliance,* en coédition avec les Éditions La Vouivre (France), 2004.

FLAMAND, Jacques. *Mezzo tinto,* 2001.

FLUTSZTEJN-GRUDA, Ilona. *L'aïeule,* 2004.

FORAND, Claude. *Ainsi parle le Saigneur,* 2006.

GRAVEL, Claudette. *Fruits de la passion,* 2002.

HAUY, Monique. *C'est fou ce que les gens peuvent perdre,* 2007.

JEANSONNE, Lorraine M. M. *L'occasion rêvée... Cette course de chevaux sur le lac Témiscamingue,* 2001. Épuisé.

LAMONTAGNE, André. *Le tribunal parallèle,* 2006.

MARCHILDON, Daniel. *L'eau de vie (Uisge beatha),* 2008.

MUIR, Michel. *Carnets intimes. 1993-1994,* 1995. Épuisé.

PIUZE, Simone. *La femme-homme,* 2006.

RICHARD, Martine. *Les sept vies de François Olivier,* 2006.

ROSSIGNOL, Dany. *L'angélus,* 2004.

ROSSIGNOL, Dany. *Impostures. Le journal de Boris,* 2007.

TREMBLAY, Micheline. *La fille du concierge,* 2008.

VICKERS, Nancy. *La petite vieille aux poupées,* 2002.

YOUNES, Mila. *Ma mère, ma fille, ma sœur,* 2003.

YOUNES, Mila. *Nomade,* 2008.